LE CARNAVAL
DES VENTS D'ISLANDE

DU MÊME AUTEUR

Guide de la sécurité dans le bâtiment, Eyrolles, 1998.
Massoud au cœur, avec Mehrabodin Masstan, Le Rocher, 2003.
Montmartre Délires, avec Jean Pattou, Artena, 2006.
Les Gens du Nord et la Ch'ti-attitude, Alphée, 2008.

www.editions-jclattes.fr

Pilar Hélène Surgers

LE CARNAVAL
DES VENTS D'ISLANDE

Roman

JC Lattès

Maquette de couverture : Atelier Didier Thimonier
Photo : André Derain, *Gravelines*, 1934-1935 © Adagp, Paris, 2011.

ISBN : 978-2-7096-3672-8

À Ann, ma jumelle.
Et à tous les nôtres.

« Respectons la majesté du temps ; contemplons avec vénération les siècles écoulés, rendus sacrés par la mémoire et les vestiges de nos pères ; toutefois n'essayons pas de rétrograder vers eux, car ils n'ont plus rien de notre nature réelle, et si nous prétendions les saisir, ils s'évanouiraient. »

Chateaubriand

PROLOGUE

La femme s'introduisit à pas de loup dans une cave regorgeant de dossiers. Silencieuse, elle poussa le commutateur avec son index ganté de blanc. Elle hésita, le nez collé sur la tranche des chemises. Elle en sortit plusieurs. Un dossier daté de 1970, à la cote *Héritage Blondeel / testament*. Un autre nommé *Cadastre*, assorti d'un numéro. Elle les consulta tranquillement. Elle regarda sa montre. Deux heures du matin. Reposa précautionneusement les dossiers, éteignit la petite pièce en sous-sol et remonta les marches jusqu'à la chambre, sans un bruit.

1.

— *À hisser la grand voile !* hurla-t-il.

Ça y est. On y est. On est parti, se dit Pierre Blondeel, les yeux levés jusqu'au vertige sur les voiles bombées.

C'était un jour bleu. Un samedi. Le 21 février 1898. La *Louise-et-Gabrielle*, une goélette toute neuve, était la dernière à appareiller du port de Gravelines. Une vingtaine de morutiers l'avait précédée vers les mers d'Islande. Les premiers voiliers étaient partis dès le 10, date des départs réglementée depuis les grands naufrages de 1839.

C'était un samedi, parce qu'on ne part pas un vendredi. C'est bien connu mais cela ne se dit pas trop. Ces superstitions semblaient ridicules... Mais aucun marin n'avait forcé le rythme pour être prêt vendredi. Sûrement pas.

Et ce samedi était un beau jour. Comme si le ciel – ou la chance – leur avait donné raison. L'air était bleu, l'aube était bleue et la brume avait envahi de bleu tout ce qu'elle touchait. Terre et mer unies. Un miracle bleu.

C'est vrai qu'il faisait froid mais bien couvert d'une vareuse et d'un pantalon de drap épais, avec dessous un caleçon long de laine et un gros pull tricoté serré par les femmes de la maison, la température était supportable.

Le moral aussi était au bleu. Pierre Blondeel, les mains sur la barre, se sentait bien sur ce beau bateau solide sous ses bottes. Il respirait déjà l'air du large avec émotion, le cœur vibrant. Six mois sans naviguer et l'hiver rigoureux qui n'avait pas incité aux balades sur terre.

La goélette latine avait quitté le bassin Vauban et progressait lentement entre les berges de la rivière, l'Aa. Les rives de sable et de verdure étaient ponctuées de petites maisons qui diffusaient une impression de nidification. De ce chenal se dégageait une atmosphère telle que de nombreux peintres comme Turner, Seurat ou d'autres s'étaient essayés à en ravir la magie.

La *Louise-et-Gabrielle* voguait au portant. Puis la brise s'essouffla et tomba.

Elle était maintenant encalminée. Le chenal était si plat qu'à bord on commençait à envisager de mettre le « canote » à l'eau pour la sortir des jetées, déhalée à la rame. Enfin une petite risée, toute frêle, venue de l'est, gonfla à nouveau de proche en proche toutes les voiles et même la fortune, cette grande voile carrée, ancêtre du spinnaker. Le capitaine Coubel avait fait tout envoyer à la fois par plaisir, par fierté et par nécessité. Ce petit vent sembla vraiment s'établir et on vit enfin la mer du Nord, au bout des estacades, entre les villages de Grand-Fort-Philippe et de Petit-Fort-Philippe. « La *Louise* avec tout dessus, c'est beau, hein ! » se disaient les marins.

Oui, la *Louise-et-Gabrielle*, chantier Verdoy, armement Gombert, avait fière allure, fine, avec son avant à guibre. Paisiblement, elle passa entre les berges. Ceux qui s'étaient postés en spectateurs, ou pour envoyer de grands adieux amicaux avec le sémaphore improvisé de leurs bras, l'admiraient, poussée comme à la parade, par un vent de trois quarts arrière. Le port de Gravelines disparut alors, les pointes en étoile de ses fortifications avec.

Pierre Blondeel, à l'arrière du bateau, fixait trois petits bâtons qui marchaient sur le chemin de berge. Parfaitement visibles. Son père, son petit frère et sa sœur. Seul, Émile, son frère aîné, manquait, embarqué la veille sur le *Léon*, un

14

grand balaou dunkerquois[1]. Sa mère n'était plus là pour les accompagner. Enterrée depuis quelques jours.

En vue du calvaire, toute dernière bâtisse concrète, le capitaine Coubel fit envoyer trois fois le pavillon en tête de mât. À bord, les hommes, à genoux, casquette à la main, saluèrent le petit monument qui rappelait les disparus en mer.

La peine de Pierre, tout à coup, était immense et il ne savait pas si l'éloignement le consolerait de la mort de sa mère chérie ou si, au contraire, il n'en souffrirait pas plus. Il s'efforça de repousser son chagrin et pensa aux vagues, au présent, au voyage, à la pêche, à l'Islande, à l'avenir. Et à rien d'autre.

D'autant que le bateau était en train de doubler enfin les grosses jetées de bois. Et la marée descendante commençait à dégager de petites zones de sable blanc ourlées d'écume. À l'ouest et à l'est, une eau hyaline se retirait lentement. La plage dorée par le soleil commençait à se découvrir mètre après mètre, jusqu'aux deux kilomètres de sable dans quelques heures, à marée basse, ce qui donnerait à ce site sa singularité et son ampleur.

Le jusant acheva de l'expulser du chenal vers le large.

Dès les petits lumignons du chenal franchis, rouge à tribord, vert à bâbord, la houle s'empara de la coque, la fit rouler un peu, puis gîter. De la grève, la laisse de haute mer devenait maintenant invisible. La *Louise-et-Gabrielle* s'était volatilisée aux yeux des terriens. Tandis que sur le bateau les regards se tournaient vers l'immense horizon, Pierre encore empreint de ceux qu'il aimait et laissait sur le rivage pour six mois ou plus, dirigea fermement son attention sur la navigation, les manœuvres et les ordres à donner en tant que second.

Le capitaine Coubel mit en place les quarts de navigation en deux bordées alternées : des quarts de jour de six heures d'affilée et des quarts de nuit de quatre heures. Ce qui ferait tourner l'équipage, évitant aux mêmes les heures difficiles de

---

1. Goélettes aux deux mâts inclinés en arrière.

fin de nuit. Ensuite il disparut dans sa cabine avec instruction de ne le déranger qu'en cas de nécessité. Il était sujet au mal de mer et ses trente campagnes d'Islande lui avaient appris que le sommeil était le meilleur remède. Il s'était donc isolé à l'arrière du bateau et allongé, yeux fermés, sur sa couchette. Il cachait le plus possible ce handicap, bien que sa réputation de marin n'en souffrît pas. On l'admirait plutôt pour son courage. Accepter d'être malade systématiquement de longs jours forçait le respect. Surtout des terriens. Les marins comprenaient ce sacrifice apparent, eux qui goûtaient tant l'enchantement de la haute mer, des vastes levers de soleil, l'allégresse de l'aube et le plaisir de sentir le voilier repousser les aurores à coups d'ailes de coton. Oui, Pierre, le vent sur le visage, ressentit enfin un répit et une espérance. Ses poumons opprimés semblèrent se libérer d'un étau pour se dilater librement.

La brise s'était levée. La mer frappait tribord, le bateau filait grand largue et on avait cargué la fortune.

La traversée se présentait sous les meilleurs auspices. Un jour splendide, un bateau neuf, un bon capitaine, un armateur sérieux. Mais personne à bord ne commenterait rien : trop téméraire.

Pour l'heure, la goélette se comportait bien. Sa proue fendant l'eau en force dessinait une belle vague d'étrave blanche et mousseuse.

— Elle soulage bien à la lame, hein ? conclut un marin, le corps penché à la proue.

La goélette s'élevait sans à-coups devant les vagues, pendant que, dans un ciel aquarellé gris perle et gouaché d'or, à l'ouest, le jour finissait rouge.

Pierre regarda cette vingtaine d'hommes s'activer. Ces futurs camarades de fortune ou d'infortune. Ils allaient vivre ensemble l'aventure de la pêche à la morue en Islande. Ensemble il leur faudrait remplir les cales du bateau de tonneaux de morue, durant six mois, ou plus, ou moins, suivant leur chance.

Les bateaux, Pierre les aimait, les sentait d'instinct. Et cette goélette-là, il l'avait vue naître. C'est dire. Il avait traîné ses bottes sur les chantiers gravelinois, surtout sur le chantier Verdoy dont il aimait les constructions. Son cousin Joseph, originaire du Grand-Fort, l'avait entraîné, un an auparavant, un dimanche d'hiver, sur le chantier pour lui montrer le bateau naissant, avec ses varangues et ses membrures comme des bras en l'air. À l'été, il avait admiré la *Louise-et-Gabrielle* encore inachevée, sans sa mâture, le pont juste posé, et sans se douter qu'il embarquerait à son bord. On voyait bien qu'avec ses vingt-six mètres hors tout, ses quatre mètres quatre-vingts au maître bau, son un mètre quatre-vingts de tirant d'eau et ses formes élégantes, elle ferait la fierté de son armateur et de ses constructeurs, Joseph et Émile Verdoy, le vieux charpentier de marine et son fils.

Ce grand départ était sa première vraie sortie depuis sa mise à l'eau. On avait célébré son baptême sous l'œil ému de ses parrains, du curé, de l'armateur, de tous les ouvriers et surtout de ses pères. D'un bateau à l'autre, ils avaient passionnément amélioré le dessin des carènes[1], jusqu'à leur dernière-née qui venait de faire bouillonner l'eau du canal.

Pierre, du village de Bray-Dunes, ne connaissait pas ces marins gravelinois. La maladie puis la mort de sa mère l'avaient empêché de trouver un embarquement à Dunkerque, le port voisin. Son cousin Joseph l'en avait averti, sur la *Louise-et-Gabrielle*, il manquait un second. Dernière possibilité pour lui de partir à la Grande Pêche.

Il avait rencontré l'armateur, signé l'engagement, et avec lui, *in extremis*, l'équipage fut au complet. Il avait touché des avances et remplacé l'équipement perdu dans le naufrage de l'année précédente, à Terre-Neuve.

La pêche sur les bancs de Terre-Neuve était bien différente. Il avait voulu l'expérimenter. Il était parti de Fécamp avec quarante hommes à bord d'un grand trois-mâts. Cette pêche

---

1. Coque des bateaux.

se pratiquait à deux marins sur une petite barque à rame, à poser des lignes de fond, et le terre-neuvas à l'ancre attendant le retour des doris lestés de leur butin de cabillauds.

Ce funeste jour de 1897, l'année précédente donc, un brouillard de flanelle cendre était brutalement tombé. Pierre et son coéquipier n'avaient pas retrouvé leur bâtiment, qui n'était plus à son mouillage. Ils avaient erré vingt-quatre heures sur la mer, à se battre avec les rames, à s'en écorcher les paumes, à s'en faire enfler les phalanges. Ils avaient finalement échoué leur doris sur une plage. Sauvés. Tandis que le terre-neuvas, qui avait chassé sur son ancre, était parti à la dérive et s'était croché sur les hauts fonds. Tous les hommes étaient saufs, mais la pêche perdue.

Pierre avait achevé sa campagne de juillet et d'août sur un autre terre-neuvas et un triste constat. Que d'effort pour si peu!

Ce qui le consolait un peu de la mort de sa maman, c'est qu'elle ne se soucierait plus de ce qui pourrait lui arriver en mer.

Joseph tapa sur l'épaule de Pierre.

— Ça va, fiu?

— Ça va, ti'frè'!

Son cousin Joseph s'était engagé sur la *Louise-et-Gabrielle* comme coq. Sa présence avait contribué à le rassurer: Joseph était un bon ami doublé d'un cuisinier astucieux. Si Pierre ne connaissait sur le bateau que Joseph, Joseph, lui, connaissait tout le monde. L'équipage, sur les « Islandais », était une famille au figuré et souvent au sens propre. Embarqués à bord de la *Louise-et-Gabrielle*, le fils du capitaine Coubel et son neveu mousse. Et le novice était le fils d'un des plus vieux matelots. Tous se réjouissaient d'être réunis et, la terre tout à fait disparue, une certaine jubilation s'installa.

Pas encore fatigués, pas encore en pêche, on blaguait, on manœuvrait, on naviguait, on s'occupait. Certains matelots préparaient les apparaux[1] de pêche. Ils fixaient les hame-

---

1. Matériel de pêche.

çons sur leurs lignes, amarraient les barils dans lesquels le cabillaud serait salé et fourraient les haubans pour protéger les voiles de l'usure.

Pierre descendit dans le carré se réchauffer et boire le café préparé par son cousin. Il fut surpris d'entendre un marin dire au mousse qui venait de renverser sa tasse : « Ben, fais pas et'tête ed'cat poursui'! » Traduit par Joseph : « Ben! Gamin! De chat poursuivi, une bille d'effaré, quoi! »

Avec les Gravelinois, on était aux portes de la Flandre. Le picard flamandisé avait remplacé le flamand dunkerquoisé. Les *fius* s'étaient substitués aux *gamins*, aux *ti'frè'*. Les Van quelque chose, les Evraert, les Lécluyse avaient muté en Fournier, Vérove, Gilliot ou Lefébure.

Pierre avait beaucoup de mal à comprendre leur patois. Pour lui, ces gens parlaient une semoule de français, une bouillie à consonance grasseyante, un mélange local de flamand, d'anglais et de picard ch'ti.

Un parler décidément bien différent du sien. À quelques kilomètres de distance! Sur les bateaux dunkerquois, on parlait soit français, certes avec un fort accent flamand et beaucoup de tournures idiomatiques – mais cela restait du français –, soit carrément flamand. Pierre, lui, parlait les deux langues mais ce charabia! Même les Grand-fort-« ph'lippois » et les Petit-fort-« ph'lippois », des deux villages en miroir séparés par le chenal, ne se comprenaient pas bien entre eux. Pierre avait ri d'entendre, sur le port du Grand-fort, la patronne d'un estaminet crier « sur » son mari petit-fort-philippois : « Ewe! Rétourne chez toiye, étrangèy'! »

Considéré par les béotiens comme un sabir de néerlandais, son flamand de Bray-Dunes, dernier bastion avant la Belgique, était en fait une langue rare, une langue fossile, celle des peintres Van Eyck et Van der Weyden, toujours vivants à l'oreille, cinq siècles plus tard.

Pierre était un « vrai » Bray-Dunois. Son physique le criait haut et fort à ceux de la région. Des cheveux blond sable, bouclés, des yeux enfoncés, bleu tendre, des lèvres sensuelles, une peau abricot. Il suffisait que l'on s'égarât un jour de communion à l'église de Bray-Dunes pour comprendre à quel point la répartition génétique était peu variée. Pierre ressemblait à son nom, Blondeel, avec deux « e », et à tous les siens.

Les membres des cinq, six familles du village s'étaient mariés entre eux, mais contrairement à la règle cela ne leur avait pas nui. Certes tous n'étaient pas beaux mais presque tous étaient blonds-bleus, on en trouvait quelques courtauds aux yeux globuleux et à la carnation rougeaude, mais beaucoup, comme Pierre, avaient une indubitable noblesse de traits.

Dès les côtes disparues, le bateau avait piqué au 360 compas, plein nord.

Pierre se remémora la route à suivre jusqu'en mer d'Islande. Il visualisa le passage entre l'Écosse et les Orcades, le Pentland Firth, si torrentueux parfois que des goélettes, prises dans des tourbillons, y avaient pivoté plusieurs fois sur elles-mêmes, ou, si le vent devenait trop furieux, une route entre les Orcades et Fair Isle. Ensuite le « trou » à la mauvaise réputation entre les Orcades et les Shetlands. Les commentaires des Instructions Nautiques – « avec vent contre courant, la mer peut y être énorme » – ne rassuraient personne. Pour reconnaître les Féroé, on incurvait le cap au nord-nord-ouest. En vue de l'Islande, on repérait les îles Westmann, puis, en face, sur l'Islande même, le Örafajökull, que ses 1 956 mètres rendaient visible à soixante milles marins, par temps clair.

On n'en était pas là. Pierre était satisfait de retrouver la mer du Nord. « Sa » mer. Il avait vu la Méditerranée, s'y était baigné, lui avait trouvé des couleurs magnifiques, mais cette mer sans marée, pour lui, n'était pas la vraie.

Satisfait aussi de retrouver les odeurs. Odeurs prégnantes, irritant la gorge, de bois salé, puissantes, caramélisées, des poêles au charbon, vertes, sures des matelas de paille froide, des voiles de rechange humides et un peu moisies. Et au-delà du pont la senteur neutre de la mer. Seul le souffle des baleines parfois viendrait sensiblement empuantir l'alentour : un mélange de poubelle à base de vieilles huîtres, tomates et concombres pourris. Les baleines s'annonçaient de loin, bien avant d'apparaître. C'était si fort, si épais qu'il les repérait à plus de sept milles, au-delà de la vue et de l'horizon. Bientôt, dès la pêche commencée, viendrait, à certains endroits du bateau, l'odeur de la saumure, mêlée d'humeurs corrompues et de sang de poisson salé. Impossible d'y échapper. Écœurante, supportable, appréciée ou rebutante, suivant les nez. Cela s'infiltrerait partout. Et l'accoutumance en viendrait.

Et quel bonheur de retrouver sous ses pieds l'élasticité de l'eau, de revoir le moutonnement imprévu des vagues. Tout ce champ liquide lui était un plaisir qu'à chaque fois il croyait oublié. Il empoigna son sextant, plaça les différents petits miroirs dans les bonnes positions, fit le point et se remit à des calculs délaissés depuis la campagne précédente.

À cent soixante milles, on avait paré le « banc de sable », le Dogger Bank, on longeait maintenant les côtes d'Angleterre en pointant entre Écosse et Orcades.

Le vent avait forcé entre 5 et 6, et le bateau filait dix nœuds. Mille quatre-vingts milles[1] marins entre le Nord et Reykjavik ; à dix milles à l'heure, pour arriver : cinq jours. « Comptons avec les aléas du vent, se dit-il, et multiplions par deux : dix jours au pire. »

Même si c'était lui qui, jour après jour, avec ses calculs au sextant, une montre précise, les livres et les cartes, confirmerait l'estime, préciserait la position, annoncerait les corrections de route et le cap, Pierre ne s'avancerait jamais à pronostiquer officiellement une date et encore moins une heure d'arrivée sur les lieux de pêche. Il n'empêche, il aimait à parier en secret dessus. Un jeu entre lui et lui. Aux matelots, il donnerait juste de vagues prévisions, en ajoutant un conjuratoire « Si Dieu le veut ». Lui qui n'était pas, croyait-il, de nature superstitieuse, le devenait en mer, comme les

---

1. Un mille marin : 1 852 mètres.

autres. Il lui arrivait d'adresser une petite prière à la Vierge Marie clouée au socle de la minuscule chapelle fixée dans un recoin du bateau. Il n'était pas croyant. Pour autant...

À cause d'un vent défavorable – « le vent refuse en grand », constataient les marins, contrariés –, le troisième jour on avait dû infléchir le cap au nord-ouest, pour être sûr de laisser largement Féroé à tribord.

Sans rien révéler de toutes ses supputations, Pierre s'amusait au long des jours à compter puis à décompter les milles parcourus suivant la force du vent ou les zigs et zags de la route maritime. Mais il pestait quand le vent tournait et frappait de face, se rappelant l'adage : « Vent debout : deux fois le chemin, trois fois le temps, quatre fois la grogne. »

Ce matin-là, le soleil ne se montra pas. Pierre ne put faire le point. On était à quelques jours du but. Pas d'inquiétude. Il savait à dix milles près où le bateau se situait. Mais, au fil des heures, puis des jours, le vent se mit à les piéger. Venant du nord-est, exactement où ils allaient, ce fou furieux les obligea à tirer des bords et à perdre la notion précise de leur position. Pierre commençait à se demander avec appréhension s'il allait repérer les Wesmann, ces griffes au bord du ciel qui servaient de repères. Une fois ces îlots identifiés, on était sûr d'être arrivé dans les eaux islandaises.

Le danger grandissait de ne pas se trouver là où il faudrait. Ou de se trouver là où il ne faudrait pas. De se perdre sur des hauts-fonds, en vue de l'Islande et cerné par la brume. Son anxiété persistait, qu'il s'efforçait de cacher sous un sourire calme et une attitude détachée. Plus un jour de soleil. Le sextant devenait inutile sous un ciel si désespérément opaque, si interminablement gris. Enfin, tout à coup, à l'aube, sous une trouée de lumière, les Westmann surgirent dans les lointains comme des fantômes d'îles, des espoirs de pierre, puis devinrent réelles, escarpées, vertes et noires.

Maintenant il pouvait distinguer les falaises ocre, trouées de milliers d'anfractuosités où se nichait tout un petit peuple grouillant d'oiseaux, mouettes, guillemots, sternes, et tout là-haut les macareux, ces petits ridicules à bec de perroquet.

Nostalgique, Pierre repensa soudain à son village, tout en s'occupant de la manœuvre, attentif à l'action, au vent, à la mer. Une bouffée de détresse l'oppressa. Le souvenir de sa mère le cueillit au plein de la gorge. Il ferma les yeux pour s'isoler et surmonter son chagrin. Les marins avaient-ils vu sa faiblesse ? Non, personne ne le regardait. Il fixa les vagues et l'horizon si long, puis songea à ce secret qui le faisait tenir, que nul ne devinerait et qui le rendait unique parmi ces hommes à vareuse marine et casquette noire. Une pierre au ventre et une plume dans la tête. Une plume papillon. Son secret l'illumina de l'intérieur et le délivra momentanément de son tourment.

Le distrayant brusquement de ses pensées, il aperçut des orques pie patrouillant devant l'entrée de l'île à la poursuite d'un banc de lieus noirs, dont quelques-uns furent vivement soustraits à la mer pour leur « souper ».

Le soleil fit une franche apparition, les nuages s'évaporèrent dans un souffle et les côtes se devinèrent par le travers.

Pierre ne s'était pas trompé, cette année 1898, après neuf jours, la *Louise-et-Gabrielle* touchait les eaux islandaises, sans encombre et sans trop de peine, par une autre belle journée, mais celle-là très blanche.

L'émotion vint leur fouetter l'adrénaline. L'Islande était bien là devant eux, ouvrant ses fjords. Tout à coup la lumière devint bleue, assurément bleue.

La première partie de son projet était donc engagée, tandis que la deuxième, secrète, se mettait en place. C'est ce que Pierre, plein d'espoir, voulut croire.

2.

Janvier 2011

Nemours se sentait petit et misérable, il avait faim et se demandait ce qu'il allait manger ce soir. Personne ne lui préparerait son « p'tit frichti », comme disait son attentionnée grand-mère. Il faisait froid et, bien qu'on l'eût prévenu, le vent qui régnait en maître à Dunkerque, ville qui lui était inconnue jusqu'à peu, le surprit. Il se recroquevilla dans sa veste. Avec ce vent, venu tout droit du port, une odeur de mer sauce Nantua lui arrivait en plein nez.

Cela faisait trois jours qu'il travaillait à *La Voix de la Flandre*, comme journaliste stagiaire, avec l'espoir d'être engagé à la fin du trimestre. Après on verrait. Resterait-il dans ce journal ? À Dunkerque ? Lui si parisien résisterait-il à cet exil si peu exotique ? La semaine dernière encore, il arpentait avec ses amis le Quartier Latin, de la librairie Gibert au café de Flore, du tombeau du « prescellentissimi » Descartes, dans l'église de Saint-Germain-des-Prés – lieu de rendez-vous un peu original pour épater les filles –, au restaurant universitaire de la rue Mabillon ; sans oublier la belle piscine du marché Saint-Germain. Cette parcelle du VIe arrondissement était son fief, à partir de l'épicentre que représentait son studio d'étudiant, rue Grégoire de Tours, jusqu'aux arrondissements voisins.

Aujourd'hui, c'était bien différent. Il avait rendez-vous à 19 heures près du port, chez un certain Verdoy à qui il avait été recommandé par son « rédac-chef ». Il était, paraît-il, une mine de renseignements.

Le journal lui avait demandé une série d'articles sur la pêche à la morue en Islande : « Puisque vous n'y connaissez rien, Raphaël, vous aurez l'œil du candide... » Il ne l'appelait pas encore, comme tous ses amis, par son patronyme, Nemours. Cela viendrait.

C'était aussi grâce à Agathe, sa meilleure amie, qu'il avait obtenu ce premier travail. Faute d'en avoir trouvé à Paris. La province ne disait rien à ce fils unique, adoré d'une famille de Parisiens pure souche, encore moins le Nord, et encore moins Dunkerque. Un appartement familial aux abords des Invalides, des années au collège La Rochefoucauld, puis Sciences Po et le journalisme. Esprit ouvert, ce brun aux yeux bleus qui happaient la lumière adorait les voyages lointains. Il trimballait sa belle gueule, ses longues jambes et son élégance, qu'il tentait de dégingander, dans toutes les longues maraudes exotiques possibles. N'importe quel déplacement l'excitait. L'été dernier, il avait passé, avec deux amis, trois mois sac au dos en Asie du Sud-Est. D'ailleurs il rêvait de découvrir le monde entier... Mais là il se voyait plutôt en poster, un panneau « 221e jour de détention » autour du cou, sur la place de la République.

Agathe, installée dans cette ville depuis un an, louait à un prix dérisoire aux yeux des Parisiens un rez-de-chaussée à deux pas de la place Jean Bart, au centre de Dunkerque, et lui avait sous-loué une chambre. Elle donnait sur un petit jardin charmant, même en hiver, grâce au mur de vigne vierge qui le couvrait entièrement.

Ses débuts au journal avaient été pour lui, disons, surprenants. Sa tâche était d'accompagner un journaliste dans une enquête sur la pollution des usines.

Ils étaient entrés dans un petit bistrot caché au pied des cheminées de hauts fourneaux. Et assurément il avait tout de suite été mis « au parfum ». À l'anodine question « D'après vous, l'air est pollué ici ? », ce fut un tollé général. À croire que personne ne leur avait jamais posé la seule question qu'ils attendaient impatiemment depuis leur naissance !

Quelques verres de bière plus tard – pour faire comme tout le monde –, il avait compris que s'il ne voulait pas crier à son interlocuteur : « Alors ! Tu nous la craches ton info et en vitesse », avec une arrogance et une brutalité contraires au succès de l'entreprise, il faudrait dorénavant qu'il s'en tienne à un verre, pas plus.

Le patron du café montra aux deux journalistes, l'ancien et le jeunot, les étagères en verre et les verres derrière lui : « Je nettoie plusieurs fois par semaine mon *verrier* ! » Nemours, toujours intéressé par un mot nouveau, nota le terme. Il vérifierait au journal si c'était un terme local ou national. Un autre lui précisa que sa femme ne pouvait pas faire sécher le linge dehors ; que si elle le faisait, il faudrait le relaver. Un homme, au visage poupin, presque albinos, lui expliqua que, dans son jardin, c'étaient ses légumes qui étaient sales, qu'il ne pouvait manger ses salades qu'après les avoir lavées au moins trois fois – « Mais pourquoi les mange-t-il ? » se demanda Nemours. Il nota que ses ongles étaient trop blancs, anormalement décollés et courts, et semblaient rongés par autre chose que les dents. À bien regarder sa peau vermeille et toute sèche, Nemours ressentait des picotements.

Les uns et les autres expliquaient avec conviction et véhémence que l'usine d'à côté « dégazait » – c'est le verbe qu'ils employaient tous – la nuit, par temps de brouillard, et le dimanche matin. « Pas vu, pas pris. » Et tous insistaient : « Ma mère a de l'asthme », « Mon père de drôles de petits boutons » et « Mon fils tousse tout le temps ».

Nemours était atterré. Combien de temps lui restait-il à vivre s'il demeurait à Dunkerque, intoxiqué aux « gaz d'usine » ? Il mit un bémol à sa peur quand le gentil-blond-rougeaud, maçon de profession, lui confia sa crainte d'un basculement de la terre, à cause d'un excédent de poids dû au bétonnage excessif de l'hémisphère Nord.

— J'ai beaucoup voyagé dans l'hémisphère Sud (Qu'est-ce que « beaucoup » voulait dire à son âge ? Vingt-trois ans, se dit-il *in petto*...) et j'ai bien vu que là-bas, en Australie, en Inde, et ailleurs ils construisent en béton autant que chez nous. Rassurez-vous.

Et malgré sa jeunesse évidente, le brave type eut l'air rasséréné.

— Tiens ! Je n'y avais pas réfléchi.

Et son regard se fit pensif.

Nemours sortit du bistrot tout content. Il tenait ce qui lui sembla être un bon sujet : « Dégazage illégal à la Saluc ». Au retour, son collègue se mit à chanter dans la voiture : « La fumée de nos usines / Nous rend tous tuberculeux / On s'en fout, on a bonne mine / On est des carnavaleux ! »

Le lendemain une dame appela au journal. Elle voulait donner des renseignements précis sur la pollution d'une carrière des environs. On la dirigea vers Nemours. Des tonnes de scories enterrées empoisonnaient, affirmait-elle, le sol infiltré par les pluies, analysé à pH 12, alors qu'à pH 9 plus aucune vie animale ou végétale n'existait... Et pour confirmer ces faits, l'indic faisait remarquer la couleur turquoise, rare ici, du petit lac voisin. Piste intéressante. Nemours devait se documenter au plus vite.

Quelle était l'action véritable des organismes officiels censés observer les pollutions atmosphériques ou terrestres. Y avait-il laxisme ? Collusion avec les autorités ?

Le cours de ses pensées s'arrêta net devant la porte cochère de la maison d'Antoine Verdoy. Sa ponctualité lui rappela une boutade de psychiatre : « Vous êtes en avance ? Vous êtes un inquiet. Vous êtes à l'heure précise ? Vous êtes un obsessionnel. Vous êtes en retard ? Un agressif. » On ne s'en sortait jamais...

En attendant qu'on vienne, il admira la belle façade ancienne, une combinaison ordonnée de briques rouges et jaunes, et l'entourage en pierre des hautes fenêtres à petits carreaux. Dans cette ville neuve, aux trois quarts détruite en

1940 par les bombardements, il ne restait plus beaucoup de vieilles maisons : celle-ci en était. L'homme qui lui ouvrit ressemblait à cette demeure. Fin, racé, au regard intelligent, d'un bleu-gris flamand, le crâne dégarni, Antoine Verdoy n'avait ni l'intonation dunkerquoise lourde et traînante, ni l'accent « belgisant » du coin qui amusait tant Nemours. Simplement un phrasé neutre, avec des pointes élégantes.

Le jeune homme était manifestement attendu avec intérêt. C'était la différence avec les Parisiens, cette disponibilité de la province. Avec comme corollaire l'ennui ou les commérages.

Antoine Verdoy précéda Nemours à travers une sorte de cour d'honneur, puis un vaste couloir, ouvrant sur un salon cossu où il lui proposa un confortable fauteuil club. Il fut impressionné par la haute pièce aux trois murs lambrissés de chêne et au quatrième entièrement tapissé de livres. La cheminée de bois, dans laquelle flambaient haut et craquaient à petits bruits les bûches, lui parut le comble du confort et de l'aisance. De beaux meubles anciens, des tapis un peu râpés, des carafes de cristal, des bibelots chinés une vie durant ou rapportés de leurs voyages personnalisaient ce grand salon, un masque dogon, un autre Téké, un troisième Bapunu du Gabon à la grosse présence, une collection d'appeaux en forme de canards, des tableaux de famille, des paysages, des marines, tout était d'un goût hétéroclite parfait. Il vit le regard de Nemours posé sur une petite coque de bateau.

— C'est une maquette de chantier, au 1/50ᵉ, en bois plein, une goélette de l'armement de mon grand-père. 1913.

Puis il entra tout de suite dans le vif du sujet, en homme habitué par son ancien métier d'avocat à ne pas perdre son temps ni à le faire perdre à autrui.

— Asseyez-vous, jeune homme. Je ne vais pas y aller par quatre chemins. Voilà, je suis en train de devenir aveugle, une irrémédiable maladie de la rétine. (C'était donc ça, sa démarche parfois hésitante, tout au moins vigilante...) J'aurais voulu relater les souvenirs de mon père parce que je crois qu'ils pourraient intéresser ou amuser les gens de la région, or je ne peux plus me relire et me corriger. Et je veux l'aider au-delà de sa mort, et avant de partir moi-même. On vous envoie à moi parce que, m'a dit le rédacteur de votre journal, qui est un ami, et cette sympathique journaliste, Agathe, vous venez d'arriver dans notre ville et vous ignorez tout de son histoire.

— C'est vrai. C'est gênant?

— Au contraire. Un autre aurait été lassé ou dubitatif. Cela me fait plaisir de vous savoir, disons, « vierge ».

Nemours sourit à ce dernier mot.

— Vous savez, plutôt vous ne savez pas, mais mon père était une figure de notre pays. Il était, n'est-ce pas, un des derniers, sinon le dernier représentant de l'histoire de nos ancêtres, de ceux qui jouèrent un rôle dans cette pêche à la morue, si importante durant plus de deux siècles, qu'elle fut appelée « la Grande Pêche ».

— Je vois. Comment voulez-vous que l'on s'y prenne?

— Un rendez-vous hebdomadaire, par exemple. Quel jour vous conviendrait?

— Le vendredi. En fin d'après-midi?

Pour le journal un jour tranquille de fin de semaine, lendemain de bouclage de l'hebdomadaire. Rendez-vous fut donc pris.

Antoine commença alors :

— Mon père s'appelait Fursy Verdoy. Il avait l'indépendance mentale de son prénom hors du commun. Unique même, qui lui venait de son parrain qui le tenait lui-même d'un obscur saint évangélisateur de l'Islande. Un tel prénom prédisposait à un destin particulier, non? Mon père est né en 1903. Il fut, avec Torris, son collègue gravelinois, le dernier armateur de la pêche à la morue en Islande, et leurs bateaux furent les derniers ligneurs de l'histoire de cette pêche. « Ligneur » c'est-à-dire de pêche à la ligne. Je vous expliquerai.

Nemours fit juste un signe et sortit un carnet et un feutre. Antoine Verdoy pouvait continuer.

— En 1929 et 1930, il fit construire le *Willy-Fursy*, et en acheta un autre d'occasion, le *Victor-Émile*. De beaux grands voiliers… (Au bref silence d'Antoine, Nemours perçut de la nostalgie.) Puis les chalutiers ont progressivement remplacé les voiliers morutiers. Le *Willy-Fursy* a été racheté en 1935 (il disait dix-neuf cent pour mille neuf cent, comme les gens de cette génération) par une association de marins, « Les œuvres de mer », et transformé en navire-hôpital. À la veille de la seconde guerre, il ne restait plus, dans le quartier maritime de Dunkerque, que le *Saint-Jehan* de Maurice Torris et, beau symbole, à Paimpol, la *Glycine*. Parce que, vous savez, sans vouloir les calomnier, les Bretons se sont emparés de l'histoire de cette pêche. Pour les profanes, la pêche en Islande, c'est Paimpol, ce qui est injuste pour le Nord. Car Dunkerque fut le premier port de pêche à la morue et le plus important. C'est un armateur dunkerquois, un certain Declerk, qui, pour la première fois, envoya en 1705 une flottille de sept bateaux en Islande. Les Bretons, de Paimpol, Tréguier, Binic, etc., n'ont rejoint les nôtres qu'à partir de 1852. (Son ton montait.) Ils ont toujours eu beaucoup moins de bateaux sur ces zones.

Nemours ne connaissait rien à la pêche, rien à l'histoire de la pêche à la morue, ni au vieil antagonisme entre les deux régions.

— À quoi attribuez-vous ce rapt de votre histoire ?

— Probablement à Pierre Loti avec son *Pêcheur d'Islande*, paru en 1886 et beaucoup lu, alors qu'aucun auteur dunkerquois n'a écrit de roman sur le sujet, et puis au caractère des gens du Nord fait de modestie, voire de timidité. C'est difficile de parler de soi et de se faire valoir. Pourtant cette pêche a longtemps fasciné, lointaine, dangereuse. Pouvez-vous vous imaginer un chantier à La Défense, par exemple, sur lequel vingt-trois ouvriers sur deux mille mourraient tous les six mois ? C'est ce que représentent les morts à la pêche à la morue chaque année. Et je ne vous parle que d'une moyenne. Je vais même vous révéler un scoop. Un vieux scoop périmé ! Les Bretons déploraient plus de naufrages et de morts. Leurs goélettes étaient plus fines donc plus fragiles et leurs habitudes plus ébrieuses… Il ne s'agit pas là de stupide rivalité entre le Nord et la Bretagne, vous vous en doutez, mais de chiffres. Je me suis penché sur la question : de 1852, à l'arrivée des Bretons à Islande, jusqu'en 1939, trois pour cent de morts au lieu des un virgule quatorze chez nous. Je ne sais pas s'il faut en parler dans vos articles... Au carnaval on chante, « Ah, c'qu'elle est courue la pêche à la morue / Y'en a qui reviendront plus ».

Antoine se leva pour ajouter une bûche au feu mourant et tisonner les cendres. Nemours en profita pour étendre ses jambes. Cette maison était décidément très accueillante.

Antoine reprit :

— Mon père a poursuivi la tradition familiale en devenant armateur à la pêche d'Islande. Comme mon grand-père Émile, charpentier dans le chantier naval de son propre père, Joseph, puis par la suite armateur. Un lointain ascendant Verdoy, un des premiers répertoriés dans les registres gravelinois du XVIIIe siècle, s'appelait Antoine – d'où mon prénom d'ailleurs. Il était portefaix. Mon père était impressionné par l'esprit d'entreprise de sa famille. Il m'en parlait souvent.

Nouvel arrêt, nouveau silence d'Antoine, puis la reprise, de sa chaude voix sourde et grave.

— 1914-18, la guerre éclate et tout s'arrête. Après, la vie repart mais Émile meurt d'une flèche dans le crâne !

— On dirait une mort d'Apache !

— Non ! Il tirait à l'arc « à la perche ». À la verticale. On pratique encore ce jeu dans les Flandres. Vous devriez vous y intéresser. Émile était bon tireur. Je dois avoir dans un placard des coupes qui témoignent de ses succès. La flèche qui l'a touché n'était pas la sienne. Il a été atteint par ricochet. Mon père qui travaillait à Paris rentra alors à Dunkerque, je suppose pour être proche de sa mère et de sa sœur. Mais peut-être avez-vous soif ?

Nemours choisit un porto, comme Antoine, servi dans de petits verres gravés.

Le vieil homme attrapa, sur une commode en acajou, des photos en noir et blanc dans des cadres d'argent : son père, Fursy, sur le pont d'un bateau en construction, le *Willy-*

Fursy, et celui-ci à quai et en mer. Nemours trouva de la prestance à cet homme jeune, en chapeau mou, en veston de tweed et entouré de marins – on s'activait manifestement à bord. Il y en avait une aussi, prise à l'intérieur de son usine de salaison, où les ouvrières posaient figées dans leur grand tablier et leur bonnet blanc, étranges et désuètes.

Antoine Verdoy reprit ses explications.

— Il avait monté une usine de salaison près de la gare et une sécherie, celle-là au cœur de la ville. Après cinquante ans, la sécherie finit par être expropriée. Les voisins se plaignaient de l'odeur et n'osaient pas le dire à mon père qui trouvait, lui, que parler de mauvaises odeurs ou, pire, de puanteur, n'était que malveillance ou diffamation. La voisine avait apostrophé maman : « Vous comprenez, madame Verdoy, dans mon jardin même mes roses sentent la morue ! » La pharmacienne expliquait qu'après le passage des « femmes du magasin », comme on les appelait, elle était obligée d' « aérer en grand » et d'asperger de déodorisant pour que l'odeur ne repousse pas les clients suivants ! Pour mon père, les fruits avariés de l'épicerie proche envoyaient l'été de désagréables effluves vers la sécherie... Moi, d'accord avec lui, j'aimais ces odeurs de salaison. Avec mes copains de classe nous jouions à cache-cache entre des murs de morues salées, dont je mangeais des petits bouts arrachés au passage, ce qui répugnait mes copains. Il est vrai que je suis le fruit d'une expérience...

— D'une expérience ?

— Mon père avait « inventé » une farine. Il avait déposé un mode de fabrication et la marque *Florfish*. Il vendait cette farine aux industries de soupe de poisson, convaincu de sa qualité nutritive. Si convaincu qu'il ne voulut pas que ma mère me donne autre chose que cette farine mélangée à du lait durant mes deux premières années. Je me rappelle quand même avoir eu une fois l'impression d'étouffer en tétant mon biberon, je devais avoir un rhume ou il y avait des grumeaux... J'ai cru mourir. Enfin, vous avez devant vous le résultat...

Il sourit. Ses dents étaient étonnamment blanches et belles pour son âge. Nemours, songeur, admira silencieusement les bienfaits du phosphore et du calcium.

— Cette farine se vendait très bien. Mon père trouvait imbécile de faire boire de l'huile de foie de morue aux malades ou aux enfants à cause du mot. De l'huile! Pensez! Tout ce qui était gras le dégoûtait et il prétendait que manger trop et surtout de la viande était mauvais pour la santé. Il affirmait qu'aucun boucher, à force d'ingurgiter quotidiennement des kilos de viande, ne dépassait la cinquantaine. Cela s'avérait. Les Gravelinois qu'il mettait en garde contre les méfaits de la « nourriture carnée » et à qui il prônait les bienfaits du poisson, ne le croyaient qu'à moitié et il passait pour un original. Une étude récente, publiée par le très sérieux journal scientifique *The Lancet*, faite sur vingt ans auprès d'une population hollandaise du bord de mer ne mangeant que du poisson, démontrait que les maladies cardiaques, vasculaires et les cancers étaient notablement moins répandus chez eux qu'ailleurs. Il aurait été content de voir officiellement démontrer ses dires. Quant à lui, il se disait végétarien. Enfant, il n'avait jamais accepté d'avaler de la viande et ce n'est qu'à quinze ans qu'il avait découvert le goût de ces protéines animales, avec un petit pain au pâté ingéré par erreur lors d'un cocktail. Fort de la réussite de sa farine, il tenta de trouver de nouveaux débouchés. Nous servions de cobaye pour ses essais : pain à la morue, lourd comme un lingot, biscuits, soupes, dragées protéinées que nous recyclions en bonbons farces et attrapes au collège…

— Il a réussi dans son entreprise?
— Je ne voudrais pas déflorer la fin…

C'est le moment que le chat, qui attendait impatiemment au pied d'Antoine, choisit pour sauter sur ses genoux.

— Je vous présente Tom. Il appartient à ma petite-fille mais je le garde très souvent.

Tom ronronnait, ravi des caresses qu'Antoine lui prodiguait.

— Où es-tu allé rouler, mon petit père? Avant, prisonnier, il était casanier de force. Ma femme craignait qu'il ne se fasse écraser. Maintenant, avec mes yeux, je ne peux plus surveiller grand-chose, alors je lui fais confiance. Il sort comme il veut par une chatière que je lui ai aménagée. À treize ans on se débrouille bien, hein? C'est un bon petit compagnon. Monsieur veut manger probablement? Tu attendras un peu.

Siamois gris aux yeux indigo, le « bon petit compagnon » étonnait Nemours. Il n'en avait jamais vu de pareil.

— Quelle est cette race?

— Ah! Une excellente « marque » : un siamois, exactement « lilas » parce qu'il est ivoire aux pointes gris souris, plus claires que chez les Blue. Ce sont des merveilles de gentillesse et d'attachement.

Il le grattouilla derrière les oreilles, là où le poil est doux comme du cygne.

— S'il griffe, ce n'est que par désœuvrement. Il allège ma solitude... Cette maison, c'est ma femme, disparue il y a deux ans. Toute sa beauté, tout son charme...

Nemours ne savait pas s'il s'agissait de la beauté et du charme de la maison ou de l'épouse.

Un angelot passa. Nemours se dit qu'il avait peut-être fatigué le vieux monsieur.

— Je vais partir; il est temps.

Tom se mit à renifler les mains de Nemours avec intérêt, puis ses jambes, avant de s'en écarter soudain. Une odeur de chien! Pire, d'autres chats. Quand Nemours tenta une approche, Tom esquiva la main d'un S de la queue.

Décidément ce garçon plaisait à Antoine. Cette figure énergique, ce menton carré, le regard franc, une bouche pleine, un corps affûté par le sport et le timbre de la voix, douce, en faisaient un garçon attrayant, sans mièvrerie. Derrière cela, quelque chose d'imperceptible s'échappait de lui qui intriguait Antoine.

Nemours sortit, prêt à chevaucher les nuages. Il se hâta de rentrer raconter à Agathe cette belle rencontre.

3.

Sur la *Louise-et-Gabrielle*, on avait identifié de loin le mont Hekla. Le long de la côte islandaise, il n'y avait aucun phare hormis celui de la capitale, Reykjavik. Où le bateau n'accosterait qu'en cas d'avarie.

— Ré-kia-vik, murmura Pierre avec délectation, en prononçant le deuxième vocable avec le « j » du « ja » allemand.

Du repérage dépendait la sécurité du bateau. Le capitaine Coubel ressentait une grande satisfaction à reconnaître ces lieux et à établir une fois de plus la qualité de leur navigation. Son second et lui s'étaient bien débrouillés : les calculs de la distance parcourue, à l'estime grâce au loch, puis, plus précisément au sextant, étaient donc justes. Ce qui confirmait la précision de leur vieux sextant et l'exactitude de leurs chronomètres. C'était si important dans ces eaux où la mer, le ciel et la terre au loin se confondaient par temps de brume ou dans les nuits de velours. Aux abords des côtes, la sonde à main leur donnerait la profondeur des fonds. Données essentielles dans ces zones. Au nord de l'île traînaient beaucoup d'épaves.

Un récent fait divers avait beaucoup amusé les marins : deux jeunes capitaines bretons avaient été engagés par un armateur dunkerquois à la suite d'un décret exigeant un brevet de capitaine au long cours et non plus au cabotage, lié comme à chaque réforme à une série de lourds naufrages. Ce diplôme, demandant plus de compétence et surtout plus d'expérience, était rare, si rare que l'armateur dunkerquois n'ayant trouvé personne pour la commander avait été obligé de faire appel à deux Bretons qui ne connaissaient pas la route d'Islande. Ils étaient revenus bredouilles à Dunkerque, sans même avoir repéré l'île.. Les bistrots du port en riaient encore.

Les quarts de pêche s'organisèrent à la première heure en trois bordées : de veille, de sommeil et de pont. Tout en sachant que ce bel ordonnancement serait chamboulé pour les manœuvres de mauvais temps ou si la morue mordait. Une morue si vorace qu'elle avalait sans discernement, jusqu'aux manigots[1] tombés à l'eau.

Cette morue, c'était du cabillaud. Théoriquement, dès que ce poisson était salé, on l'appelait « morue », mais pratiquement c'était son nom habituel, son nom générique. Morue, morue, morue toujours, partout, dans l'eau, sous le bateau, sur le pont, dans les cales, dans les têtes...

Sur le poêle, allumé au départ, qui ne s'éteindrait qu'en France, à quai, il y avait toujours une cafetière pour se servir un « pot'je café », comme disaient les Flamands.

Midi, la soupe était prête. Il fallait être un peu acrobate et surtout très expérimenté pour ne pas se brûler ou risquer d'ébouillanter les voisins. Le coq excellait à cet exercice d'équilibre.

— Skaf[2], cria-t-il, en plaçant la marmite dans le « tolbac[3] » au milieu de la table.

Ce trou la bloquait efficacement. Les fargues, les protections ajoutées aux bords, évitaient aussi les catastrophes. Verres et assiettes avaient une chance de rester en place.

Aujourd'hui, Joseph, le coq, avait fait mijoter un bœuf miroton dont le fumet rappela à Pierre sa maman.

---

1. Les gants de travail.
2. À table.
3. Trou central.

Le carnaval des vents d'Islande

Les repas, servis à 5 heures, à midi et 19 heures ponctuaient la journée. Théoriquement. Dans la réalité, quand la morue « donnait », on mangeait quand on pouvait. Des vivres frais au début, puis des aliments de longue conservation. Les marins savaient bien en ce siècle comment éviter le scorbut. Les confitures « maison », les légumes conservés dans du jus de citron apportaient la salutaire vitamine C.

Les réserves étaient énormes. Du fromage, de la viande et du lard, salé ou fumé, des pommes de terre, des oignons, des œufs qui se garderaient plus de quarante jours, à condition de les retourner tous les huit jours, et surtout le biscuit de mer. Il était fameux jusque dans les chaumières : en fin de saison, les marins emportaient leur ration à la maison. Un délice pour les petits. Ce mélange cuit de farine, beurre, œufs et sucre nourrissait les marins durant toute la campagne. En fait il leur servait de pain. Dans le bol de café, dans la soupe, ce biscuit trempait partout. Il faisait la fortune des biscuiteries locales et donnait du travail à de nombreux ouvriers. Il servait enfin de question facétieuse au mousse tout neuf que l'initié piégeait. « Combien de trous sur l'biscuit ? 81 ! Quô ! Te l' savau pas ? »

À mesure que les réserves baisseraient dans les cales, le poisson du jour prendrait le relais. Pour Pierre et beaucoup de ses compagnons les têtes et les joues de morues étaient les meilleurs morceaux. Flétans, lieus ou colins – eux-mêmes nourriture des cabillauds – fourvoyés au bout de l'hameçon seraient la surprise du repas. Ah ! Le « wamme » ! Le flétan séché dans les vergues, qu'on rapporterait à la maison. Ou, salés dans des fûts miniatures, les langues, les foies ou l'inutilisable « faux-poisson », tout ce qui n'était pas cabillaud et que l'armateur leur laissait.

Pierre se servit un pichet de bière au tonneau bloqué à l'entrée de la carrée. Il n'avait pas du tout envie de tafia ; cette eau-de-vie à 50° lui enflammait la gorge. Pourtant, comme chacun, il avait droit à son boujaron de six centilitres, cadeau de l'armateur. La réputation de l'alcool qui réchauffe, requinque, redonne des forces était un lieu commun, une conviction, un dogme dans tout le monde maritime, de l'armateur au ministre, en passant par le mousse, le curé et jusqu'à la femme du matelot.

Les uns buvaient leur boujaron quotidien, les autres l'économisaient pour le boire un soir avec les camarades, ou encore pour l'échanger en Islande. C'était une tradition si ancrée dans les habitudes que jamais personne n'aurait osé en discuter les bienfaits, encore moins lui attribuer la responsabilité de certains naufrages. Hommes tombés par-dessus bord sans raison ou bateaux coulés sans tempête...

Pierre avait fait leur connaissance, identifié tous les noms du rôle d'équipage et mis les bonnes têtes dessus. Dix jours de navigation avaient été nécessaires pour repérer les caractères des uns et des autres : de l'ombrageux Henri Lefébure aux bonnes pattes, des très aimables Joseph Landy, Alfred Leprêtre et Jules Mordret, au chien fou Mégret en passant par le bougon Fournier dit « pisse-au-vent », parce qu'il avait doublé le cap Horn, le beau Jean Vanhille, l'intelligent Paul Vérove dit « brochet », Fred Agez dit « Fred Caillou », le plus jeune du bord, un mousse tout frêle, Gaby Lefébure, et le plus âgé, la soixantaine dépassée, dont le surnom « grand-père Barquafût » avait déjà été porté par son père et son grand-père. Leurs tempéraments changeaient aussi selon les situations : le râleur devenait pour quelques heures de bonne humeur, le taciturne exhibait au moins une canine lors d'un fou rire collectif. Encore que le bougon du départ, un peu « mal-de-mereux », était devenu fréquentable avec la santé et redevenu bougon avec le temps. Dans l'ensemble, de braves humains, sociables. C'est peut-être le métier qui voulait ça.

Gaby le mousse était préposé au café, à la vaisselle, aux basses et menues besognes, et ce joyeux mousse-là riait souvent et de bon cœur aux plaisanteries. Entre l'enjoué et le ravi de la crèche. Si au début son rire – il faut bien le dire, un peu benêt –, que l'on entendait de tous les points du bateau, en avait agacé plus d'un, cela avait fini par répandre la gaîté partout. Le spécialiste des calembours stupides était sûr de son public. Même les plus gros, les « Il se barre à Nîmes », les « confiotes de mûres. Ah! l'amur! ». Jules Mordret, « s'il voulait », ajoutait l'expert et Gaby riait, riait. C'est peut-être ce rire qui dès le matin diffusait cette ambiance à tout le bord, mais c'est sûrement la conjonction favorable de plusieurs caractères heureux, dominant en nombre les inévitables bonnets de nuit. Et le succès de la pêche de février.

On chantait aussi dès que l'ennui venait ou dans l'après-midi, quand le temps était au gris, le vent faible et la pêche infructueuse, mais seulement par petit temps; sinon il fallait des hurlements de ténor d'opéra pour couvrir les mugissements du vent. Quelquefois le capitaine donnait un coup de pouce à l'horloge d'habitacle pour que le temps paraisse moins long.

Un matin, la mer fit le gros dos. Le coup de vent qui s'annonçait à petit fracas deux heures plus tard s'abattit *larga manu* sur la goélette. Sur les espars et les prélarts, à grandes claques dès le début de l'attaque, puis avec hargne sur la coque. Avec tous les marins à la manœuvre, les voiles avaient été promptement ferlées. À temps. Offrant une moindre résistance au vent soudain. Plusieurs petites vagues s'étaient réunies et l'addition de leurs forces les avait fait éclater en une impressionnante gerbe d'écume par-dessus le bastingage.

À sa première campagne, les premiers jours, le vent forçant en tempête, Pierre avait ressenti la peur, une peur animale, surtout cette première nuit de grand vent, nuit aveugle sans un petit bout de lune, sur le qui-vive, inquiété des sifflements sur les œuvres vives, sur tout ce qui dépassait, perturbé par les bruits tonnants, les craquements, les coups, les gros pas sur le pont, les gueulantes, des voix beuglant des mots inintelligibles à travers le vent, incapable de dormir dans sa bannette et l'œil toujours ouvert au nouveau changement de quart, ou au quart de sommeil suivant s'endormant quelques minutes avant de remonter fatigué sur le pont. Une insomnie ravageuse. Puis la mer s'était calmée comme la trouille de Pierre. Elle avait rejailli lors d'une féroce et ultime rafale de vent, puis lors du changement de vent quand il tourna d'est en ouest d'un demi-tour complet après un temps d'arrêt, semblant hésiter, et se relançant de plus belle, dans le sens inverse à l'assaut de la grosse goélette redevenue esquif, à la cape. S'étonnant de ces paquets de mer qui s'élevaient en chandelle, de gros bouquets d'eau éclaboussant toute la surface de la mer à perte de vue. Une telle bizarrerie pour Pierre qui n'avait jamais vu l'effet d'un vent à cent vingt kilomètres heure. Son premier de force 10. Comme si une guerre se déclarait et que des bombes explosaient non loin de là, que des boulets tombaient en pluie autour du bateau. Un bombardement liquide et naturel sur cette forêt de vagues. Si cette forêt d'eau grise, c'était force 10, ce sera quoi force 12 ? Puis le dernier acte fut joué. Avec le final, quelques heures plus tard, parmi le calme revenu, et un nouveau pic d'angoisse avec la vague scélérate, unique, ultime, aberrante, énorme à balayer le pont, un résumé après tempête de la tempête.

Mais comme il ne s'était rien passé, ni casse, ni noyade, il en avait gardé une sérénité vigilante. Et surtout, surtout l'habitude, la placidité des autres, l'expérience, le métier du capitaine, la tranquillité du groupe des plus endurcis, voire son indifférence aux vrais-faux dangers, l'avaient rassuré au finish. Si tranquilles que la crainte semblait ridicule, surtout la sienne après coup, et la confirmation de ce ridicule s'était infiltrée dans le comportement du nouveau marin.

Ce sont les yeux exorbités du mousse, voyant l'état de la mer et constatant les dégâts sur l'horizon, qui rappelèrent à Pierre sa frayeur d'antan. Il n'était que de quelques petites années plus âgé que le mousse, alors il pouvait bien le comprendre. Des bouquets d'éclairs claquent, les tonnerres cardinaux qui grondent de tous points achèvent de paniquer Gaby, son visage se déforme d'effroi. Posté derrière le mât d'artimon, il recule en reptation lente vers le maître bau pour échapper à ce désordre de foudre démentiel et disparaître dans les entrailles du bateau. Pierre l'arrête d'un bras sur son épaule. « Tu crois qu'on va s'en tirer ? » La voix du mousse avait pris un ton aigu pré-hystérique. Pierre fit à Gaby ce que d'autres firent pour lui. Avec une tape amicale et un sourire filial. « Allons gamin, se tirer de quoi ? Tout va bien, regarde. »

Son air paisable avait rassuré l'enfant. Une maîtrise contagieuse, bien qu'un peu simulée. La peur n'est plus rien ensemble.

Le novice passe par des phases, d'abord confiant il est protégé par son innocence, puis avec la conscience du danger vient la peur, jusqu'à ce que le sentiment de savoir quoi faire l'emporte ; en somme, le métier redonne confiance. Et révèle aussi un caractère : certains ne s'habitueront jamais et quitteront le bord à la première campagne. Si la peur les envahissait, ils ne seraient pas là, eux.

Pierre se dit aussi que seul, sans les autres, sans les vieux briscards, il n'aurait jamais évolué aussi vite. Il s'était effrayé tout seul, s'imaginant dans l'impossibilité de ramener seul le bateau à bon port. Aujourd'hui il écartait toute idée funeste. Il avait pris la mesure des choses, la routine, l'habitude, l'action immédiate aidant. Après tout, on oublie bien qu'à la fin cela se termine mal ; on meurt tous.

Le plus terrible était que cette mer-ci n'était pas déchaînée, un simple force 9. Pouvait-il lui expliquer qu'à un moment, tôt, lui s'était posé la question de la mort en mer et avait accepté cette éventualité, tout en sachant qu'il ferait tout pour l'éviter. Une fois la réponse donnée, on allait mieux et on abordait l'épreuve plus calmement. Que détailler à Gaby ? Il fallait que cela vienne de lui seul. Ou pas. « Te bile pas, tout ira bien. » Cette main sur son épaule l'avait calmé. « Ah ! C'est rien ? » « C'est rien. Va dans ta bannette. On n'a pas besoin de toi sur le pont. »

À leur réveil à l'aube, lisse, une mer d'or acheva de l'apaiser.

La pêche était bonne depuis l'arrivée dans les eaux d'Islande. Un rendement par rapport aux jours de présence de plus de quatre-vingts pour cent, du rarement vu. On disait que sur douze ans, il y en avait « quatre de mauvais, quatre de moyens et quatre d'excellents ». Eh bien, on y était dans ces bonnes années !

Ils avaient cherché et trouvé les bancs à l'est de l'Islande. Le capitaine Charles Coubel était réputé pour son flair. Et cela n'avait pas été un hasard qu'il ait été choisi pour commander cette belle goélette. Les armateurs savaient l'importance d'un bon capitaine, tant pour naviguer que pour repérer le poisson et stimuler les pêcheurs. C'était si essentiel que certains bateaux revenaient avec 20 à 30% de plus que les autres. Et la chance n'était pas si déterminante puisque tous les ans les mêmes bateaux rentraient toujours plus remplis que les autres, les mêmes hommes étant toujours les meilleurs pêcheurs ou les plus mauvais. Les prises pouvaient varier par campagne de deux à sept mille morues, suivant leur talent. Ils étaient payés au rendement, « à la queue », et touchaient des « gratifications », mais une mauvaise ambiance pouvait tout casser, jusqu'à la mutinerie, extrêmement rare dans l'histoire de cette pêche.

À la première morue on avait trinqué, « fait Saint Pierre ». Ainsi qu'à la première tonne remplie. Une dynamique contagieuse.

La *Louise-et-Gabrielle* dérivait gentiment « à la cape[1] » au fil du courant, au-dessus du banc de cabillauds. Des milliers de *gadus morrhua*, verts et jaunes, agglutinés les uns aux autres, à quatre-vingts, cent mètres de profondeur. Les pêcheurs étaient postés en rang d'oignons le long du bastingage, sur un petit caillebotis, pour éviter de glisser et pour ne pas user le pont. À côté du « banc de colle » des petits paniers d'osier, *kadman* pour Pierre le Flamand, *baskets* pour les Gravelinois. L'un pour y lover la ligne et l'autre pour y jeter les langues qui serviraient de comptage. Un compte précis

---

1. La voile de misaine est bordée à contre pour s'opposer au vent et freiner le bateau, tout en le stabilisant.

tenu tous les soirs par le marin et que le capitaine reportait chaque mois dans le carnet de pêche officiel.

Cuirassés par des bottes et des vêtements en coton huilé, faits maison, ils étaient actionnés par un mouvement régulier d'avant en arrière des métronomes, tirant puis relâchant la ligne de cent cinquante mètres de long, alourdie d'un hameçon de trois kilos et demi en forme de sardine. Cette « balancée », typique de cette pêche, attirait la morue sur la « boëtte[1] », un bout de poisson ou les entrailles sanguinolentes du précédent. Il fallait être costaud pour ne pas s'épuiser à ce mouvement répétitif, au point d'en être soûlé. Ils protégeaient leurs mains, si précieux outils, du frottement de la ligne par du suif et des manigots, mais à force, le bout de leurs doigts était corné. La veste de ciré était serrée aux poignets avec des « bouts[2] », ce qui favorisait l'apparition de lésions cutanées, les « clous d'Islande », difficiles à soigner. Ce n'était pas simple d'empêcher le frottement du gros tissu mouillé contre la peau.

Les habitudes s'étaient bien installées et sur le bateau le roulement des travaux et des jours berçait les heures autant que le roulis. Il était encore loin le moment où Pierre pourrait toucher terre, et loin encore, le temps de ranimer son espoir caché, tapi dans ses rêves. Au bout de ce long fjord, un secret...

Il se refit cette réflexion que rien, aucun spectacle du monde, n'était plus grand qu'un bateau sur l'eau, sous un ciel vide, petit point isolé au centre d'un cercle borné par le seul horizon, face au cosmos infini. Et pourtant, si fermé dès que le brouillard les cernait ou les lourds nuages s'abattaient en cloche.

Sous l'immensité de l'immensité, perdu dans cet espace temps, Pierre s'était retiré dans son rêve, tandis que le vent forçait, forçait inexorablement, présageant des manœuvres de réduction de toile et une nuit secouée.

---

1. Appât.
2. Cordage.

Campa un ciel lourd, épais, prêt à se déchirer. Précisément, à la lisière des nuages noirs, un petit coin rouge sang s'esquissait.

Au vent du bateau, des mouettes joueuses flottaient dans les airs, virevoltantes et insouciantes.

4.

Nemours se réjouit que ce soit déjà vendredi. C'était le jour de son rendez-vous avec Antoine, pour lequel, il ne savait trop pourquoi – tant il est vrai que les sympathies comme les antipathies ont des ressorts mystérieux –, il avait ressenti une immédiate amitié.

Il en avait un peu assez de son éloignement. Fatigué de s'adapter d'un seul coup à tous ces nouveaux visages, à ces nouvelles habitudes et à autant de codes d'accès humains si différents. Au journal, il avait repéré les drôles, les bons, les grognons et pire les dangereux, peu nombreux, mais bien là. Dans un groupe inconnu il n'avait jamais peur des autres. C'est après que les choses se gâtaient. À Dunkerque et ses environs, aussi bizarre que cela ait pu lui paraître, il avait constaté qu'il avait du mal, dans une foule, au marché, dans une manifestation publique, à reconnaître les individus. Au détour d'une rue il croyait avoir déjà parlé à l'un, déjà salué l'autre. Tous cousins... Il les confondait. À Paris il y avait une plus grande diversité humaine.

Agitant les doigts sur son clavier comme des puces pourchassées, il boucla son article sur une phrase bien sentie, puis traqua l'orthographe avec une application d'entomologiste, tant il s'était mis à abhorrer les fautes si courantes dans son journal, à croire les collègues majoritairement dysorthographiques. Le manque de temps, de correcteurs, l'urgence les excusaient. Nemours le savait bien.

La syntaxe approximative de certains, en revanche, l'accablait. Les « depuis », si mal employés. « Depuis ma voiture... », au lieu de « de ma voiture », par exemple, ou « depuis Lille », au lieu de « de Lille ». Les « se rappeler de... » au lieu de « se rappeler le... », « un » espèce à la place d'« une » espèce le faisaient bouillir. Il ne put s'empêcher de critiquer. Au bout de quelques jours, son culot avait payé. Autour de lui, on évitait les fautes grossières ou manifestes. On le moquait aussi ou on le provoquait, mais sans hargne ni rancune. Il s'était quant à lui calmé. Question de stratégie. Passer pour un ayatollah lexical, un puritain du mot très peu pour lui. Ou pire, un prétentieux de Parisien-tête de chien. Il ne voulait pas se faire d'ennemi.

Il ferma un à un ses fichiers, entendit la petite musique d'« arrêter le système », attrapa sa veste et, soulagé, fonça chez Antoine.

Dès l'entrée, l'odeur de la maison lui sauta au nez, très reconnaissable. Odeur de parquet ancien, de bois ciré, de vieilles peintures et papiers peints fanés, et plus encore celle du salon. Plus qu'une odeur, un parfum, signé, probablement, de décennies de feu de bois et d'exhalaison des livres. L'empreinte génétique de la maison, ses phéromones... Dès lors qu'il l'avait respirée une fois, il la reconnaîtrait à jamais.

Il retrouvait aussi la couleur légère, turquoise pâle, d'une grande lampe opaline, ou chaude, que d'autres, plus petites, disséminées dans la pièce, diffusaient par touches orangées.

Après les préliminaires aimables, Antoine engagea la conversation :

— Je vous attendais avec impatience. Figurez-vous que j'ai retrouvé, ce qui, avec mes mauvais yeux, n'est pas simple, les écrits de mon père, et j'ai eu une idée. Pourquoi ne pas en publier des extraits pratiquement *in extenso* ?

Nemours s'illumina. Il adorait les souvenirs *in vivo*. De plus il gagnerait du temps. Si Fursy Verdoy écrivait comme son fils Antoine parlait, Nemours était sauvé...

— Est-ce que cela vous dérange, garçon, de nous lire le début du texte ?

Nemours prit le texte rédigé d'une écriture fine, au stylo-plume, élégante et facile à déchiffrer, et se mit à lire tout haut :

Mon grand-père, Joseph, né en 1830, a très jeune adopté le métier de charpentier. Il devint constructeur de navires en 1888. Son chantier, avec ses quatre-vingt-cinq ouvriers, dépassait le stade artisanal. Très jeune mon père, le dernier de ses fils, né en 1870, fut engagé sur le chantier. Il lui apprit à dresser les plans et le forma à diriger le chantier et lui succéder.

Généralement le chantier Verdoy et fils, implanté le long du chenal de l'Aa, à quelques centaines de mètres de la mer du Nord, construisait des islandais, c'est-à-dire des bateaux destinés à pêcher la morue dans les eaux septentrionales, mais pour assurer le plein emploi et utiliser au mieux les coupes de bois, ils construisaient aussi de plus petites unités pour la pêche côtière.

Parfois mon père m'emmenait au chantier, où j'étais heureux d'évoluer au milieu des charpentiers.

Lorsque le bateau était « en membrures », les ouvriers posaient un bouquet à l'étrave et récidivaient quand la coque était terminée. Ce devait être pour l'armateur l'occasion de payer sa tournée.

Les calfats[1] entraient en jeu à la fin de la construction. Les mousses du chantier roulaient l'étoupe sur leurs genoux et j'ai souvent participé à cette agréable opération. Ma mère n'appréciait pas tellement mon bénévolat, car mon tablier d'écolier était alors imprégné de goudron. Les calfats coinçaient ensuite ces rouleaux d'étoupe dans les coutures, entre chaque bordé, à l'aide d'un fer à calfat, sur lesquels ils donnaient de grands coups de leurs fameux maillets.

---

1. Ouvriers qui rendent étanches les joints de la coque.

Nos charpentiers pour l'aménagement intérieur se muaient en menuisiers, et même un peu en sculpteurs sur bois. Je me souviens d'avoir vu mon père affiner le nez de la figure de proue de sa goélette La Pêcheuse.

Au retour de l'école ou le jeudi, je ne manquais pas de me rendre à notre atelier de tonnellerie ou celui de confection de poulies ou – ma préférence – de voilerie, où le maître voilier, Gut Roclore, et son équipe confectionnaient les nouveaux jeux de voiles qui seraient enverguées[1] au départ et réparaient le jeu de voiles de la campagne précédente. J'essayais de réussir une épissure ou un œillet[2] et m'engluais de goudron en manipulant le bitord[3] poisseux.

Le lancement du bateau était LE grand moment. Placé sur sa glissière soigneusement suiffée, les tains enlevés à coup de masse, même les vieux charpentiers, qui en avaient vu d'autres, retenaient leur souffle au moment où le bateau glissait doucement, puis plus vite, et entrait dans l'élément dans lequel il aurait à bagarrer jusqu'à la fin de ses jours. On se sentait alors frustré comme si le fruit d'une année de travail, de toute une équipe, venait de vous être escamoté.

Nemours releva la tête. Le texte comprenait encore une vingtaine de feuillets.

Antoine se leva pour leur servir leur verre de porto vespéral. Ce porto, Nemours n'en avait, lui, aucune habitude. Coca ou whisky, vodka ou schweppes, mais porto! Ce serait, pour lui, le breuvage définitivement associé à Antoine.

— Alors, le début vous plaît?

— Beaucoup! Je vais en parler à mon rédacteur. Nous allons regarder cela.

— Tant mieux! Il existe d'autres textes de lui, entre autres sur l'industrie de la morue, qui pourraient vous intéresser. Je vous les montrerai. La suite au prochain numéro donc?

— D'accord. Vendredi.

1. Mises en place.
2. Type de travail sur les cordages.
3. Cordage mince.

— J'ai une proposition à vous faire. Le carnaval va commencer. En fait il a même déjà commencé. Des Bandes dans les villages flamands, des bals à Bray-Dunes, Leffrinckoucke et Fort-Mardyck, aux noms marrants, les « Joyeux Beultes », les « Zootenards », les « Creules Cô »...

— Des Bandes ? demanda Nemours en ouvrant des yeux étonnés, ce qui amusa Antoine.

— Les Bandes se passent dans les rues le samedi et le dimanche après-midi, dans les villages proches ou dans un quartier dunkerquois. Mais par quartier ou par village. Chacun leur tour, ils invitent les autres, et un bal se passe à la suite, la nuit, au Kursaal, une immense salle pour dix mille carnavaleux. Parfois aussi dans une autre, plus « intime », des bals parallèles pour initiés... Je vous propose de m'accompagner à un bal peu connu destiné à nos vieux. Dont je suis. Vous allez voir, c'est quelque chose d'assez extraordinaire. Ce serait facile de vous le décrire, mais l'essentiel est indicible.

— C'est-à-dire ?

Nemours avait entendu parler de ce carnaval et s'attendait à tout et à rien. Mêlée de rugby, foule et giga-chorale, une sorte d'immense karaoké populaire. Les polémiques s'enflammaient dès que l'on évoquait le sujet. Ce carnaval ne laissait pas indifférent. Presque comme les corridas, il avait ses aficionados et ses détracteurs. On oscillait du mépris lassé à l'enthousiasme excessif. En tout cas, Nemours était vraiment curieux d'y participer.

— Le carnaval, c'est un peu comme le sentiment amoureux. C'est une expérience qui échappe à la description puisqu'il s'agit d'une émotion, de sensations. C'est seulement en le vivant qu'on le comprend vraiment. Le bonheur collectif est puissant. Quelque chose d'inouï et de miraculeux se produit qui s'apparente, oui, à l'amour. Hormis sans doute pour les agoraphobes, les misanthropes ou les asociaux. Il arrive même que, bien au chaud près d'un feu de bois, on n'ait plus envie de se lever pour « faire carnaval », et puis l'écho des fifres et des tambours vous arrive aux oreilles et c'est reparti.

C'est plus fort que tout, les pieds vous emportent. « Quand la clique, elle donne », dit la chanson.

Antoine Verdoy sifflota l'air de « Bon voyage, monsieur Dumollet ».

— On comprend que les soldats de Louis XIV aient pu marcher au combat sur cet air convaincant. Vous devez me prendre pour un fou, un vieux fou qui plus est...

— Non, pas du tout. J'ai envie de voir ça.

Nemours ne simulait pas l'intérêt par politesse. Le vieil homme prenait à ses yeux un caractère baroque.

— C'est mon père qui m'y a emmené la première fois. Lui-même aimait beaucoup le carnaval et le Sporting était son bal préféré. J'ai hérité de son costume, un très beau queue-de-pie.

— Une queue-de-morue !

— Oui. (La blague amusa Antoine.) Ce fut d'abord un habit chic, acheté en 1930, puis il fut recyclé après-guerre. Mon père le portait avec un turban de taffetas irisé, des lunettes noires et une fine moustache dessinée sous le nez. Il s'imaginait en maharadjah. Je ne sais pourquoi il me faisait penser à un maquereau années folles. On n'a pas les clés de ses propres références, n'est-ce pas ? Maman, elle, était déguisée en maharané, très diaphane, enveloppée dans des tissus dorés et nacrés. Très réussi. C'est elle qui leur avait créé ces costumes, sûrement d'après des photos des sultans de Jodhpur. Elle était lilloise et n'a jamais vraiment apprécié ce carnaval. Elle craignait d'y mourir étouffée. La France a Noël, le tournoi des cinq Nations, Roland Garros, le 14 juillet, le 15 août, etc. Nous, en plus, on a le carnaval...

— Il dure longtemps ?

— Presque trois mois, de janvier à mars. Si vous voulez participer à fond, il faut vous y mettre dès maintenant ! Oh, vous allez être étonné de tout cet « exotisme vernaculaire » (et il fit le signe des guillemets), comme diraient les savants et les précieux. Vous allez voir, Dunkerque a ses chaleurs en hiver, c'est inénarrable. Justement cela a un rapport direct avec notre sujet. Cette manifestation, c'est en mémoire des pêcheurs d'Islande. Elle a perduré trois siècles et s'amplifie incroyablement. Depuis le xviie! Et le départ aventurier de Dunkerque en 1715 des premiers bateaux de pêche à la morue là-haut, dès février. La fête avant leur départ date de là. Les carnavaleux le chantent d'ailleurs : « Nous, on fait le carnaval en souvenir des pêcheurs en Islande. » Je me souviens l'année dernière d'un vieux masque demandant à un autre, pendant une pause, « et toi, i z'étaient islandais ? Moi, mon grand-père y est passé », et l'autre, « Ben, oui, le mien, mais il en est revenu à chaque fois, pas son père... ». Cela m'a touché. Il ne faut pas croire que ce thème n'est qu'une façade, ou que du folklore sans fondement. Il y a une formidable générosité dans tout cela, et qui vient de toute l'organisation. Des sociétés philanthropiques, certaines vieilles de cent cinquante ans, donnent pour l'année des moyens de financement caritatifs aux plus pauvres, naguère les familles des naufragés. Enfin une longue fête la moins mercantile possible. S'il en est. Répartis sur tous ces mois, peut-être trois cent cinquante mille personnes y participent. C'est unique en France. J'ai l'air de tomber dans les clichés et je vous embête avec mes passions de vieille barbe. Désolé.

— Mais non !

Cela avait jailli. Nemours était très tenté et l'idée lui vint de suggérer à un rédacteur une série d'articles : « Un béotien au carnaval » ou « Un Parisien chez les carnavaleux ».

— D'où vient que l'on vous appelle Nemours et non Raphaël ?

— Ah ! C'est un coup à entrées multiples. De mon amie Agathe. Je la connais depuis la maternelle. J'étais son souffre-douleur consentant. Son prince charmant. Elle m'écrasait de sa folle amitié de petite fille et j'adorais cela. Jusqu'à ce qu'elle décide que les garçons étaient moins intéressants que les filles et m'éloigne. Elle m'appelait Nemours parce que sa maman lui avait raconté que c'était par le nom de leur titre que les enfants des rois Louis étaient désignés. Louis Auguste, duc du Maine, Maine, Louis Alexandre, comte de Toulouse, Toulouse, etc., pareil pour tous les petits princes.

Le fils de Louis-Philippe, Nemours, mort à vingt ans d'un accident de calèche était, paraît-il, magnifique, et, bien sûr, le Nemours amoureux de la princesse de Clèves.

— C'est pourquoi j'ai du mal à vous appeler ainsi. Je pense sans arrêt à la princesse de Clèves.

— S'ajoute à cela le fait que j'ai le même prénom que mon père, ce qui dérangeait ma grand-mère maternelle. Comme elle m'a pratiquement élevé en l'absence de mes parents, à cause du métier de mon père, ingénieur en pétrochimie, souvent à l'étranger, elle a décidé de m'appeler Nemours, pour me différencier de lui. Ce n'est pas son nom de famille à elle et elle l'aime beaucoup. Voilà. Et puis cela évite tous les Raph, Raphic, Raphou. Même moi, je me présente comme Nemours. Raphaël ne me vient pas d'abord.

— Eh bien, Nemours, votre grand-mère a raison. De plus, c'est le nom d'un beau pays.

— Et il n'y a pas quantité de Nemours. Je n'ai pas beaucoup de famille. Ma mère, fille unique, plus mon père et sa sœur.

— Les familles réduites, c'est bizarre, il suffit d'une pichenette ou d'un cataclysme. Les meilleurs, les bonnes recrues au monde, meurent avant d'avoir des enfants, ou le contraire. Et voilà les uns blindés de cousins et les autres qui se comptent comme des miracles.

— Et du côté de votre grand-mère?

— Rien. C'est le brouillard.

5.

Avril fondait et sur la *Louise-et-Gabrielle*, Pierre ne s'accordait pas le temps de penser. Surtout pas à sa mère. Ni à son rêve secret.

Pêcher et pêcher encore occupait les mains, les têtes et la cale. Le bateau était déjà bien chargé. Un tiers de mieux que les années précédentes! Les marins, le capitaine, tous à bord étaient discrètement guillerets.

Ce jeudi 20 avril encore la morue mordait bien... La veille, on avait perdu le banc. Ce qui avait permis aux mains engourdies ou piquées par les arêtes, aux dos endoloris, aux yeux rouges et fatigués de se reposer. La nuit, le capitaine avait fait manœuvrer et retrouvé les poissons. Le coq ce jour-là s'était surpassé : il avait haché des foies de cabillaud et des pommes de terre puis les avait ficelés en saucisson dans de la peau d'estomac. L'un d'eux avait crié vers 10 heures du matin : « Tout le monde sur le pont! À la pêche! À la pêche! » Ça mordait, ça mordait, et ceux qui dormaient encore avaient bondi de leurs bannettes.

Tous à poste, y compris le second et le capitaine, contre la muraille, au vent pour que les lignes ne s'embistrouillent[1] pas et coulissent promptement dans la mèque, un « v »

---

1. S'embrouiller.

en bois tendre qui retardait l'usure de la ligne et le ragage[1] sur le pavois.

Régulièrement, ils halaient à bord des pièces de deux, trois kilos en moyenne, et ça faisait un bruit sourd comme une musique barbare. Quelquefois le pêcheur avait du mal à hisser le poisson mais sa dizaine de kilos lui donnait une sacrée fierté. À midi, Milien Gilliot ramena une bête exceptionnelle, ʼpratiquement de sa taille. Ce genre de phénomène terminerait suspendu à la vitrine d'un poissonnier, en enseigne.

Avec des gestes machinaux les pêcheurs bloquaient le cabillaud entre leurs genoux, retiraient l'hameçon de la gueule, parfois des ouïes ou même de la peau, puis vite remouillaient la ligne. Ensuite avec leur fleckmech, un grand couteau à lame torve, ils lui tranchaient la tête, coupaient la langue, la jetaient dans le panier et lançaient le poisson traité dans un bac à claire-voie au milieu du pont.

Le danger de la précipitation était évident : le sang giclait partout, celui de la bête mais aussi quelquefois celui des hommes. Bien qu'extrêmement adroits, leurs couteaux coupants comme des rasoirs couraient, glissaient, ouvraient et dérapaient parfois dangereusement. Les mains gantées de tissu rougi par le sang embarbarisaient l'action.

Quand les deux bacs étaient pleins, une partie de l'équipage protégé par les cirés préparait le poisson. Et de cette préparation dépendait la qualité de la pêche.

Tout était stocké en baril : les joues de morues, les kakesteaks, et les langues salées, les foies pour l'huile, les noues[2] pour la colle. La morue était triée par tailles. La plus petite, le voltigeur de huit cents grammes, était rare. Au-dessus, la reproduction était sauvée. Les tonnes sur le pont étaient remplies jusqu'à ras bord de morues ouvertes, plates et ordonnées en spirale, peau en dessous, chaque couche recouverte de sel. Au bout de quelques jours, la saumure[3]

---

1. Frottement.
2. Les intestins.
3. Sel et jus du poisson.

vidée et renouvelée, le saleur les affalait en cale à l'aide de palans. Évidemment leur mise en place était essentielle pour l'équilibre du bateau.

En les regardant pêcher le long du bord, batailler, s'escrimer pour sortir la lourde bête, la découper, haler en fond de cale, tous les trois jours, après compression, les tonnes de cent quarante-neuf kilos, naviguer puis déhaler sur le quai la cargaison, plus de cent cinquante barils, pour arriver jusqu'au poissonnier et enfin dans une assiette. Toute cette peine, tous ces efforts, face à la facilité à porter une fourchette à la bouche, avaler une bouchée et peut-être même la laisser dans l'assiette, sans appétit... Tout ça pour ça, se dit Pierre. Dérisoire vie d'homme. Ou sa grandeur...

Au loin vers la côte, toujours cette lumière si bleue que Pierre fut une fois de plus convaincu que jamais Loti, l'auteur du célèbre *Pêcheur d'Islande*, n'avait mis les pieds là-bas, lui qui la décrit rose.

Sous le soleil, dans un lit d'or pur où flottaient quelques fous de Bassan, des goélands argentés, deux, trois mouettes tridactyles tels des canots au mouillage, ce jour finissait, fatigué et apaisé.

À la limite de l'horizon des nuages noirs se massaient en lentilles, laissant présager le pire. Si seulement les pêcheurs s'étaient donné le temps d'observer le ciel.

En bas, dans la cabine du capitaine et dans la carrée, les baromètres avaient entamé une chute que peu avaient remarquée. Si vertigineuse que Charles Coubel, avec son index, avait tapoté, bêtement il le savait, sur la vitre pour voir si...

Il avait commencé à donner des ordres pour arrêter la pêche, afin que les marins enfilent tous leur ciré, que toutes les tonnes soient bloquées et leurs amarrages vérifiés. C'est alors que se produisit l'impensable. Presque sans sommation, la mer devint folle. Jamais les plus expérimentés n'avaient vu cela en mer d'Islande : un vent passer de force 6 à 8, puis à 10, rafales à 11, puis à 12 en quelques dizaines de minutes. Cela ne faisait que s'amplifier. Ce qui était possible en Médi-

terranée était improbable en Atlantique. Cernés par un ora-
torio furieux d'éclairs, les hommes s'étaient mis à affaler
et réduire la toile le plus rapidement possible. Sans parler.
Les mots devenaient des gestes. La foudre bombardait l'alentour. Brutalement une vague monstrueuse, une vague de fin
du monde s'abattit sur la *Louise-et-Gabrielle* et, sans coup
férir, la retourna comme une coquille de noix. La goélette fit
deux tours sur elle-même sous l'assaut de hautes murailles
de vagues successives. Les matelots tentaient de s'accrocher
à tout ce qu'ils trouvaient sous leurs doigts, sous leurs pieds.
Comme dans une machine, la force centripète de l'eau les
désarticula, les balaya. Aucune prise ne les sauvait. Ils glissaient, valdinguaient, balayés parmi les espars de bois. Un
imbroglio de matériaux et de matière vivante. Plus aucune
pensée, rien que des actes, des agrippements, des soudaine-
tés réflexes. Les poumons de la plupart aspirèrent l'air puis
l'eau salée une dernière fois, le froid les saisit et leurs bottes
les coulèrent. Juste le temps de penser « C'est fini ».

Quand la *Louise-et-Gabrielle* revint dans ses lignes, toute
la mâture était disloquée, les voiles de cape arrachées et,
plus grave, le mât de misaine, brisé en pointe, cognait sur le
bordé bâbord. Une voie d'eau se déclara à l'avant.

Tous les marins étaient passés à la mer. Sauf deux. Pierre
et Joseph qui s'étaient mis à la barre avant le chavirage, pour
tenter de contrôler les mouvements de la goélette. Ils se retrou-
vaient sonnés et pendus à la muraille tribord par les bouts
qu'ils avaient pu attraper, sans même en être conscients tant
le mouvement de retournement avait été soudain.

Ils entendaient, assourdis, des appels à l'aide, mais leur
situation empêchait tout mouvement pour sauver quiconque.
Les quelques survivants se débattaient contre les vagues. Ils
ne mirent pas un quart d'heure à se taire, la température de
l'eau et le poids de leurs vêtements les ayant définitivement
escamotés.

Le premier moment de stupeur passé, Pierre se rapprocha
de Joseph en rampant. Ce dernier avait la bouche tordue de
douleur. Il expliqua par borborygmes qu'il pensait avoir le

thorax enfoncé. Le sang qui coulait de ses mots acheva d'alarmer Pierre, qui, lui, ressentait des douleurs transfixiantes sur le côté droit. Il avait sûrement lui aussi des côtes cassées. Mais Joseph avait l'air plus mal en point. Il grinçait des dents.

Pendus l'un à une ligne, l'autre à une amarre, ils s'y accrochaient encore une demi-heure plus tard, attendant ils ne savaient quoi. Les tonneaux s'étaient détachés et roulaient bruyamment, aggravant la situation. On entendait l'eau courir sur le pont et d'autres vagues passer sur le bateau, le faisant définitivement pencher à bâbord et, surtout, l'enfonçant centimètre après centimètre.

Brutalement la goélette bascula. Leurs corps se maintenant à plat sur le bateau couché à 90° et les mains fermement agrippées, ils se taisaient. Fatalement, la nuit de son naufrage à Terre-Neuve rattrapa Pierre. Il s'en était déjà sorti…

Joseph geignait plus fort et Pierre l'exhortait à tenir, mais parler lui était si pénible qu'à chaque mot il glissait. Le vent s'était soudain calmé. Comme si rien ne s'était produit. Comme si personne n'était mort ou même n'avait jamais existé.

Pierre serrait les dents. Il fallait tenir. Garder espoir. Surtout il fallait penser à autre chose. Alors il appela son rêve. ELLE. Jusqu'à la recréer. Elle et elle encore.

Cette jeune Islandaise qu'à l'escale de Faskrudfjord il avait entraperçue, puis croisée lors de ses trois campagnes d'Islande et à qui il avait enfin parlé à la dernière escale de mai. Et quand il lui avait fait ses adieux, son baiser osé, duplice, de ses délicates lèvres à elle si près de ses rugueuses lèvres à lui. Elle qu'il avait volontairement effacée de son souvenir durant la campagne de l'an dernier à Terre-Neuve puis qu'au contraire, par fulguration, il évoquait depuis des mois, depuis son retour, depuis la mort de sa mère, depuis son engagement sur la *Louise-et-Gabrielle*, depuis l'aube du 21 février. Cet espoir maintenant si proche, juste à quelques encablures de la baie de tous ses espoirs, que sa mort programmée tuait. Non, c'était trop imbécile de se retrouver secoué contre la goélette moribonde alors que cette femme dont il ne connaissait pas même le nom, il en était sûr, lui était destinée.

Cette Islandaise moins blonde que ses compatriotes, moins blonde aussi que les Bray-Dunoises, d'un châtain roux pâle, cette fille au visage si net, si pur, si structuré, que sa rareté était gravée en lui. Et le sourire éclatant, lumineux, qu'elle lui avait adressé alors que leurs chemins se croisaient de près pour la première fois. Puis le jour suivant le baiser à la commissure de la lèvre dont la flamme brûlait encore en lui. Trempé, frigorifié, tétanisé, les mains engourdies, crispées sur l'aussière puis paralysées, à deux pas, à quelques mètres, à quelques heures, minutes de sa mort, il ne saurait peut-être jamais ce qu'il y avait derrière ce regard, ce corps. Il fallait tenir. Ses doigts étaient blancs. Et ce froid de plus en plus terrible, même en ce clair jour d'avril.

Joseph pleurait en silence et gémissait. L'esprit de Pierre, sa pensée s'engourdissaient. « Qui geint ? » pense-t-il. Puis lentement : « Oui. Joseph. » La vision de cette femme, suspendue en l'air comme une apparition, est sans doute stupide, naïve, comme la Vierge Marie, des millions de fois invoquée par d'autres désespérés avant lui, et pourtant c'était le moment ou jamais : il devait penser à elle et à elle seule, à son Islandaise et au chaud de ses lèvres.

Dans le ciel tout à coup myriadé d'étoiles, il reconnut Orion. Comme si la constellation s'était d'elle-même offerte à son regard : le quadrilatère et ses deux beautés, Bételgeuse la bleue et Rigel la rouge, les trois étoiles de l'épée, les trois du baudrier. Cette vision le réconforta. La constellation de sa mère. Celle qu'elle ne manquait pas de lui désigner lorsque le ciel la révélait. Orion la préférée parmi la grande et la petite Ourse, le Taureau et Aldébaran, le W de Cassiopée et aussi la si brillante et racinienne Vénus « et ses feux redoutables ».

Sous le poids d'un ciel d'éternité, si écrasant pour l'heure, il était juste un homme souffrant et la douleur le ramena à ses mains tétanisées sur la corde qui le gardait en vie, au morceau de coque qui le portait encore.

Les mouvements d'agonie du bateau le fracassaient mais surtout Joseph s'affaiblissait terriblement. « Tiens bon, mon frère, tiens pour moi, tiens pour eux », lui gronda Pierre. Puis alors qu'il voyait Joseph glisser insensiblement, il le supplia : « Joseph, reste! » et lui cria un dérisoire « Ne me laisse pas seul ». Joseph sembla se reprendre et lui jeta un regard d'approbation. Pierre pleura à son tour. Avec des hoquets. Il pleura tous ces morts, toutes ces vies arrachées et ces familles foudroyées en quelques minutes. Qui ignoraient tout.

Joseph tenait, le bateau tenait, la mer se calmait. Pourquoi? Puis Joseph grommela plus qu'il n'articula, les mâchoires comme paralysées, « Pierre, je lâche », sans que Pierre comprenne ce qui avait forcé les mains de Joseph à s'ouvrir après avoir tant lutté. « Non, Jo. Non! » C'était terminé. Pierre, à quelques mètres de son cher Joseph, ne put rien pour l'empêcher de couler comme un sac plombé. Joseph disparut le temps d'un soupir et d'un sanglot en écho.

Pierre chercha à l'horizon si d'autres bateaux existaient encore. Rien. Tout était vide. À croire que la vie avait disparu. Comme lui, figée par l'engourdissement.

Trois heures avaient passé. Le froid de l'eau qui montait le mordait cruellement. Livrer encore bataille lui parut vain.

Ses pensées se gelèrent.

Une goélette au loin l'aperçut, petit bâton noir sur la coque blanche. Ni ses bras transis, ni ses mains contractées n'auraient pu se lever pour se signaler. Les yeux ouverts et le cerveau gourd, quand une chaloupe s'approcha, il se dit que sans doute on cherchait quelqu'un ou quelque chose mais quoi?

Il fut harponné, hissé, puis transbahuté de la chaloupe sur un pont et à l'intérieur de ce qui lui sembla être un nid très chaud.

On aurait dit que la carapace de la *Louise-et-Gabrielle* n'attendait que le sauvetage de Pierre pour couler, effaçant à jamais toute trace d'eux.

Récupéré au vol *in extremis*, début de mains et pieds gelés, il était en état de choc et d'hypothermie. Il entendait à travers le lointain les sons et voyait dans un brouillard les regards pleins de compassion de ses sauveurs. L'un d'eux le prit dans ses bras pour le réchauffer. Il sentit ses larmes lui couler dans le cou mais ses mâchoires ne purent s'ouvrir pour remercier. Il ferma les yeux. « L'amour sauveur, est-ce possible ? », celui de son Islandaise, celui des autres, des vivants, pour lui, le survivant.

Rhabillé de sous-vêtements de flanelle, couché dans une petite cabine sous d'épaisses couvertures, réchauffé, on le força à boire, d'abord du tafia, puis du café. Il sentait nettement ses côtes brisées, en percevait presque le craquement quand il respirait.

À leur large béret, il sut qu'il était sur un bateau breton, chez des pêcheurs comme lui. Il pensa qu'il était chez ses frères et sombra dans un sommeil comateux et infiniment triste.

6.

À la sortie du journal, tout en marchant d'un pas hâté par le froid, Nemours réfléchissait encore à son sujet. Les mots s'entrechoquaient dans sa tête. Il avait écrit l'article, trouvé le chapeau mais pas le titre. « Dangers atmosphériques », trop simple. « Pollution à l'oxyde de soufre », trop restrictif. « Atmosphère, atmosphère », référencé et léger, or le sujet ne l'était pas. Son pas se ralentissait à la lente mesure de sa réflexion. L'article serait d'abord visuel, des cartes de la pollution avec de gros points rouges cachant toute la région dunkerquoise sous la poussière industrielle et les composés organiques volatils, les fameux « COV ». « Sans commentaire » ne serait pas mal. Ou idiot et contradictoire, puisqu'il allait commenter.

Le rédacteur voyant l'intérêt qu'il portait à ces problèmes cruciaux lui avait tout naturellement confié la rubrique « Environnement ». Les veuves des victimes de l'amiante avaient occupé tout son temps les jours précédents. Ces femmes qui réclamaient justice pour leurs maris morts d'avoir longtemps transporté et donc inhalé de la poussière d'amiante le touchaient. Leur détermination l'impressionnait.

Non, ce « Sans commentaire » n'allait pas. C'était même absurde.

Une bourrasque le malmena. Nemours accéléra le pas pour rentrer chez Agathe, chez lui en fait.

Chaque fois qu'il ouvrait la porte, il était happé par les photos et les posters qui envahissaient l'entrée. Massoud était partout. Le fameux commandant, héros de l'Afghanistan. Agathe était une « folle de Massoud » et elle aurait été incapable de ne pas l'avoir sous les yeux. Après ce 9 septembre 2001, qui avait causé sa mort, ce lui aurait été une deuxième mort.

Nemours trouva son amie affalée dans un gros fauteuil, l'air aussi hors d'usage que ce dernier. Pourtant c'était une grande fille à la santé tonitruante. Elle disait d'elle-même qu'elle ressemblait à un monument aux morts. On subodorait que l'âge la forcerait à lutter contre l'embonpoint. Son regard dur, son visage énergique lui donnaient un air autoritaire qu'un sourire expansif atténuait souvent. Malgré sa blondeur fragile, elle semblait très décidée – ce qu'*in fine* elle était. Voilà, c'était une jeune femme sans faille, « Madame la commandante ». Nemours trouvait qu'elle n'avait pas changé depuis ses douze ans, même sa coiffure courte au carré. Nourrissait-elle des sentiments amoureux pour lui ? De toutes les manières, elle aurait fini par le mener comme un taureau par son anneau ; cela, il ne l'aurait pas supporté. Et puis il n'aurait pas pu faire l'amour avec elle sans pouffer de rire.

De plus, il se méfiait des filles « en situation » et surtout en âge de procréer : indépendante, un travail rémunérateur, un appartement où ne manquait plus que le berceau... Là, elles devenaient carrément dangereuses pour Nemours. Son rapport avec Agathe ? Amical, oui, amoureux, non.

Pour Agathe, Nemours était quoi qu'il en soit son pré carré, sa chasse gardée, et s'il n'y avait pas prêté attention, son exclusive propriété. Vigilant, comme un cheval à l'œil, il se défilait adroitement mais se défilait quand même...

— J'ai trouvé un nouveau sujet pour le journal. Ma rédactrice est d'accord, lança Agathe.

— Vas-y, explique.

Il se posa sur le canapé.

— Très coriace. Je te raconte. Un type est arrivé au journal à 1 heure. Il ne restait plus que moi dans les bureaux. Il m'a parlé poliment, posément. Il m'a expliqué son histoire. Il est interné à l'hôpital psychiatrique et le médecin ne veut pas le laisser sortir alors qu'il en a juridiquement le droit. Ce médecin l'a menacé de le faire rechercher par la police, s'il quittait l'hôpital sans son accord. C'est du bluff!

Elle prononçait « bluff » et non « bleuf » pour rire.

— T'en es sûre?

— Enfin, t'es blaireau! En tout cas il me demande de dénoncer cette erreur parce que, sans travail depuis très longtemps, il est un poids pour ses parents. Enfin, tu vois le topo.

Nemours voyait plutôt les emmerdes.

— Il a vraiment le droit pour lui?

— Sûre! Mais je vais vérifier. Pour un internement banal il faut l'accord ou la demande de la famille. Pour l'internement d'office, il faut la signature de la police ou du maire et il affirme qu'elle n'est pas sur les documents. Il est reparti, pressé, pour rentrer à l'heure et ne pas énerver le médecin-chef. Tu vois, il est sérieux. J'ai les coordonnées de tout le monde, les flics, les médecins, tous. Je tiens un bon sujet. Je le sens bien.

— Le mec te plaît?

Son ton était un peu perfide.

— Non, non. Bien qu'il soit mignon. Bon, arrête tes salades, il va falloir se chercher des déguisements pour samedi. Demain, c'est le bal du Chat noir. Ton premier bal, mon pote. Ça ne rigole pas. Moi, je me déguise en, devine? Chat noir. C'est une copine qui me prête le cletche.

— ...

— Le déguisement, quoi. Ah! Au fait, j'allais oublier, dans l'entrée il y a deux paquets que ta mère a remis à maman qui est passée cet après-midi.

63

Nemours sortit du papier-bulle qui les enveloppait deux tableaux format raisin. Des aquarelles, de même facture, représentant, à la surprise de Nemours, l'une la place Jean Bart, à l'époque du carnaval, envahie de personnages masqués, et l'autre, le port de Dunkerque du temps de la marine à voile. Des dizaines de goélettes à quai.

D'où venaient-elles ? Il ne les avait jamais vues auparavant, que ce soit chez ses parents, chez sa grand-mère ou dans sa famille.

Il appela sa mère qui lui expliqua que sa grand-mère les avait sorties pour lui de son grenier. Elle-même ne les avait jamais vu accrochées.

— Bien sûr, elle a tout de suite pensé à toi. Ces tableaux seront très bien dans ta chambre.

— Elle sait d'où ils viennent ?

— Je ne crois pas. Moi-même je ne les connaissais pas. Mais je vais lui demander. Ou appelle-la, toi.

Nemours chercha à identifier la signature, la même sur les deux tableaux. Il lui sembla que le nom du peintre était Louis Évrard. Derrière l'un des deux, celui du carnaval, il dénicha une inscription à la main « de M. E. à L. B. », et une date : 20 avril 1930. Il examina attentivement le second et trouva la même très estompée, presque gommée.

— Dis donc, Agathe, elle ne s'appelle pas Évrard, ta vieille consœur ? Elle connaît peut-être ce peintre ?

— Je vais lui en parler, si tu veux. Mais il y a beaucoup d'Évrard ici. Et ce nom s'écrit de nombreuses façons : Éveraert, Évraert, Évrart...

Cette date, 1930, à quoi pouvait-elle bien correspondre ? Celle des tableaux, le plus logique, à moins que ce ne fût celle du don de M. E. à L. B. ? Puisqu'il était précisément daté, 20 avril. Il cessa de songer à ces mystères et suspendit les tableaux.

Puis il appela sa grand-mère.

— Oh ! Mon chien, mon petit chien. C'est gentil de m'appeler.

Il craquait quand il entendait cette appellation familière.

Après les remerciements puis les papotages, il lui demanda d'où venaient ces aquarelles.

— Je n'en sais rien. Cela doit faire longtemps qu'elles sont dans le grenier. La maison où j'habite me vient de mon premier mari, ton grand-père, Jean Delacroix. J'ai très peu connu cette famille. Quand je me suis mariée, en 1956, ses parents avaient déjà disparu et lui est mort en Algérie, en 1959, deux mois après la naissance de ta maman. Tu vois ! J'étais si triste. Puis j'ai rencontré quelqu'un d'autre.

Elle soupira.

— Me sont restées la grande maison et une rente. Ces tableaux, je les ai trouvés récemment en rangeant le grenier. Tu penses que j'ai tout de suite su qu'ils étaient pour toi, mon chéri.

— Tu ne sais rien de plus, alors ?

— Si, quand même, il me semble qu'il y avait un secret dans cette famille, mais je n'en sais pas plus. Un truc bizarre. C'est presque plus une impression que quelque chose de tangible. C'est drôle cette coïncidence, tu ne trouves pas, alors que tu travailles à Dunkerque. Dors bien, petit chien.

Allongé sur son lit, il songea à ce qu'avait dit sa grand-mère, tout en fixant les tableautins. Ils lui plaisaient, placés juste sous les deux appliques. Ces taches à dominantes bleu, gris et vert anglais embellissaient la pièce. Et puis ce rapport possible entre sa famille et la ville de Dunkerque l'intriguait vraiment.

Il s'endormit les yeux rivés sur les mâts esquissés des goélettes du début du siècle dernier.

Samedi, Agathe était saisissante en chatte noire. Son maquillage lui avait demandé un gros travail, mais le résultat était là. Le visage moustachu, entièrement noir et blanc, elle était charmante avec ses longues jambes, son plastron blanc et sa longue queue noire à toupet blanc, qu'elle soulevait comme une traîne.

L'année dernière, pour avoir bien chaud, elle s'était déguisée en ours blanc. Au cœur des chahuts, la combinaison synthétique, polaire précisément, s'était révélée être une étuve, un bain de vapeur privé. Sur sa route, elle était contente de saluer ses amis qui, eux, ne la reconnaissaient pas et l'ignoraient ; seuls les petits enfants agitaient furieusement leurs mains. Un flop.

Sous le contrôle vigilant d'Agathe qui ne voulait pas d'un « peûûl[1] » à son bras, Nemours était déguisé en femme, en « Ma tante », suivant la formule consacrée, avec des vêtements empruntés : le vieux soutien-gorge, du 125 bonnet F au moins, d'une « bonne-grosse-Dunkerquoise », la robe de marque d'une autre géante des Flandres prélevée dans une malle de grenier, un manteau de vison mité trouvé sur le marché et un porte-jarretelles neuf, en revanche.

— Comme pour un mariage hollandais : « quelque chose de neuf, quelque chose de vieux, quelque chose de cher », lui expliqua Agathe qui l'aidait à se harnacher.

Le chapeau avait été donné par une voisine veuve qui d'habitude le posait en décoration sur le guéridon où désormais trônait l'urne funéraire de son mari. Le couvre-chef appartenait à son « défunt », comme elle l'appelait, mais le deuil fini, elle se débarrassait des oripeaux de ses bonheurs carnavalesques. Agathe avait, par charité, tu ce détail à Nemours.

— Un vrai bouquet de printemps, ce chapeau !

Il se sentit définitivement ridicule en Catherinette mais si cela convenait, il allait jouer le jeu.

En ville, dans les voitures, le contraste entre ces comiques emperruqués, maquillés à outrance, et le sérieux de leur conduite au volant l'amusa beaucoup.

Quand ils arrivèrent au Kursaal, Nemours comprit bien mieux pourquoi Agathe tenait tant à être en avance : à 11 heures la file d'attente était impressionnante, des fouilles en freinaient la fluidité. Depuis quelques années, et les plans Vigipirate successifs, des vigiles des deux sexes veillaient. Un monsieur d'âge en jean et pull marin tentait d'entrer réglementairement, son ticket à la main, mais un jeune vigile l'en empêchait. Son chef lui avait donné ins-

---

1. Un balourd.

truction de refouler toute personne « en civil ». D'une part l'octogénaire affirmait au garde méfiant qu'il était déguisé en marin, et, d'autre part, la mission était de repérer les fauteurs de trouble, ce qui d'évidence n'était pas son cas. Ce jeune « Crétin des Carpathes! », d'après l'offensé, n'avait pas bien interprété le message. Quand le chef vint à passer, hélé par l'ancien, le sot-sot s'excusa platement. « Mais ch'savais pas, moi. » Un Ma tante commenta avec l'accent : « Ben, t'es installé, ti' frè'! » « C'qu'il est bête, c'lui-là! » Nemours se marrait.

Ils se frayèrent un chemin jusqu'aux copains du journal installés plus loin sur l'estrade placée au centre de la gigantesque salle où se produisaient les réjouissances, où s'écrirait cette pièce à la fois improvisée et respectueuse des trois unités du théâtre classique. Les collègues étaient méconnaissables. Sa rédactrice des rubriques *Société*, *Beauté* et *Livres*, habituellement posée, discrète, très soie-cachemire-chignon, était avachie sur un siège, en tenue légère, maquillage outrancier, plus strip-teaseuse que baigneuse 1900. Elle héla Nemours (mais comment l'avait-elle reconnu?) « Eh! Beau brun, viens saluer les gâmiines! » et en voyant son décolleté arrogant lança un : « T'as ouvert ta boutique? » Elle aussi, elle avait adopté l'accent, le fameux accent dunkerquois, commun à tous les carnaveleux. Nemours commençait à en comprendre la raison. Impossible de s'y retrouver dans les groupes sociaux.

La tenue la plus courante pour les hommes était faux seins, petite robe printanière, manteau de fourrure et chapeau fleuri. Une succession de tenues lumineuses, colorées, une féerie pour initiés... Des lignes de masquelours[1] saturées de fleurs, de boas, de perruques fluo ou scintillantes et de hautes plumes de faisan, virgules de la foule. Et un bonheur, une joie en chacun qui rejaillissait sur tout, comme si une fée clochette avait de sa petite baguette d'or lancé des paillettes de félicité.

---

1. Une personne masquée.

La musique jouait déjà des airs entraînants. Des masques tournaient autour du podium central tandis que d'autres perchés sur les tribunes les accompagnaient en chantant à tue-tête. Tout à coup l'orchestre s'éteignit et un chant s'éleva puissant et guttural « Hé ho! Hé ho! Hé ho! Hé ho! » Onomatopée répétée et lancinante qui donnait la chair de poule et serrait la gorge sans que Nemours ne sache vraiment pourquoi. Par la suite, dans la mêlée, écrasé parmi tous ces géants, il comprit la force de cet appel et son émotion. Nemours se rappela que les armées royales recrutaient ses cuirassiers en priorité dans cette région, la taille de la population étant la plus élevée du royaume. Pas étonnant que la blonde Agathe, clone de ces géantes, ait été si vite acceptée.

Un tambour-major d'au moins deux mètres, bonnet à poil compris, en uniforme de la garde napoléonienne, dolman et sabretache, Cô Schlock II, accompagné d'une cantinière tout aussi napoléonienne, entra dans l'arène, suivi d'un orchestre de fifres, tambours et trompettes. Puis, derrière, de gigantesques gaillards avançaient, annoncés par les berguenaers[1], de hauts parapluies rehaussés par des manches à balai, sur lesquels on lisait le nom de leurs associations caritatives, par exemple, *Les Potes'iront, Les Acharnés*. Agglutinés en paquet, quelques marins d'opérette « début de siècle dernier », bleus et blancs, vareuses à rabat, qu'Agathe désigna à Nemours comme des *P'tits Louis*, d'une des plus anciennes sociétés philanthropiques du carnaval.

Tous, compressés, en rangs très serrés, yeux écarquillés, thorax comprimés, comme aux heures de pointe un jour de grève dans le métro, se dit Nemours. « Ah, faut pas avoir peur du contact. Tu sens des seins, des fesses, des sexes. Mais en tout honneur! », l'avait prévenu Agathe. L'orchestre, maintenant campé sur une estrade, prit son souffle et explosa. Les tambours pétaient comme des grenades, les cuivres toni-

1. Parapluie de Bergues.

truèrent. Alors ce fut la folie, une indescriptible folie. Les rangs se bloquaient et derrière ça poussait, et tout le monde chantait, hurlait plutôt, ceux d'en bas, les fervents, ceux d'en haut, spectateurs et protégés sur les estrades. Retenu par un premier rang qui avait fort à faire pour garder la position, l'ensemble tournait autour de la salle. Toujours en chansons. Ceux qui ne connaissaient pas les paroles les apprenaient vite : la chanson, courte, était toujours répétée au moins deux fois sinon trois. « Malin ! » pensa Nemours.

Il comprit vite qu'il s'agissait de rituels. Un rite de Blancs se déroulait sous ses yeux abasourdis.

Le premier chahut se termina une heure et demie plus tard en apothéose, sur deux chants que Nemours, exalté, qualifia de grandioses : la « Cantate à Jean Bart » et l'« Hommage à Cô Pinard ».

C'est pour Cô Pinard III, le tambour-major d'avant, mort en 1994, qui présida trente ans aux destinées du carnaval, que fut composé cet « hômmââage » sur l'air anglo-saxon d'« Amazing grace », très lent, très cérémonieux. Des couplets en crescendo. À la deuxième reprise, le chant se répétait *a cappella*. C'était beau à pleurer. D'ailleurs certains pleuraient et on ne savait plus, même eux, si c'était parce que Cô Pinard était mort – l'avaient-ils même connu ? – ou que chanter à dix mille était émouvant ? Mystère. Puis une troisième reprise, cette fois avec l'orchestre, à casser les voix et exploser les tympans, le tuyau des trompettes et la peau des tambours.

Ces chants pour connaisseurs étaient également adaptés au béotien. C'était là une partie de leur génie. Certains avaient été exhumés des antiques fêtes flamandes ou des champs de bataille des guerres des rois Louis, des chants qui auraient fait marcher au combat les récalcitrants sans même qu'ils s'en rendent compte et les moribonds, jusqu'à ce que la mort les immobilise.

Chaque Dunkerquois avait à cœur d'enseigner les règles à un « étranger » qui, trop bousculé, parfois s'énervait, à tort, sans comprendre, et balançait un coup de poing ou rabrouait brutalement un voisin. « Éduquons! », « Quoi! Eh! Du con! ». Après les malentendus du début, l'étranger apprenait vite. La survie du carnaval en dépendait.

Quelques novices avaient tenté de s'agenouiller, trop tôt, lors de l'Hommage à Cô'Pinard. Ils avaient été vigoureusement pris sous les bras et remis debout : « Eh! Gâmin, c'est pas le Jean Ba'. »

C'est qu'il y avait des règles. On ne se mettait à genoux que pour la Cantate à Jean Bart et on se relevait sur le final. Et Nemours sentit bien qu'il lui faudrait être mieux initié pour participer dignement à cette messe.

Le « *Jean Ba'! Jean Ba'!* » démarra, majestueux. Ah! La Cantate, l'hymne « national » dunkerquois, en hommage au héros de la ville : Jean Bart, le corsaire qui impressionna ses contemporains par ses prouesses sur mer contre les Anglais et les Hollandais pendant la guerre de course. De quoi rendre fier pour des siècles n'importe quel Dunkerquois. *Salut à ta mémoi' / De tes exploits tu remplis l'unive'.* L'affaire prenait sans barguigner un tour emphatique. *Ton seul aspect commandait la victoire / Et sans rival tu régnas sur les mers.* Venait le morceau le plus pompeux et bizarre à prononcer. *Jusqu'au tombeau France mère adorée / Jalouse et fière d'imiter ta valeu' / Nous défendrons ta bannière sacrée / Sur l'océan qui fut ton champ d'honneu'.* Ils s'étaient tous remis debout – les incertains et les novices avec un temps de retard –, les bras en l'air toujours, allant de la voix majestueusement vers la fin. *Jean ba', Jean Ba', la voix de la patrie.* Et cela reprenait plus haut encore, plus solennel si possible. *Redit ta gloire et ton nom immortel.* La forêt de bras, brandis vers le ciel, se tendait un peu plus. *Et la cité qui te donna la vie / Érigera ta statue en autel.* Avec un décibel de prédilection sur « tel ». Arrivait le morceau de bravoure, le moment où ceux qui s'étaient économisés jusque-là se fracturaient la voix au deuxième *ÉRIGERA TA STATUE EN AUTEL.*

Après le final, un peu comme café et pousse-café, on chantait en conclusion, sur un rythme trépidant : *Vivent les enfants d'Jean Ba' / ce sont de fameux gailla' / Pour les bals et pour les fêtes du carnaval.* Un bis et c'était fini.

Dans un grand élan, un jeune homme multicolore embrassa Nemours puis Agathe sur la bouche. Un « zô » engagé et enthousiaste. « Ben, tu mets pas la langue ? » le provoqua Agathe. Une femme se mit à beugler, étranglée par son boa comme s'il avait été constrictor. Son voisin avait brutalement baissé son bras emmêlé à ses plumes.

Un orchestre « normal » prit le relais pour que les masques puissent se reposer en dansant frénétiquement sur des airs de rocks endiablés, intercalés de quelques slows annonciateurs d'instants plus tendres.

Aux bars installés sur les côtés, le long des murs, on se désaltérait des trois bulles : eau pétillante, bière ou champagne. Un Ma tante, des verres de bière dans les mains, profitant de son travestissement féminin, se taillait un passage dans la foule aux cris de « Attention, femme enceinte ».

Pendant qu'Agathe, assise, buvait du champagne, Nemours le Parisien soufflait, encore étourdi de tout cet excès.

La queue postiche d'Agathe traînait sur la table, à côté d'elle, encore reliée à sa propriétaire. Un miracle après le chahut. Elle décoinça son serre-tête en oreilles de chatte, soulageant la pression.

— Hé ! Philippe !

Un type en drag-queen tapa sur l'épaule de Nemours, puis se ravisa.

— Oh ! Pardon.

Il n'était pas le premier à faire l'erreur. Pourquoi tant de gens l'appelaient par ce prénom ?

Manifestement, son maquillage, qui avait coulé sous l'effet de la chaleur et de la sueur, ne le travestissait plus...

— Hé ! Ma queue !

Agathe bondit sur ses pieds, attrapa le bout de l'appendice en feu et le trempa dans le fond de son verre. La touffe de poils blancs fumait encore. La voisine s'excusa :

— Je suis désolée, c'est en écrasant ma cigarette...

— C'est quoi, cette pyrowoman !

Agathe ne trouvait plus son serre-tête. Elle cherchait, tournait, s'énervait. « Mes oreilles, mes oreilles ! » Elle les retrouva entre les mains d'une carnavaleuse qui les triturait.

— Oh ! Je croyais qu'elles étaient abandonnées !

— C'est quoi, cette kleptowoman !

Un Ma tante se frotta le nez sur le museau de la chatte noire qui lui tendit la joue. « Attention ! Mon rouge ! » Il se détourna. Autour d'elle on se hélait, on s'embrassait, on se souriait, on se tapait dans le dos, on bavardait, entre inconnus, on se retrouvait, on se reconnaissait – difficilement –, on s'esquivait aux toilettes. Il fallait se dépêcher : le chahut allait reprendre. C'est alors que le drame éclata. Agathe oublia, en sortant, d'emporter avec elle sa queue et, refermant violemment la porte, la coinça. Insensible, la pauvre bête sortit à grandes enjambées.

Depuis toute petite, elle ne savait faire que des gestes brutaux qu'elle croyait dynamiques ; les gestes mous l'ennuyaient et elle les trouvait peu efficaces. Elle était parfois si impatiente qu'elle ne terminait ni ses mouvements, ni même ses phrases.

Freinée dans son mouvement, Agathe lutta un instant pour se libérer et déchira son costume. Sa queue mutilée pendait lamentablement et, par un grand trou devant son derrière – en quelque sorte –, sa petite culotte fut inopinément mise en valeur, découvrant aussi un peu de la peau rose d'hiver de son « arrière-train ». Nemours, dépité de partir si tôt, dut l'évacuer d'urgence vers la maison.

— Avoue que je t'ai fait rire ! C'est tout à fait l'esprit du carnaval, conclut Agathe d'une voix imbibée, aux mots approximatifs.

7.

Dans sa cabine, Pierre Blondeel reprenait ses esprits. La vie lui réapparaissait clairement. Et l'épouvante de la situation. Un homme à la trentaine sereine était à son chevet et lui parlait doucement, presque tendrement :

— Nous vous avons recueilli de justesse. Vous vous rappelez ? Vous êtes sur la *Louise*.

— Sur la *Louise* ? (La confusion de Pierre s'aggravait.) Quelle *Louise* ? Mon bateau s'appelle la *Louise-et-Gabrielle* !

— Non. Cette goélette vient de Paimpol. C'est la *Louise*, simplement *Louise*.

Pierre maintenant se rappelait tout. Lui, accroché à un bout et bloqué contre la muraille de la *Louise-et-Gabrielle*, ou ce qu'il en restait ; son cousin, noyé, et sa douleur terrible à la poitrine, presque insupportable quand le bateau cognait sous l'assaut des vagues. Puis l'impression de perdre connaissance. Enfin la chaleur de la couverture dont on l'avait enveloppé. Et ces hommes qui l'entouraient d'attention.

— À nous aussi il est arrivé malheur. Les circonstances ont été moins abominables pour nous, mais terribles quand même. Nous venons de perdre cinq hommes, dont notre capitaine, dans le même coup de vent, une tornade plutôt. Nous

73

étions plus éloignés du centre, c'est ce qui nous a sauvés. Des creux de dix mètres puis des paquets de mer, mais ça on connaît, et puis des vagues énormes. La goélette s'est couchée, les haubans à toucher l'eau. Terriblement impressionnant, d'après le survivant, Erwan, notre novice. Moi, je n'ai rien vu, j'étais dans ma bannette. Puis la *Louise* s'est redressée, mais cinq hommes de quart sont passés à la mer. Erwan, par un coup de chance, s'était agrippé à une aussière. Il est resté sur le pont. Aujourd'hui c'est moi qui commande la *Louise*, mais c'est dur. Très dur. Nos deux bateaux sont apparemment les seuls à avoir essuyé cette tempête. Les autres, à quelques milles de nous, ont pris un puissant coup de chien, mais tenable...

Il s'arrêta de parler quelques secondes puis reprit :

— Vous êtes chez vous sur la *Louise*. Vous vous remettrez vite. Je vous ai examiné : deux côtes cassées sans doute mais aucun os qui pointe, pas de fracture ouverte et pas de poumon perforé, c'est l'essentiel. Nous vous avons bloqué la cage thoracique avec des linges.

Effectivement Pierre sentit un corset de coton sous ses doigts. Et la douleur semblait endormie. Mais un léger mouvement suffit à la réveiller. L'homme lui enjoignit de ne pas bouger, en l'aidant à se remonter sur les oreillers. Heureusement le bateau ne roulait pas trop, comme s'il avait voulu ménager Pierre. La mer avait dû fortement se calmer.

— Je vous ai administré un sédatif. Vous avez dormi pratiquement vingt-quatre heures.

Pierre se rappela que le brevet de capitaine formait au secourisme.

— Je me présente : Jo Le Kaer, second sur la *Louise*.

— Pierre Blondeel, j'étais second sur la *Louise-et-Gabrielle* de Gravelines.

Ce « second » les unit encore un peu plus.

Jo tendit un verre de cidre à Pierre.

— Si vous préférez du vin, dites-le.

— Non, non, ça ira. Vous ne buvez pas de bière ?

— Ah ! Non, c'est pour les Flamands, Flam'tche, comme vous dites.

Il eut un bon rire « à la Flam'tche ».

— Je vais vous laisser vous reposer et puis on vous lèvera, on mangera et on ve*ra après. À tout à l'heure.

Pierre songea qu'il était tombé chez ses frères, mais des frères adverses. Dunkerquois et Bretons étaient « ennemis de mer » depuis des lustres, trop proches pour ne pas être de féroces et hypocrites rivaux, à griffer la réputation respective des marins et des bateaux concurrents.

Il sourit rétroactivement à ce nom « Le Kaer ». Il se rappela son copain Coornaert, prononcé Cor-nar à Dunkerque, qui s'était s'installé en Bretagne, et que les Bretons s'obstinaient à appeler Le-Co-or-na-er, en détachant bien les syllabes. Ce qui les réjouissait chaque fois.

Ses doigts gelés se rappelèrent à son mauvais souvenir : tous ses ongles étaient noirs, le sang s'était figé dessous. Dans quel état étaient ses pieds ? Avec difficulté il retira les couvertures, mais ils étaient cachés par des chaussettes. Un matelot entra :

— Alors, mon gars, ça va-t-y mieux ? Oui, oui !

Cela dispensait Pierre d'une réponse. L'homme lui sourit en lui secouant la main :

— Pierre (tous devaient connaître son nom maintenant), moi, c'est Yves ! Je viens vous aider. J'crois bien qu'il faut marcher.

— Bonjour. Si cela ne vous dérange pas, je voudrais voir mes pieds.

Ses pieds ne lui faisaient pas mal, à proprement parler, mais il les sentait raides.

— Vous bilez pas. On va vous aider.

Cet accent de Paimpol tapait sèchement sec. Moins le tic dunkerquois de supprimer les « r ». Il réalisa qu'il avait rarement rencontré de Bretons. À Faskrudfjord, il y avait peu de Paimpolais. Sans doute se retrouvaient-ils dans des endroits à eux, à Nordfjord probablement, plus au nord. Quant aux Paimpolais qui « escalaient » à Faskrud, il n'avait eu ni le temps ni l'occasion de vraiment faire connaissance, ni même au-delà des salutations, de leur parler.

Yves lui enleva ses chaussettes, tout doucement, avec des gestes de nounou surprenants chez cet homme tout buriné, qui lui paraissait malhabile et très vieux. Quel âge ? Y avait-il une limite pour être engagé à la Grande Pêche ?
— C'est pas beau à voir mais y 'a rien d'grave.

Cette impression fut confirmée par la douleur : les ongles des deux gros doigts de pied étaient fortement décollés et ne manqueraient pas de tomber dès qu'il se rechausserait. Le reste des ongles était comme ceux de ses mains, noirs. Mais à aucun endroit la peau n'était gelée ni même brûlée. Et c'est cela qui comptait. Les deux ongles mettraient quelques mois à repousser. « Mais oui, ils repousseront. La base n'est pas atteinte », diagnostiqua pour lui-même Pierre.

Yves apporta des vêtements secs. Il le porta presque pour qu'il se lève et s'habille. Il ajouta, tout en posant les vêtements sur la couchette :
— Heureusement le matelot Yann avait votre taille.

Pierre réalisa lentement ce qu'Yves venait de lui dire. Ces vêtements avaient appartenu à un des marins disparus. Il pensa que cette phrase aurait pu être prononcée par un Flamand de Belgique – le genre de remarque que les Flamands de France moquaient pour leur logique si terre à terre. Observation sans méchanceté, marquée au sceau du bon sens, montrant qu'il n'y avait pour Yves aucun rapport entre sa tristesse et le fait qu'il y ait des vêtements à la bonne taille pour le rescapé.

Pierre eut un temps d'hésitation, mais la vie continuait ; il fallait avancer et le second l'attendait.

Le drame vécu sur ce bateau était plus terrible qu'il n'y paraissait. En fait, et Pierre ne l'apprit que les jours suivants, ce samedi noir, les hommes de quart de sommeil et beaucoup de veille étaient tous en bas, tandis que quelques-uns étaient sur le pont. Le temps et la nuit ne nécessitant pas plus de quelques hommes. Tout l'alcool de la semaine avait été conservé pour être bu le samedi. On fêtait la bonne pêche des deux mois précédents : non pas le centième tonneau dans la cale, comme sur les morutiers du Nord, mais cent tonnes, c'est-à-dire cent mille kilos. Les Bretons, depuis les années 1880, ne « pacquaient » plus la morue en tonneau mais en vrac. En « stapel-vish », répartie directement dans la cale et salée en couches, en alternant un « plat » de sel et une rangée de morues. Cela demandait moins d'effort et si la qualité en souffrait un peu, la marchandise se vendait aussi bien, alors...

Ce soir-là, rien n'avait perturbé le sommeil des marins assommés par l'alcool. Ni la gîte brusquement aberrante de la *Louise*, ni le choc des paquets de mer sur la coque. Retenu par la planche de roulis et le bateau revenu dans ses lignes, nul ne s'était donc réveillé. Sauf Jo le Kaer. Mais pour arriver trop tard sur le pont.

Le novice beuglant à se casser la voix, dans ce tumulte de vent et de mer, inaudible comme s'il avait juste ouvert grand la bouche. Jo n'entendait rien. Quand il fut près d'Erwan, celui-ci hurlait à la mort. Il montrait la mer où Jo ne voyait rien que des vagues furieuses. Il tenta d'expliquer toujours en gueulant, cette fois dans l'oreille de Jo, qu'il venait de lâcher le capitaine qu'il tenait à bout de gaffe. Il avait réussi à crocher son ciré mais avait été incapable de remonter l'homme à bord. Il avait tenu, tenu tout en appelant à l'aide. Puis lâché le corps trop lourd pour lui. Il l'avait lâché. « Lâché ! » Ce pauvre garçon ne savait plus que vociférer : « Ils sont tous morts ! »

Le second avait réveillé les plus valides pour contrôler le bateau et pour maîtriser Erwan qui s'était mis à frapper tout et tous autour de lui.

Pierre fut bouleversé quand il comprit que ce capitaine, aussi costaud qu'Erwan était fluet, était son père.

À Dunkerque on aurait dit qu'Erwan était « épais comme un sprat[1] », mais ça c'était pour faire rire les « ti'frè' ». Et décidément on ne riait plus sur la *Louise*.

Pierre mit en œuvre ce qu'il savait être le seul remède pour lui. Ne plus rêver, mais agir, s'agiter voire se bousculer.

---

1. Un tout petit poisson.

C'est ce qu'il fit dès lors qu'il fut à peu près sur pied. Il fallait réparer les voiles qui avaient souffert de l'attaque soudaine. Pierre avait un certain don pour le matelotage et maniait la paumelle[1] et l'épissoire[2] avec une dextérité évidente. Réaliser une épissure, une surliure[3] ou rapiécer une voile lui plaisait. Son esprit occupé à des tâches immédiates et simples, il guérissait jour après jour. Et puis il se remit à pêcher dès que le temps le permit. Il se bloqua le bras gauche contre les côtes et d'une seule main agitait sa ligne.

Il se remit au sextant et aux tables de calcul. Ce dont Jo lui savait gré. Naviguer à deux était plus rassurant.

Les matelots désormais considéraient Jo comme le chef à bord. Et cette responsabilité, si elle l'inquiétait, l'honorait aussi. Avec l'aide de Pierre, il parviendrait à s'en sortir. C'est en tout cas ce qu'il lui laissa comprendre.

---

1. Outil de réparation des voiles qui protège la paume et permet de pousser l'aiguille.
2. Outil de réparation des voiles qui sert à percer la toile ou le cordage.
3. Raccord de cordages.

8.

Février 2011

Le jeudi suivant, sans Agathe cette fois, Nemours s'apprêta pour le bal des Anciens. Il était prévu qu'il rejoigne Antoine vers 14 heures, à l'entrée du Kursaal. Ce dernier lui avait laissé un texte de son père sur le carnaval, qu'il se mit à lire :

Si le Dunkerque actuel est bien différent de celui que l'on a connu avant la guerre de 1939, certaines festivités ont à peu près conservé le caractère qu'elles avaient auparavant, et ceci principalement pour le fameux carnaval. En fait la bande des pêcheurs, la Vischerbande, était la véritable grande fête d'adieu annuel des marins de Grande Pêche, les Islandais.

On retrouve toujours dans ces extraordinaires moments de défoulement les traces qu'y laissèrent profondément les ᵀslandais. Ce qui s'est peut-être perdu, c'est la pratique de l'intrigue dans laquelle excellaient les vrais carnavaleux. Qu'il s'agisse des déguisements, les cletches, ou simplement de la façon de se grimer, de la drôlerie des attitudes, il faut convenir que nulle part ailleurs qu'à Dunkerque, on ne rencontre un tel spectacle de frénésie collective.

Absolument extraordinaire. Remarquable est le brassage social qui rapproche les populations ; des ouvriers, des ven-

deuses, des employés fraternisent naturellement avec un avocat, un docker, un cadre des chantiers de France.

On a même vu un habitué de la Bande qui n'était rien moins qu'un ministre de De Gaulle. C'est aussi le moment que choisissent certains braves bourgeois, d'habitude casaniers et parfaitement sérieux, pour s'offrir une bonne virée bien innocente et conjugalement tolérée.

On pouvait voir par exemple la mise en route d'un groupe d'amis, commerçants honorables, bons époux, bons pères, déguisés en moines de saint Bernardin, costumes taillés par les épouses dans de la toile à sac, l'un d'eux tenant une cage à perroquet occupée par un hareng saur, s'agglutinant à la bande durant l'après-midi, faisant méthodiquement ensuite la tournée des cafés, où ils pouvaient malicieusement intriguer leurs « connaissances » pour se séparer finalement au point du jour sans avoir omis de satisfaire leur petit besoin mais à la façon des chiens (mâles). Cela faisait partie de la licence que l'on peut s'accorder au carnaval.

Nemours, seul dans sa voiture, toujours en Ma tante, s'esclaffa comme si la scène se déroulait sous ses yeux.

Il en riait encore en pénétrant dans l'immense salle du Kursaal. Elle lui parut plus volumineuse, plus haute. C'était surprenant qu'un décor puisse rendre si différent un même espace... Il y avait trois fois moins de monde qu'au bal du Chat noir et la moyenne d'âge approchait les soixante-dix ans ou même, à y regarder de plus près, un peu plus.

C'était un chahut édulcoré, les mêmes chansons en bémol, et ça tournait, mais en rangs lâches. Seule la joie était en dièse. Des groupes, venus des alentours, annonçaient la couleur par un panonceau, un peu comme à la cérémonie d'ouverture des Jeux Olympiques, *Les Jeunes de cœur, Les Amis de Ghyvelde*, etc.

Des centenaires au sourire extasié ou pétrifié ouvraient des yeux de biche apeurée. De grands vieillards liftés par ces quelques heures. Des femmes d'âge bien mûr, fées chatoyantes avec baguette magique, heureuses comme des petites filles, jetaient des sorts en pouffant sur les têtes voisines.

Nombreux, cravatés, tous en jupe ou pantalon et calot kaki, chemise et socquettes blanches se déhanchaient, bras dessus dessous, à jambes déployées.
— En quoi êtes-vous déguisés?
Trois hommes-femmes et femmes-hommes sortirent du lot et se postèrent devant Nemours.
— Ben! Tu vois pas, gâmin? En Andrew's sisters.
Cô Schlock II en personne présidait toujours aussi majestueusement, ses grosses moustaches hérissées en accolade, ses rouflaquettes grises bien peignées, et toujours en tenue d'apparat de grognard. Napoléon avait eu, Nemours le constatait, le sens du costume.
On avait déjeuné sur place et les chaises se révélaient maintenant bien utiles. Certains, masques bas, semblaient au bord de l'apoplexie ou de l'infarctus, mais repartaient à la seconde, dès qu'ils entendaient un air particulièrement engageant.
Antoine arriva. En frac, une cape noire doublée de carmin sur les épaules, qui lui faisait un peu comme des ailes quand il marchait. Figurant peut-être Arsène Lupin ou Dracula? Il était dans ce milieu comme un dauphin dans l'eau. Avec Nemours, il avait même à ses côtés un poisson pilote pour veiller à son équilibre précaire de si mal voyant.
Des bénévoles de la Croix-Rouge assuraient la sécurité, peu défiée par ce groupe bienveillant. Cela permit à une grosse mémère (à peu près de l'âge d'Antoine), à tee-shirt collant et croix rouge centrale, d'amuser Nemours. Elle se plaça devant Antoine, assis un peu à l'écart afin d'éviter de se faire bousculer, et déclara fièrement : « Vous inquiétez pas, gâmin! J'le protège de mon co'. »
Nemours put se mêler aux joyeux vieillards. Après un petit tour de piste, il regagna sa place près d'Antoine. Les uns et les autres, retraités de la marine, anciens commerçants, ouvrières et même un ancien de *La Voix de la Flandre*, vinrent saluer Antoine qui leur présentait son jeune ami, tout en les commentant à son oreille.
Nemours repartit se mêler à cette foule surprenante et retrouva Antoine la figure et le cou parsemés de grosses

marques de rouge à lèvres. Des danseuses de french-cancan venaient de lui claquer des baisers, après avoir esquissé un cancan endiablé, levant les jambes le plus haut possible – c'est-à-dire au ras du sol – sous son pif. Et lui, imperturbable et indifférent aux stigmates rutilants sur sa tête.

— Vous savez, Nemours, les costumes n'ont pas toujours été aussi beaux, loin de là. Mais ingénieux, souvent. Je me rappelle les années d'après-guerre : les gens utilisaient des sacs à pommes de terre. La mode était aux cow-boys et aux indiens et avec deux, trois traits de couleurs, on figurait une squaw ou un guerrier cheyenne. Ensuite les perruques de toutes les couleurs se sont répandues et enfin, depuis les années 1990, les chapeaux à fleurs et les plumes de faisan. Une trouvaille ! Allez vous amuser. C'est le moment du grand chahut.

Lorsque Nemours en revint, il vit une femme se précipiter sur Antoine pour l'embrasser. Encore ! Elle était déguisée en clown blanc. Une tenue à faire pâlir d'envie les petits enfants. Un vrai costume de cirque. Avec le fini et le sens du détail d'un professionnel. Entièrement pailleté, un cône blanc sur la tête, une combinaison blanche sur des bas blancs jusque sous les genoux. Seules les chaussures que les bousculades imposaient péchaient par leur côté un peu grossier. Le maquillage aussi était parfait. Un sourcil noir en l'air, une bouche rouge vif, le visage évidemment tout blanc et juste une mouche, sous la lèvre inférieure, à la « discrète ».

— Je suis désolée, papa. Impossible de faire plus vite. J'ai eu un accrochage en ville. Rien, de la carrosserie, mais des papiers à remplir, à n'en plus finir...

— Et avec ton costume, ça ne faisait pas très sérieux. Je te présente Nemours, notre jeune « biographe ». Ma fille, Claire.

Elle sourit aimablement. C'était singulier de rencontrer pour la première fois des inconnus déguisés comme si, à jamais, ils seraient, l'un pour l'autre, clown et Ma tante. Il en était, sans comprendre pourquoi, un peu gêné.

— Nous nous reverrons sûrement, ajouta-t-elle.

Nemours les quitta, satisfait de son après-midi. Il tenait un bon papier.

Sur le chemin du retour, il repensa à sa conversation du matin avec la rédactrice d'Agathe. Louis Évrard, le peintre de ces aquarelles de Dunkerque, était son oncle. Elle avait semblé contente de lui en parler et lui, passionné par l'histoire.

— Oncle Louis était merveilleux ! Il est mort il y a cinq ans, à quatre-vingt-quinze ans. Je l'aimais beaucoup. C'était le dernier ascendant de ma famille. Il avait deux frères. Mon père et Maurice. Ce M. E., dont vous me parlez, c'est sûrement Maurice Évrard. Ce Maurice je ne l'ai pas connu. Il y a eu un drame autour de sa mort. On m'en a peu parlé. Il paraît qu'il était très beau, comme mon père. Contrairement à Louis, dont le visage était barré par un bec-de-lièvre, qu'à l'époque on opérait mal. Sa diction était particulière, nasale. Il a peint toute sa vie, surtout des sujets dunkerquois. Vous vous demandez qui est ce L. B. ?

— Peut-être le destinataire du cadeau ?

— Dans cette histoire, qui a défrayé la chronique dunkerquoise, me revient la présence d'une femme. Je n'en sais pas plus. Peut-être en fouillant dans les archives des journaux locaux trouveriez-vous quelque chose ? Si vous en apprenez plus, prévenez-moi, cela m'intrigue beaucoup. J'aurais dû oser poser des questions même indiscrètes, mais j'ai été négligente et aujourd'hui ils sont tous morts…

Nemours se promit d'enquêter le plus vite possible. Ce M. E. était-il réellement Maurice Évrard, le personnage principal d'un secret de famille ?

Chez eux, Nemours trouva Agathe très énervée : l'affaire du « faux-fou », comme elle l'appelait, avançait au pas de charge. Le médecin-chef de l'hôpital psychiatrique, joint par téléphone, avait d'abord sobrement refusé de lui parler puis, agacé par tant d'insistance, l'avait fermement éconduite. Elle s'était rabattue sur un interne. Celui-ci, guère plus aimable, l'avait dans un premier temps vertement rabrouée puis, lors d'une deuxième attaque, avait expliqué que justement il ne voulait pas expliquer les raisons de l'internement de ce monsieur, « Secret médical mais nécessaire », puis l'avait incitée à s'occuper de son travail – « C'est ce que je fais ! » – et à lui laisser faire le sien. Il avait ajouté : « N'y revenez plus. »

Ce qui, quand on connaissait Agathe, revenait à l'inciter illico à l'inverse.

Elle avait poursuivi son investigation et fait appel à l'un de ses amis, jeune avocat, qui, intéressé par l'affaire, s'y était attelé dare-dare. Il découvrit que ni la famille, ni la police n'avait signé l'internement d'office, il s'agissait donc d'un internement arbitraire ; l'homme pouvait sortir et le procureur de la République devait être prévenu.

— Mais s'il est réellement malade ? s'inquiéta Nemours.

— Enfin, voyons, ça se verrait ! De toute façon on en saura plus bientôt. Mon pote avocat va appeler le proc.

— Affaire à suivre, donc.

Agathe se lova en boule sur le canapé et éclata de rire. Elle tendit à Nemours une vingtaine de dessins. Le premier représentait, en quelques coups de crayon, une sorte de fantôme, un quadrillage devant le visage, bras écartés. Dessous un commentaire : *Femme afghane montrant la taille du poisson qu'elle vient de pêcher dans la rivière Panjshir.*

Le nom du signataire, Hadrien Delmas, ne disait rien à Nemours.

— Quel talent, ce type ! Tu peux l'inviter ici quand tu veux !

— On verra, on verra. Tu sais, c'est un discret doublé d'un timide. D'ailleurs tu le connais, c'est le dessinateur du journal, alias Firmin La loupe. Hé ! au fait, la voisine doit arriver. Elle va nous tirer les cartes.

— Ouch ! Ça ne me plaît pas beaucoup.

— Arrête ! J'ai écrit un article sur la voyance un peu critique, mais elle veut me persuader de ses dons. Tu m'aiderais en acceptant de servir de cobaye. Allez, un petit effort…

Elle était épuisante, mais bon, pourquoi pas ?

C'est ainsi que, sur les bons conseils d'Agathe, il mit une fois de plus, sans le savoir, les pieds là où il ne fallait pas.

La cartomancienne apparut, après un long coup de sonnette. Cette voisine n'avait pas la tête d'une classique madame Irma ou de la diseuse de bonne aventure dans *Tintin et les bijoux de la Castafiore*. Elle n'avait pas l'air inquiétant. Quoique... ces cheveux noirs de jais, cette peau blanche de vieille sorcière. Et cette poignée de main à la fois molle et râpeuse.

La dame, nommée Rosy, s'attela tout de suite au travail. Il semblait même qu'elle fût pressée d'en finir. Les cartes sautaient sous ses doigts papillons.

Il ressortait de l'examen des tarots d'Agathe qu'un risque d'agression planait. C'est vrai que dernièrement une vague d'incivilités avait touché le quartier. On ne comptait plus les voitures forcées ou les pneus crevés. Puis Rosy prédit une « chance qui passe » et, comme Agathe avait Mars en Vénus ou le soleil dans la lune – Nemours n'écoutait plus –, elle allait la saisir et le succès de l'entreprise la récompenserait. Mais un homme dangereux rôdait. Agathe jeta un regard étrange à Nemours qui se tapa la tempe de la main : « Ça va pas, non ! Pas moi, sotte ! »

— Non, voyons ! pas votre ami, assura la pythonisse.

Elle se tourna vers lui comme une poule affamée sur un unique grain de blé.

— À vous, mon petit ami.

Elle sortit le grand jeu. Les lames virevoltaient plus vite et plus haut, et je te coupe et je te recoupe, jusqu'au tournis. Elle mêlait l'exercice de commentaires ésotériques, « Mars en maison 10... » Apparemment, Nemours était protégé par un homme et en danger à cause d'une femme (il lança une œillade sévère à Agathe, qui lui rétorqua « Pareillement »), mais ses projets aboutiraient. Elle lui annonça en retournant une carte au dessin sombre, peut-être une harpie qui fuit : « La mort », sans autre façon. Nemours accusa le coup. Il trouvait incroyable que quiconque ait l'outrecuidance d'annoncer « La mort » comme on dirait « Tiens, il va pleuvoir demain ».

— La personne est près de vous, mais sa mort ne vous touchera que modérément.

« Que modérément ! » La Rosy se jeta vite sur la dernière carte qui annonça des amours heureuses. Nemours trouvait ce salmigondis de prétendues prédictions déplorable. Il s'en voulut de s'être laissé piéger par la première bonimenteuse venue !

Il salua Rosy qui sortit de chez eux comme une flèche, attendue par des dizaines de clientes hypothétiques, sans nul doute imaginaires.

Tout cela l'avait hautement agacé.

— T'es de mèche avec elle ou quoi ? demanda Nemours, à moitié sérieux et tout à fait revêche.

— Non, je t'assure que non. Tu deviens parano.

Cette histoire ne lui passa pas tout de suite.

— Je te crois, mais c'est de la foutaise. Bon, t'es prête ? On peut y aller ?

C'est à la fin de cette soirée, au moment où il ne s'y attendait pas, que Nemours rencontra parmi une vingtaine de convives celle qui allait être essentielle à son enquête. Qui allait même faire basculer sa perception du monde alentour, d'un monde dont il ignorait tout il y a quelques semaines encore.

Pour le café, elle s'était assise près de lui. Une femme blonde au visage énergique, déterminée, le regard noir et la quarantaine volontaire.

— Sylvia. J'ai appris qu'une de mes amies, d'une association de défense de l'environnement, vous a joint.

— Une de vos amies ?

— Oui, mais elle ne vous a pas donné son nom. Elle ne m'y autorise pas. C'est elle qui vous a parlé de la pollution du lac artificiel.

— Effectivement.

— Nous menons le même combat avec beaucoup d'autres. Nous ne sommes pas seules. Elle, c'est la pollution, moi la corruption. Je suis conseillère municipale d'opposition d'un village voisin. Il serait bon que vous sachiez ce qui se passe chez nous.

Son informatrice numéro deux lui donna rendez-vous dès le lendemain. Comme s'il y avait urgence. À la fois pour lui et pour elle.

9.

Mai 1898

Le souvenir des fractures de Pierre Blondeel s'était évanoui – la douleur physique a ceci de singulier qu'elle s'oublie vite, contrairement à la douleur morale.

Il se prenait d'amitié pour Erwan, le triste novice torturé par le deuil et la culpabilité, tour à tour accusateur et tourmenté. Pierre, au début, n'intervint pas. Mais il finit par lui répéter, jusqu'à lui asséner, que même trois hommes n'auraient pu remonter son père à la gaffe. Dix minutes, un quart d'heure maximum de résistance dans une eau à cette température et surtout avec le poids des bottes. Il lui enseigna aussi le concept de « fortune de mer ». Du hasard aveugle impossible à détourner. Une thérapie qui lui fit du bien à lui aussi...

À bord on avait organisé, un mois après, jour pour jour, un office pour les noyés. Une modeste cérémonie où furent lus des versets de la Bible. Une sorte de catharsis provisoire.

Au retour en France, l'Inscription maritime ne manquerait pas de diligenter une enquête. Pour l'heure, Pierre devint le second officieux de la *Louise*. Il décida d'occuper Erwan à la navigation, d'autant que l'adolescent en avait émis l'envie.

Il s'appliqua à lui expliquer le plus simplement possible à quoi servent les parallèles et les méridiens qui quadrillent virtuellement la terre. Il lui montra différents points, puis leurs coordonnées géographiques, et qu'en chaque point du globe, à une minute donnée, il existait une mesure propre à ce point. Il suffisait de la rechercher pour savoir où l'on se situait. L'heure devait être précise, si précise qu'une seconde de retard ou d'avance provoquait une erreur de plus ou moins un mille, erreur mineure si le bateau avait de l'eau à courir sous la coque, majeure dans le parage de champs d'écueils ou de nuit à l'entrée d'une passe.

Le chronomètre du bord était si précieux qu'il était conservé dans une splendide boîte en acajou astiqué et protégé des coups et des changements de température par des tissus moelleux. Le sextant, aussi précieux, était bloqué dans une position de protection dans sa jolie boîte du même acajou avec une poignée et des cliquets de fermeture en cuivre. Sans instruction préalable, il était impossible d'utiliser cet instrument. Une fois initié, cela devenait un jeu.

Il lui apprit à viser le soleil (quand il était là) au sextant, avec un des petits miroirs, puis, avec un autre, l'horizon remuant et crêté; enfin, à se statufier pour mesurer l'angle exact entre le soleil et l'horizon, et en même temps l'heure de la visée à la seconde près. Ensuite Pierre lui montra comment reporter sur la carte la ligne droite sur laquelle se trouvait le bateau et comme cela trois fois, toutes les trois heures par exemple, ainsi trois droites se croiseraient en un point. Ce point – et si l'on s'était trompé : un triangle – indiquait l'emplacement du bateau.

Erwan s'était tout de suite piqué au jeu et multipliait les mesures et les calculs tant que, n'attendant pas suffisamment entre les trois visées quotidiennes, il n'obtenait pas de données significatives.

Le garçon était doué et avide d'apprendre. Pierre lui enseigna tout ce qu'il pouvait et, ayant trouvé le traité de navigation de son père, le capitaine, lui montra au fil des jours les règles et les manœuvres. L'expérience lui vint vite. Bientôt il serait efficace et autonome. Cet apprentissage réjouissait et Erwan et Pierre. Jo Le Kaer s'en trouva également soulagé.

Pierre n'avait pas oublié son Islandaise. Elle était juste rangée dans un *recoin de son cœur*, pour plus tard. Et ce jour-là arrivait. Mai, l'escale à Faskrudfjordur, « La baie de beauté » en islandais. Heureusement la *Louise* avait ses habitudes précisément dans ce fjord, où un « bateau-chasseur » attendrait le *Léon*. Ce chasseur avait également rendez-vous avec d'autres bateaux du Nord pour récupérer leur pêche en tonneaux et rapporter « en primeur » cette morue de printemps dite de « première pêche ».

Il rêvassait tranquillement accoudé au bastingage, quand tout à coup explosèrent, du ventre du bateau, hurlements, coups, rugissements et tonnerre.

— Tu me le paieras, petit salaud !

Pierre s'y précipita. Il découvrit une scène dont il eut du mal à identifier les participants tant l'entremêlement des corps lui paraissait incongru : le jeune Erwan, dépenaillé, ébouriffé, rouge, hors de lui, maintenu par deux hommes, et trois autres sur un matelot à terre, Morand.

Sur une couchette, une grosse marmite, dont le fond de soupe avait éclaboussé tout le carré, et à l'autre bout un tabouret, qui avait brisé un montant de bois.

Morand vociférait encore :

— Tu l'as cherché ! Ton père, il aurait bu avec nous ! C'est pas d'not faut' quand même qu'i est mort !

Un long couteau trancheur traînait sur le plancher. Perplexe, Pierre le ramassa. Le Kaer était lui aussi descendu, inquiet.

— Morand a essayé de se jeter sur lui ! expliqua l'un des pêcheurs, lui agrippant toujours fermement une jambe.

Erwan baissa le regard. Qu'avait-il pu proférer pour exciter ainsi l'ivrogne ?

Manifestement l'homme était soûl. Remis sur ses jambes, titubant, il menaçait de retomber au sol. L'œil redevenu vague.

— Il n'a plus son entendement, dit un autre.

— Erwan ! À l'avant, dans ma cabine ! Discute pas ! Et vous autres, vous attachez Morand et vous le mettez sur sa couchette. Tu vas dormir et te calmer, toi, lui beugla-t-il au visage. Que je ne t'entende plus !

Le Kaer ramassa la marmite, qu'il posa violemment sur la table, le couteau qu'il emporta, poussant Erwan devant lui, consigné, tandis que Pierre aidait à attacher les mains du forcené qui se laissait maintenant totalement aller, l'œil cette fois dangereusement vide.

— Qu'est-ce qui tient ! précisa l'un.

— Moi, j'trouve qui tient cor' bien pour c'qui a bu ! commenta l'autre.

— Vous n'avez rien vu ? demanda Le Kaer.

Personne ne répondit. Soit par ignorance, soit par culpabilité de n'avoir pas pu empêcher la rixe entre les deux hommes, qui s'attaquaient, en douce dès qu'ils le pouvaient, toujours sur le même thème, le plus jeune reprochant au plus vieux, ami du père, de n'avoir rien entendu.

L'incident apparemment clos, Pierre et Le Kaer remontèrent sur le pont, attentifs à la navigation, à l'approche de la terre.

— On connaît tous la vague « scélérate » d'après tempête, mais là l'attaque scélérate, je n'avais jamais vu ça sur un bord.

— Le mieux, c'est qu'on le débarque, conclut Jo.

— Sans le couteau, je t'aurais dit d'attendre, mais là...

On avait sondé, cent cinquante puis quatre-vingt-dix mètres puis trente, et les fonds confirmaient ce que l'œil montrait : le long fjord était devant la proue de la goélette. Ils l'embouquèrent. Le bateau tirait des bords pour arriver jusqu'au mouillage repéré. Le vent ne les aidait pas. C'était long mais très beau. Le lent défilement des rivages de l'entrée, puis les côtes verdoyantes et abruptes au milieu du fjord, bordé de monumentaux emmarchements. Une cascade qui saute de pas en pas. Et la félicité qui accompagna la navigation jusqu'au mouillage.

La présence d'autres bateaux, groupés comme des migrateurs, annonçait le bonheur de se retrouver. Pierre espérait que le *Léon* serait déjà là et surtout, à son bord, son frère aîné, Émile, tranquillement à l'attendre. Il attendait ce rendez-vous depuis le départ. Émile s'était engagé sur le *Léon*, une vieille goélette dunkerquoise d'une trentaine d'années, fragile comme du mimosa, qui, coquetterie due à son âge, avait mis beaucoup de temps à s'apprêter et était partie dans les dernières.

Pierre était plein d'attentes : d'un côté l'Ange islandais et de l'autre, son frère, dont il avait tant besoin. Quelqu'un à qui raconter et qui compatirait sans réfléchir. N'avoir pas à s'expliquer, à se décliner, quel repos.

La longue arrivée au fond de la baie de Faskrud fut majestueuse. La *Louise* semblait toute petite, entre ces escarpements que de monstrueux plissements de pierre avaient créés. Ces marches géantes produisaient un effet saisissant. Pierre imaginait que les pyramides égyptiennes ou aztèques ne l'auraient pas plus écrasé.

La *Louise* était arrivée à son mouillage et se stabilisait sur son ancre, bien dessus. Ils mirent à l'eau la chaloupe du bord et avec Pierre un petit groupe se rendit à terre, au lieu de rendez-vous, la buvette du prêtre des Œuvres de mer, une société caritative française. Toutes les nouvelles s'échangeaient là.

Le *Léon* n'était manifestement pas arrivé et en questionnant les marins rencontrés, personne ne l'avait vu en mer. Mais, bon, cela ne voulait pas dire grand-chose que, sur les bateaux de Dunkerque ou de Bretagne, personne n'ait rencontré le *Léon*.

À l'escale, le bord se réorganisait différemment. L'équipage se répartissait les heures de veille et la chaloupe embarquait à heures régulières ceux qui voulaient descendre.

Les jambes flageolaient un peu de n'avoir plus sous elles de mouvement à compenser et les genoux de n'avoir plus l'élasticité coutumière. Ils marchaient sur la terre ferme comme s'ils étaient encore à bord, oscillant un peu de droite et de gauche.

Les marins s'étaient lavés en grand. C'était bon de se raser tranquillement au savon et au coupe-chou. En mer, même avec des ciseaux pour aller plus vite, Pierre se rasait. Comme beaucoup de ses congénères, il n'aimait pas la barbe. Avec le sel, la saleté, le froid ou la chaleur, la barbe était désagréable. Tous ces petits morceaux de poissons, d'écaille, l'odeur aussi, qui s'infiltraient partout.

La lessive s'organisa en premier lieu. L'équipage se rendit alternativement par quart au « lavoir ». Non loin du mouillage, de petits geysers alimentaient en eau chaude un ruisseau, dans lequel ils firent tremper leurs vêtements, les lavèrent en savonnant vigoureusement, puis en rinçant à grande eau. Un luxe. Ils s'y baignèrent aussi. Ils s'en donnaient à cœur joie : toute cette eau douce les revigorait. Une fête. Ils revinrent les bras chargés et les haubans furent pavoisés de pulls, de chaussettes, de pantalons et de caleçons.

Une eau bleutée tombée d'une cascade, glaciale d'un côté de la pente et brûlante de l'autre, aimantait leur balade.

Le premier accident survint quand Yann Salin, un jeune un peu bouffon, se précipita à pieds joints en amont du ruisseau, là où personne n'allait parce que l'eau était à 60°. Il hurla instantanément et rebondit dans le même élan de l'autre côté du ruisseau. Ce qui de loin sembla très comique. Ses brûlures ne semblaient pas profondes, la peau était surtout très rouge, mais cela permit à un matelot de dévoiler ses dons de guérisseur. Deux, trois passes, un air concentré, et le tour fut joué. Le lendemain, d'après lui, il n'y paraîtrait plus. En chaise à porteur, faite des bras de deux hommes, on transbahuta Yann Salin jusqu'au youyou. Pierre se dit qu'on ne savait jamais trop l'évolution des brûlures car, profondes ou superficielles, elles faisaient au début aussi mal. Mais la réputation du rebouteux se hausserait d'un cran à mesure que n'apparaîtraient pas les cloques redoutées.

Si Pierre, d'un caractère sociable, était bien avec tous et reconnaissant de leur chaleureux accueil, il avait cependant la ferme intention de sauvegarder son indépendance. Elle lui serait absolument nécessaire pour mener à bien ses projets : trouver son Islandaise et prendre des nouvelles d'Émile.

Une fois le pont et les intérieurs du bateau lessivés en équipe – la coque blanche resterait telle quelle jusqu'au carénage d'hiver –, sa paillasse aérée et séchée à un opportun soleil de mai, et toutes les basses besognes accomplies, Pierre descendit à terre sans accompagnateur. Il s'avança à l'intérieur des terres en dépassant les crêtes qui bordaient le fjord.

Du haut des falaises, d'emmarchement en emmarchement, il regarda sauter jusqu'à l'eau glacée du fjord une vertigineuse cascade. Il se dirigea vers les quelques fermes en bois, colorées, rouge pour les murs, gris pour le toit, éparpillées sur l'herbe, cachées entre des rochers noirs ou adossées à la pente. Un rayon de soleil rendit l'endroit riant et bucolique.

Il se sentait à l'aise dans des vêtements propres, qui sentaient bon et avaient retrouvé leur souplesse. La ferme qui l'intéressait était la plus proche et la plus grande. Ferme qu'il avait repérée, il y a deux ans déjà, comme étant la maison de l'Ange.

Il portait trois bouteilles de tafia et comptait bien les échanger contre n'importe quoi puisque son but était d'une tout autre nature. Ces bouteilles, qu'il avait gardées pour ce moment, représentaient les jours d'alcool accordés par l'armateur et non bus.

Un homme lui ouvrit, la soixantaine splendide, grand, aux yeux et aux cheveux clairs, à la peau dorée et à la saine beauté qui faisait la réputation des Scandinaves. Il ressemblait à l'Ange. Pierre s'expliqua avec force gestes et mimiques et fut très surpris d'entendre l'homme répondre avec un accent guttural : « Comment ça ba chez bou ? » Manifestement il répétait phonétiquement les salutations entendues de la bouche des Français.

Pierre fut invité à entrer et à s'asseoir à la table, en face d'un feu de tourbe que dans une haute cheminée on entretenait sans doute à l'année. Pas de femmes alentour, ni mère, ni fille. Cela n'allait pas être aussi simple. Et impossible d'interroger, de demander quoi que ce soit. L'homme semblait avoir compris que le marin lui proposait un troc et manifestement ce commerce l'intéressait puisqu'il sortit d'un coffre des peaux de moutons et, d'une sorte de garde-manger, du beurre, qu'il proposa d'un geste explicite. Pierre connaissait les conventions : une peau de mouton pour deux bouteilles, une livre de beurre pour une seule. Le transfert peau, beurre et tafia s'effectua après une poignée de main.

L'homme lui proposa de boire avec lui. En d'autres temps, plutôt discret, il aurait refusé; cette fois, il accepta. Plus l'entrevue – il ne pouvait s'agir de dialogue à cause du problème de langue – durait, plus la chance de LA voir augmentait. L'homme lui versa dans un haut bol de grès ce qui lui parut être une sorte de bière sans bulle et sans mousse ou, à la deuxième gorgée, une espèce de cidre. Passé l'étonnement de la nouveauté, le goût lui parut agréable. Plus tard il se renseigna, il s'agissait d'un breuvage à base de pain de seigle fermenté, que les Russes appellent kvas. Il but lentement. Apparemment, toujours pas de femme. Arriva le moment de partir, s'il ne voulait pas être importun.

Déconcerté, il sentit le désespoir poindre en lui. Il se leva, se tourna vers l'homme pour prendre congé, les peaux de mouton sous le bras, et soudain, il vit, suspendu à l'une des patères, un manteau féminin. Alors il montra le beurre et fit comprendre qu'il reviendrait une autre fois pour le reprendre. L'homme lui rendit donc une bouteille de tafia. Ouf! Cela avait marché. Une chance de plus de la rencontrer. Pierre était timide mais audacieux.

Il se rendit ensuite dans la buvette, cabane de tôle et de bois au bord de l'eau avec une terrasse étroite à laquelle menaient quelques marches. L'aumônier des Œuvres de mer y interdisait l'alcool, remplacé par du jus de réglisse. Seule la joie des retrouvailles égayait l'atmosphère. Il se renseigna à nouveau sur le *Léon*. En vain. Personne n'avait vu le navire, ni même n'en avait entendu parler. Se pouvait-il que le *Léon* ait disparu en mer dès février?

Son angoisse gonfla jour après jour. Les bateaux d'escale tardive, qui auparavant étaient passés dans les baies du Nord, n'avaient pas non plus de nouvelles du *Léon*... Avait-il même existé ?

Il se dit que si Émile avait fait naufrage, une partie de son monde continuerait à s'écrouler. Et Elle qui n'était pas là...

Quand le navire chasseur ferait escale en baie, Pierre en apprendrait sans doute plus. Dunkerque devait même déjà connaître le sort du *Léon*.

Justement ce matin, le premier bateau-chasseur, amarré le long d'un gros quai en bois, commençait le transbordement des tonnes d'une cale à l'autre. Cette morue de primeur était attendue en France avec impatience.

Personne du bateau ne savait rien du *Léon*. Il poursuivit son enquête auprès des chasseurs qui abordaient tour à tour et apprit, très déçu, que le *Léon* n'avait d'engagement avec aucun chasseur : le bâtiment était suffisamment grand, plus de trente-six mètres, pour revenir avec toutes ses tonnes, celle de la première pêche et de la deuxième. Il interrogea l'épicier-quincaillier du hameau de Faskrud. Rien. Puis le sysselman, le fonctionnaire islandais qui percevait un droit de mouillage, ce qui permettait aussi un recensement. Mais ce sysselman n'avait pas non plus entendu parler du bateau.

Pierre tournait maintenant comme un écureuil en cage. Des amis tentèrent de le réconforter. « Le pire n'est jamais sû', t'sais. » Mais il voyait bien qu'au fil des jours, personne ne lui demandait plus de nouvelles d'Émile, sans doute justement par crainte du pire...

10.

Février 2011

Nemours sortit du café de Grande-Synthe où il avait interviewé de vieux Algériens, installés depuis quarante ans dans cette petite ville voisine de Dunkerque. Il avait rencontré aussi leurs enfants, ceux de la deuxième génération, qui parlaient les uns français avec l'accent, l'esprit et les gestes communs aux beurs de France, contrastant avec les habitants de ce haut Nord, et les autres avec l'accent du pays dunquerkois. On lui avait appris les salutations, quelques mots, quelques phrases qu'il avait répétés plein de bonne volonté et de talent. « Mais il va bientôt parler l'arabe comme une mosquée ! » La chaleur et la drôlerie dunkerquoises les avaient gagnés. On lui avait offert une *boura*, un alcool fort qu'il dut déguster une première fois pour la surprise, une deuxième fois pour donner un avis averti et une troisième pour faire plaisir. Pour lui qui n'en avait ni l'envie, ni l'habitude, c'était un effort.

Remonté dans sa voiture, il lui sembla que ses papilles étaient brûlées au dix-septième degré à perpétuité.

Il repassa au bureau où, dans son ordinateur, de nombreux mails attendaient une réponse. C'était toujours agréable de retrouver son territoire parmi les différentes bulles où chaque journaliste essayait de s'isoler du brouhaha. « Seul ensemble », comme un couple réussi. Son téléphone vibra. C'était la « dame au pH 12 » qui l'informait de « faits nouveaux et graves ». La voix, un peu moins anonyme pour lui, révéla qu'un projet de terminal méthanier se mettait en place sur des terrains devant la mer, une zone dite du Clippon, sans que la population soit avertie, alors que les dangers étaient extrêmes.

— Un quinzième site Seveso à courte distance de la plus grosse centrale nucléaire d'Europe et de dangereuses usines, vous vous rendez compte !

Non, Nemours trop ignare sur ces sujets, ne comprenait pas bien. Il assura qu'il se renseignerait. Son interlocutrice refusait toujours de donner son nom et son téléphone, même s'il avait cité Sylvia. Il lui promit de faire un papier sur le sujet dès que son enquête aboutirait.

— Seveso ? C'est le degré de dangerosité et du risque de pollution d'une usine, lui expliqua un de ses collègues qui avant lui s'occupait de cette rubrique « Environnement ». Du nom du scandale italien dans le village de Seveso, des terrains pollués par un produit chimique, la dioxine, ce qui provoqua de graves dégâts sur la santé de la population. Un terminal méthanier, c'est un port qui accueille des bateaux contenant du méthane, venant d'Algérie, et une zone de stockage du méthane avec des gros silos spéciaux.

Nemours trouva incroyable qu'aux portes de quatorze usines Seveso, et à moins de cinq cents mètres de la centrale nucléaire, des politiques, des industriels envisageaient ce choix. L'explosion de l'usine AZF de Toulouse ne leur servait donc pas de leçon ? Certes il comprenait que dans cette région au chômage endémique élevé, on recherche des emplois, mais la France allait entendre parler de ces emplois bien au-delà des frontières du Nord, si cela explosait. Bien sûr, qu'il allait écrire sur ce sujet. Un bel article bien sanglant.

Il se rendit le plus rapidement possible à la bibliothèque municipale pour consulter l'année 1930 de l'édition locale de *L'Écho du Nord*, l'ancêtre de *La Voix du Nord*, l'actuel grand journal de la région, créé à la Libération. Il y trouva, à la date du 16 juillet, dans un entrefilet si discret qu'il faillit ne pas le voir, cinq lignes : *Un de nos concitoyens, Maurice Évrard, trentenaire, a été assassiné hier. Il a été retrouvé dans la rue, un couteau planté dans le cœur. Les premiers renseignements parlent d'un déséquilibré vu dans le quartier et que des témoins décrivent comme tenant des propos délirants. Une enquête est diligentée.*

Très captivé, Nemours rechercha fébrilement une suite dans les journaux des jours suivants et s'étonna de trouver des pages arrachées. Il en dénombra quatre. Toutes entre le 17 et le 28 juillet. Ce fait l'intrigua. Y avait-il un rapport entre ces forfaits et l'assassinat de Maurice Évrard ?

Il était bien tard pour rentrer au bureau mais juste la bonne heure pour se rendre chez Antoine. Cette perspective lui remonta le moral.

Nemours s'était auparavant annoncé par téléphone et Antoine l'attendait. Nemours lui exposa le double mystère du crime de Maurice Évrard et des pages disparues.

— Cela m'étonnerait que beaucoup de gens consultent ces vieux journaux. Qui sait si en regardant la liste des fureteurs... Ce pourrait être instructif...

Antoine laissa sa phrase en suspens.

Nemours se surprenait lui-même à tant de confidences qui, de surcroît, sortaient du cadre de son travail, mais il se sentait en confiance avec cet homme.

— J'ai eu votre rédacteur Luyce. Il m'a longuement téléphoné. La chronique de la pêche d'Islande lui plaît beaucoup. C'est aimable à lui de me remercier alors que c'est moi qui le devrais. Ces séances me sortent de ma mélancolie solitaire. Mais Luyce m'a appris que je connais votre grand-mère. Vous ne m'aviez pas dit son nom de jeune fille. C'est une Beaugrand d'Auchel, ce petit village près d'Arras. Son père, le docteur Beaugrand, était mon parrain, un ami d'enfance de ma maman. Si vous saviez ce que cela me fait ! Une famille si proche de la nôtre. Tenez, cela m'émeut.

Pour Nemours, c'était bizarre d'entendre « ma maman » dans la bouche d'un presque vieillard. Et que sa grand-mère, Antoine et lui soient liés par le passé, le laissait songeur et amusé. Antoine, tout à sa mémoire, continuait à faire défiler ses images intérieures.

— Ils étaient nettement moins rigides que leur ancêtre Maximilien de Robespierre, d'Arras lui aussi. Je me souviens de déjeuners de campagne dans leur propriété, de joyeux pique-niques près d'un petit lac. On chantait avec ses cousins du Charles Trenet effréné. Elle avait une voix juste et limpide. Elle était plus âgée que moi. Et si gaie, si drôle. Mon dieu, que cela nous ramène loin. Vous me donnerez son numéro. Il faut que je l'appelle. Ainsi vous êtes le petit-fils... mais je vous embête avec mes souvenirs.

Nemours ne savait plus quoi dire. Il se reprit :

— Au contraire, cela me touche beaucoup. Mais si nous poursuivions la suite des écrits de votre père ?

Cette lecture à voix haute serait une bonne thérapie aux préoccupations de l'un et au blues de l'autre :

En 1903, ma mère eut l'« imprudence » d'avouer à mon père qu'elle avait réalisé quelques économies, environ cinq mille francs. Sans tarder, il acheta un grand lougre, la **Pauline**, *et devint ainsi armateur à la pêche en Islande. Il n'abandonna pas pour autant la direction du chantier, avec l'assistance de mon grand-père, et continua de construire, jusqu'en 1911, goélettes, dundees et autres bateaux moins importants.*

Avec le **Fernand**, *en 1903 également, le chantier Verdoy construisit son premier dundee. Sa gloire fut, dès la première campagne, énorme. Au cours d'une tempête, des unités de Paimpol, Dunkerque et Gravelines firent naufrage. Le* **Fernand** *chavira mais se redressa, sans trop de dégâts. Le capitaine Zoonequin, dit Rolland, fit obstruer les ouvertures avec des prélarts et continua la campagne. Il revint avec la plus forte pêche du port. La réputation du* **Fernand** *et du capitaine était établie.*

Le carnaval des vents d'Islande

L'année 1912 fut terrible. Mon père perdit deux bateaux. L'un, le Passe-Partout, *dut relâcher pour une voie d'eau, à la suite d'un heurt avec un objet flottant. Le voyant en difficulté, un chalutier anglais le guettait, prêt à proposer son aide. À cette époque, l'indemnité pour assistance ou sauvetage n'était pas encore fixée par un tribunal, mais pouvait résulter d'un accord verbal pris en mer entre les parties. Le requin demandait vingt-cinq mille livres pour passer sa remorque. Le capitaine Masson feignait de décliner et continua de faire route vers Reykjavik, jusqu'au moment où le temps s'aggravant, les pompes n'arrivant pas à étaler, il fallut se résigner à accepter l'aide de l'Anglais, finalement convenue pour vingt-cinq mille francs.*

Le lest de sel fut débarqué pour mettre le bateau au sec. On procéda à la réparation nécessaire et le Passe-Partout *put quitter son port de relâche, mais peu après il se perdait. La réparation n'avait pas tenu, la même voie d'eau s'était rouverte, cette fois irrémédiablement. Mais l'équipage fut sauf.*

Tandis que Nemours avalait son verre, Antoine commenta.

— « La vie du soldat est une vie dure et qui présente parfois de réels dangers. » *Les Silences du colonel Bramble* d'André Maurois. Vous connaissez ?

Nemours sourit. Peut-être que leur vie ressemblait, dans la tempête, à un passage dans les tranchées. Trempés, grelottant et en danger.

— Pour les armateurs aussi la responsabilité morale était importante...

— Certes.

Il enchaîna :

*Ce fut pour notre société d'armement un sérieux coup dur qui emporta le bénéfice réalisé au cours des campagnes précédentes. Le second mauvais coup fut plus dramatique. En effet, au même moment se perdait l'*Espérance, *corps et biens. Nous n'avons jamais pu savoir comment s'était* *produit ce naufrage. L'unique témoin était une ceinture de sauvetage mal nouée, marquée au nom du bateau et qu'un bateau de Paimpol avait repêchée.* Deux autres bateaux de Gravelines, *ainsi que la* Frégate de Dunkerque *et la* Louise de Paimpol, *se perdirent. Les Paimpolais furent plus lourdement décimés que les Dunkerquois et les Gravelinois qui ne fréquentaient pas les mêmes parages. On peut penser que la tornade qui occasionna ces ravages fut très localisée.*

Suivant la coutume, la femme du capitaine Charles Lamotte réunit les parents des membres de l'équipage. Toute une rue du village des Huttes, de la commune de Gravelines, était en deuil. Je revois nettement la scène pénible à laquelle j'assistai avec mes parents, dans la petite maison de la veuve Lamotte. Comme les autres femmes ma mère pleurait. Mon père, tourné vers le mur, me tenait la main, crispé, muet. Quelques semaines auparavant, au dîner d'adieu des capitaines, Charles Lamotte avait été le plus gai. Désignant le berceau où dormait le dernier-né, Roger, la pauvre maman, véhémente, jurait que « c'ti'lal, y n'ira pon in Islande ». De son côté ma mère m'adjurait de ne jamais faire ce métier qui crée tant de douleurs et donne tant de soucis. L'une et l'autre ne furent guère écoutées. Je devins armateur et le fils Lamotte s'embarqua sur mon dundee pour la première campagne.

En 1913, mon père avait confié les plans de formes du Fernand *au chantier Chantelot, de Fécamp, pour réaliser le* Fursy. *Qui s'ajouta à* La Pêcheuse *dans son armement.*

Le nom donné au bateau était mon prénom qui venait de saint Fursy, débarqué sur nos côtes en l'an 630. Il aurait réalisé œuvre d'évangélisation, après quoi il fut décapité, sort fréquemment réservé aux saints. C'est l'armateur, Fursy Magnier, pour qui mon père avait construit des goélettes, qui demanda en 1903 à être mon parrain.

À la mise à l'eau du Fursy, *la « Bénédictine » de Fécamp, avec deux caisses de sa « liqueur divine », nous incita à arborer une énorme flamme à sa marque, tellement longue qu'elle pendait presque jusqu'au pont. Sitôt au large, la flamme encombrante fut amenée ; quelques bouteilles de Bénédictine*

furent cependant indûment dégustées, messieurs Legrand,
patrons de la Bénédictine, ne nous en voudront pas.
  En 1914, la flottille était partie en février. Les bateaux en
pêche furent alertés fin juillet par le navire assistance de la
marine française, alors que leur deuxième pêche était déjà
commencée. Il leur fut conseillé d'écourter la campagne et de
rallier au plus vite un port d'attache. Les bateaux n'avaient
pas eu le temps de remplir leur cale. Sur la route du retour,
ils croisèrent des chalutiers allemands dont les équipages
brandirent des couteaux et hurlèrent des cris hostiles.
  Les matelots mobilisables furent aussitôt incorporés. Des
armateurs le furent également, les bateaux réquisitionnés et
consignés, au Bassin Vauban, pour les Gravelinois.
  Pour certains armements l'arrêt fut définitif. Mon père crut
sage de vendre ses bateaux. Il espéra renouer après la guerre
avec le métier quand j'aurais été en âge de lui succéder, mais
le prix des bateaux fut multiplié par dix et il mourut alors
que j'accomplissais mon service militaire, en 1924.

Nemours s'arrêta, refermant le manuscrit, sa besace suffisamment pleine pour la semaine. Tom, toujours aussi bon et rebelle, rôdait sous la fine main flétrie d'Antoine.
  — Alors, votre carnaval, ça se poursuit?
  — Oui, oui. Je crois que je vais participer à tous les bals, toutes les Bandes. Une immersion totale. En fait, j'adore. Une drogue...
  — Parfait! Avez-vous remarqué comme la préparation du costume est importante? C'est même un moment de bonheur.
  — J'ai remarqué, au dernier bal, une Joséphine de Beauharnais dont les petites mules lui interdisaient tout chahut et même tout déplacement, comme les Chinoises aux pieds bandés.
  — Les femmes sont merveilleuses...
  Antoine, peut-être par contamination, avait fixé ses church's patinés. Chaussures qui firent supposer à Nemours, un fugace instant, qu'Antoine était « coquet des pieds ». Puis

mû par il ne sut quelle intuition, il se décida à demander à Antoine s'il en savait plus que ce que *L'Écho du Nord* lui avait révélé sur la mort de Maurice Évrard.

Il supposait qu'Antoine avait pu connaître cet homme. Antoine s'esclaffa gentiment.

— On n'est pas dans un polar. Je vous croyais journaliste, pas détective. Vous vous trompez, mon jeune ami, je venais de naître quand il est mort. Mais oui, je connaissais la famille, ses deux frères, le pilote et surtout le peintre. J'ai d'ailleurs un tableau de lui, ici.

Il entraîna Nemours jusqu'à l'aquarelle représentant des pêcheurs et des pêcheuses de crevettes. Un dessin très épuré, presque en estampe. Noir, gris et rouge. Daté de 1955. Tout à fait dans le style de ses aquarelles.

— Je vais me renseigner quand même ; cette histoire me rappelle quelque chose. Et vous dites que des pages manquent ?

— Ont été arrachées !

— Je connais bien la documentaliste. Je la joins et je vous tiens au courant.

Nemours hésita une seconde puis se lança. Après tout Antoine connaissait beaucoup de monde.

— J'ai un autre problème. Il existe un projet de terminal méthanier tout près de la centrale nucléaire de Gravelines.

— Ah !

Antoine commençait souvent ses réponses à d'importantes questions par ce « ah ! » suspendu, un « ah ! » de réflexion.

— J'ai lu quelque chose quelque part. Il semblerait que cette implantation nouvelle ne créerait que peu d'emplois, soixante-dix, pour un énorme financement, cinq cents, six cents millions d'euros.

— Et si un accident se produisait ?

— Mmoui. Les autorités disaient que « cela ne présentait pas de danger particulier » mais, ça, je ne le crois pas. Est-ce une question de terrains à exproprier ? Je me renseignerai auprès de mon voisin notaire, Daniel Notebaert. Il doit savoir.

Nemours prit congé d'un Antoine à nouveau envolé dans les années 1950. « Vous embrasserez votre grand-mère pour moi. »
À qui profitait le crime du terminal méthanier ?

Une sonnerie retentit devant sa porte d'entrée. Nemours fonça sur le téléphone. Sylvia.
— Impossible de vous rencontrer ces prochains jours. Le dossier est plus long que prévu à monter. J'ai pris du retard. Je vous expliquerai. Je vous rappelle.
Nemours se coucha intrigué.

11.

Mai 1898

Soulagée, la *Louise* avait largué sur un bateau-chasseur qui regagnait Paimpol Morand, dégrisé et contrit, soumis aux volontés de sa hiérarchie et au-delà de toute volonté, hormis celle de rentrer chez lui. C'était plus prudent.

Ce 24 mai, sur Faskrud, vers minuit, le beau ciel de traîne fit place à la nuit. On s'approchait du solstice d'été et des minutes noires, entre 1 heure et 1 heure et demie. Le vent glissait léger sur les flots obscurs. Mais avec la disparition de la lune, il se mit à siffler puis, au cours de la nuit, mauvais, à hurler comme les loups qui se répondent dans la forêt. De plus en plus pressé, il s'engouffrait maintenant entre les rives escarpées. Un tunnel qui accélérerait le souffle d'une turbine. Des revolins tourbillonnaient entre les pics et les bateaux, tournaient autour de leur ancre à jas. Certains chassaient, mal ancrés dans des fonds glissants d'algue. Ils reculaient de quelques mètres et, tout à coup, au grand soulagement des marins, les pattes s'agrippaient à nouveau ou se bloquaient définitivement sur un caillou. Le vent avait tourné à 90° et entièrement redistribué la position des bateaux au mouillage.

Une des goélettes du bout de la baie tirait dangereusement sur sa chaîne. Pour elle, trop près de terre, le danger était réel. Il aurait peut-être été possible pour l'équipage de remonter au guindeau la lourde chaîne mais ce qui était beaucoup moins faisable, c'était la manœuvre pour remonter au vent dans cette partie resserrée de la baie.

Soudain la goélette chassa en grand sur son ancre et pour éviter d'accrocher celle de derrière, le capitaine à la barre choisit de la diriger plutôt vers une encoche rocheuse. Cela se fit dans un grand craquement. Agrippée maintenant à son rocher comme une bernacle, elle cognait de bâbord et de tribord au rythme violent des lames furieuses.

Il apparut de plus en plus clairement à l'équipage angoissé qu'il fallait abandonner le navire. Aussitôt fut mis en place un va-et-vient.

L'on fit descendre aux palans par l'arrière la lourde chaloupe. Un matelot se mit aux avirons et tenta de rejoindre un rocher accessible et praticable pour l'évacuation. Le premier essai fut mortel. La chaloupe se releva brutalement contre un brisant, éjectant le rameur. L'homme disparut dans l'eau, puis remonta une fois et disparut à nouveau. On récupéra le petit bateau grâce à son amarre et un deuxième homme se jeta sur les bancs de nage pour atteindre l'homme qui coulait et disparaissait à vive allure, entraîné par les flots, sous les yeux horrifiés de tous.

Le canot toucha enfin un caillou. Le sauveteur réussit à y crocher un bout. Chacun put se lancer de la goélette qui prenait l'eau vers la terre ferme. Ils se réfugièrent dans une cahute de pierre et de terre.

Dans la nuit les recherches se poursuivirent. Ils trouvèrent l'homme flottant entre deux rochers. Il semblait respirer encore. Ils se précipitèrent dans une bergerie, l'installèrent contre les moutons et se mirent à le frotter pour le réchauffer. En vain. Un quart d'heure plus tard, l'homme était mort.

Pierre, comme tous, participa à la cérémonie des funérailles, dans la minuscule chapelle de l'endroit. À la fin, sur des tréteaux et des planches, le long de la berge on servit un verre. Pierre put ainsi voir d'un coup tous les équipages présents à Faskrud, dans l'espoir d'en apprendre plus sur le sort du *Léon* et de son frère. Mais personne ne parlait de lui, alors que tous connaissaient sa quête. Ce n'était pas la peine de les solliciter.

Émile était-il mort lui aussi ? On aurait déjà dû le savoir, se dit Pierre...

Pour se changer les idées et aussi pour que quelque chose d'heureux ait la chance d'arriver, il décida de se rendre à nouveau à la ferme. En chemin il rencontra quelques jeunes filles qui se promenaient sur les berges de la baie et, si désireux que ce soit Elle, il crut la croiser à plusieurs reprises.

Il croisa un jeune homme rougeaud qui sortait du sentier de la ferme. Comme la première fois, il ne rencontra chez lui que l'homme qui semblait être son père tant la ressemblance lui sembla évidente. Évidence peut-être illusoire. Mirages. Avec dans la main le paquet de beurre, deuil de rêves qui lui apparaissaient aujourd'hui, ô combien, chimériques. Comment avait-il pu croire qu'elle serait encore là ou encore seule... Les hommes sont bêtes, se dit-il, la mort dans l'âme. Sur le chemin menant à la baie, de loin, il crut la voir, accompagnée d'un homme et d'une femme, jeunes. Il n'osa pas courir à leur rencontre et les regarda rentrer tous trois dans une ferme.

Le moment de repartir arrivait. Il s'était occupé des réserves d'eau douce. On avait acheté des œufs dans les fermes alentour. Il fallait s'en aller.

Tous les soirs Pierre s'était posté discrètement en vue de la ferme et ce dernier soir, avant de lever définitivement l'ancre, il y retourna. Un peu honteux d'avoir l'air d'un conspirateur, d'un espion ou d'un voyeur, il s'efforça de prendre celui d'un promeneur. Et il LA vit. Elle était là à tourner autour de la ferme, à ouvrir une grange et à y ranger il ne savait quoi. Elle était bien là ! Belle comme au premier jour. Plus belle. Là, devant lui.

Que pouvait-il faire maintenant qu'il avait largué son joker « tafia » ? Comment l'aborder ? À quelques mètres d'elle, il allait renoncer. Leur baiser novice datait de deux ans. Allait-elle même le reconnaître ? Sa réserve naturelle le bloqua. Un délai lui serait nécessaire pour se calmer. Il fallait trouver une idée, et vite. Des fleurs à cueillir. Il n'y en avait pas autour de lui. Quoi ? Mais quoi ? Comment faire ? Une idée. Il repartit au village. Il allait bien rencontrer quelqu'un. Ce n'était pas possible autrement. Et il retrouva un de ses bons amis, dont le bateau venait d'arriver, et qui parlait avec un groupe d'hommes.

Il lui fallait être calme, ne rien révéler. La distance qui les séparait lui permit de reprendre son sang-froid.

— Marceau !

Ils s'embrassèrent avec chaleur.

Il lui apprit le naufrage, la mort de Joseph, que Marceau ne connaissait pas. Marceau n'était au courant de rien à propos d'Émile. L'isolement est grand à l'exclusive recherche de la morue.

Il consacra le temps de politesse qu'il fallait pour boire un verre et renouer avec ses connaissances. Avec Marceau, il y avait André, dit Bello, et Piche, ses anciens camarades de classe. Son inquiétude pour le *Léon* les gagna eux aussi et assombrit leur humeur.

Mais elle ? Elle ne l'attendrait pas, serait-elle même encore là ? Il proposa à Marceau d'échanger lui-même la bouteille de tafia qu'il tenait à la main. Marceau trouva plus pratique de n'avoir pas à se déplacer jusqu'à la ferme islandaise, si pour lui Pierre pouvait échanger son alcool contre une peau. Ils se reverraient avant midi le lendemain, dernier jour de relâche.

Pierre refit le même chemin, celui de l'espoir. Son taux d'adrénaline en hausse, il arriva jusqu'à elle. Elle le reconnut, du moins c'est l'impression qu'elle donna, et lui fit le plus joli sourire du monde. Tant de beauté le troubla si fort qu'il eut mal.

Elle se serra contre lui et posa sa tête sur son épaule. Elle frotta son front au creux de sa poitrine. Il retint sa respiration. Il referma enfin ses bras autour d'elle. Il posa sa bouche à la racine de ses cheveux. Elle l'aimait. Elle l'attendait. Elle releva la tête et le fixa. Elle parla. Juste un mot roulé de sa voix grave, « Pierre » qu'elle prononça « Pi-err ». Ainsi elle connaissait son prénom. Il lui répondit de sa belle voix basse, éraillée, un peu étouffée :

— « J'ai presque peur, en vérité, / Tant je sens ma vie enlacée[1]. »

Tout lui revenait : sa peine, la mort de sa mère, le naufrage, la mort du capitaine au bout de la gaffe d'Erwan. Des flots de sensations l'envahirent. Mais qu'allait-il lui expliquer? Que pouvait comprendre cette femme qu'il rencontrait de si près pour la deuxième fois? Elle le prendrait pour un fou. Elle le rejetterait tout de suite. Et quelle langue avait-il en commun?

« À la radieuse pensée / Qui m'a pris l'âme l'autre été[2]. »

Il ajouta, et peut-être arriva-t-il à contenir son émoi : « Je vous aime tant. »

Elle le regarda étrangement, comme si elle avait compris. L'émotion se lisait dans leurs yeux humides. Elle se détacha, lui serra la main et lui offrit d'entrer dans la maison. C'est ce qu'il y avait de mieux à faire. De plus souhaitable, pour le moment.

L'homme – son père? son mari? – se leva, lui sourit. Pierre montra la bouteille de tafia qu'il avait sortie de sa poche. Puis la posa sur la table. Et les saluant tous deux d'un mouvement de tête et d'un mouvement de lèvres, il se retourna et sortit.

Qu'allaient-ils penser? Ils se demanderaient sûrement pourquoi ce marin français avait eu cette attitude. Les marins n'étaient pas si bien vus. Pour les Français, ces Islandais étaient des sauvages. Et inversement. Leurs relations étaient lointaines et brèves, voire inexistantes. Certes les Français apportaient une petite prospérité mais certains marins, ivres, avaient parfois perturbé les règles et, pour faire peur

1. Verlaine, *La Bonne Chanson*, XV.
2. Verlaine, *op. cit.*

aux petits enfants, quelques parents islandais les menaçaient des Français comme on menace du grand méchant loup.

Pierre ne savait rien au fond des mœurs de ces gens, ces « peuplades inconnues du grand Nord ».

Tant pis ! Quelle importance ?

Le lendemain il réapparut à la ferme. D'autant qu'il y avait oublié la peau troquée au profit de Marceau qui comptait bien en rapporter une chez lui et l'attendait impatiemment. Ils étaient là tous les trois, à se regarder gênés et souriants. Il proposa une deuxième bouteille de tafia empruntée à Le Kaer, le père la refusa et lui tendit une deuxième peau. Pierre remercia avec force hochements de tête, main sur le cœur et large sourire. Puis il leur expliqua, toujours par gestes, qu'il allait repartir avec le bateau. Ils eurent l'air de comprendre ou firent ceux qui comprenaient. Elle l'accompagna jusqu'à la butte, seule, et, avec un sourire bouleversant, lui déposa un baiser vif au coin des lèvres.

Pierre s'enhardit et l'embrasse à pleine bouche. Leurs langues se mêlent avec un indicible délice. Une douceur telle qu'elle les surprend tous deux. Leurs bouches se plaisent, leurs peaux se plaisent, ils se reconnaissent et leurs yeux fermés ne se détachent plus. Une corne de brume beugle au loin. Les bateaux en partance appellent les retardataires. Enlacés, ils ne bougent pas. Elle fait le premier pas en arrière, par tendresse pour lui. Il ne bouge pas, par courtoisie pour elle. Ils baissent la tête, se reprennent du regard ; la séparation sera une souffrance. Elle se détourne, s'éloigne franchement, se retourne, son sourire est éploré puis déchiré et lui déforme un peu le visage – ainsi elle l'attendait depuis le premier baiser –, et le salue de la main, en larmes, longtemps. Il dévale la pente, franchit l'escarpement de grès qui passe la démarcation de la séparation et fuit sa frustration avec emportement.

C'est ainsi qu'il sut d'évidence que l'homme n'était pas son mari et que lui, Pierre, comptait pour elle. Au-delà de ce qu'il avait pu imaginer. Ce qui, à ses propres yeux, justifia la suite de son existence.

À la buvette des marins, il rendit à Marceau sa peau de mouton. Une bouteille contre une peau, c'était une bonne affaire qui ne devait pas s'ébruiter. Il expliqua n'importe quoi à Marceau, puis déposa la lettre à sa famille que l'abbé ferait parvenir en France par un bateau-chasseur. La *Louise* l'attendait. Émile n'était toujours pas là et personne n'avait rencontré le *Léon*. Mais un bateau ne disparaît pas comme cela, se répétait-il. L'inquiétude de Pierre s'était muée en profonde angoisse. Il se rappela cette terrible histoire que son père lui avait un jour racontée. Un journal local avait annoncé, en 1886, le retour de l'équipage de la *Sophie* perdue en 1869. Il disait que les hommes avaient été retenus prisonniers dix-sept ans par des Esquimaux. Les familles coururent chez l'armateur mais la nouvelle était fausse. Cruauté des trompeuses espérances.

Il rejoignit son bord. Il fallait appareiller. On envoya la toile. Le vent était faible mais favorable. C'est Pierre qui, bien qu'efficace, n'était plus du tout favorable, lui. Partir et quitter sa providence? Mais sa famille? Et Émile? Pouvait-il tout larguer et rester en Islande? Y trouver du travail? Tout était possible mais rien n'était sûr. Et Jo Le Kaer qui avait besoin de lui.

— Tu sais, vieux, je suis content que tu sois là pour la deuxième pêche. Seul je ne sais pas si je m'en sortirais.

Pierre pensa que oui, Jo s'en sortirait bien sans lui mais le moyen de l'en persuader? Il posa une main sur l'épaule de Jo, puis :

— Paré à virer. Vire.

Pierre donna l'ordre d'une voix assurée, comme si le vent était entré dans sa tête et rien d'autre.

Déjà l'ouvert de la baie offrait à la *Louise* l'horizon d'un jour nouveau. Serein.

12.

Février 2011

Dès potron-minet, sur le répondeur de Nemours, un nouveau message de son informatrice.

— Je viens d'apprendre que des terrains vont être expropriés par la Communauté urbaine, achetés à un particulier à un prix élevé, inespéré pour des terrains classés inconstructibles. Excellente affaire pour l'exproprié. Ces terrains sont sur le futur emplacement du port méthanier, au Clippon. Cherchez le proprio.

Cette information laissa Nemours perplexe. « Cherchez le proprio ? » Se jouait-elle de lui ?

Il trouverait donc cet homme. Il appela Antoine qui réagit très vite. Son ami notaire lui avait confirmé l'imminence d'une vente avec l'organisme public. Il avait également obtenu un nom. Un certain Philippe Van der Hagen. Nemours chercha ses coordonnées. Ni dans l'annuaire, ni sur les Pages jaunes, ni sur liste rouge.

Il rentra chez lui, après une journée harassante et vaine, comme parfois quand rien n'avance vraiment. Il s'assit lourdement sur le canapé.

Agathe entra en claquant la porte et lança un énergique :

— Tu sais quoi ?

Elle prenait vraiment sa brutalité pour de l'efficacité.

— Ça marche ! J'avais raison pour le faux-fou : il manque une signature pour que l'internement d'office soit légal. On va le faire sortir. Tu vas voir.

Cette fille était folle. Elle était capable par précipitation de refermer violemment la porte de sa voiture sur son pied encore dehors, de s'administrer un laxatif lorsqu'elle souffrait de diarrhée, de cirer frénétiquement un meuble avec de l'insecticide en s'étonnant que cela ne brille pas, et bien sûr de se brosser les dents avec une crème grasse en tube. Nemours se rappelait qu'en classe, elle avait toujours considéré le problème de maths comme résolu avant d'avoir lu l'énoncé.

— Au fait ! On a reçu de drôles de coups de fil, ces derniers temps. Ça sonne et ça raccroche. Charmant ! T'as pas remarqué ?

— Tu n'as qu'à répondre qu'ici on n'a pas le téléphone.

— Très spirituel. Justement où est mon portable ?

Puis sautant du coq à l'âne :

— Les trois Joyeuses vont commencer. J'espère que t'es en jambes !

Les trois Glorieuses, Charles X, il connaissait, les trente Glorieuses aussi, les années de miracle économique après la guerre, mais les trois Joyeuses ?

— Trois jours, de samedi à mercredi. Pratiquement jour et nuit !

Nemours sortit ses doigts et les déplia un à un : cinq jours !

— Ouais, bon, à peu près. La nuit de l'Oncle Cô, samedi, dimanche, la bande de Dunkerque, lundi, la Citadelle, sur le port, mardi à Rosendaël et mercredi le carnaval des enfants. On fait quoi ?

— Tu fais quoi et je fais quoi. Pas d'amalgame.

— Bon, moi, je fais tout…

— Tout !

Pour des raisons de conscience professionnelle, Nemours se devait de participer « à tout » lui aussi, mais Agathe à haute dose, cela le faisait un peu frémir.

Le lendemain, un coup de téléphone le réveilla. C'était Antoine :

— Vous rappelez-vous que je vous avais promis de me renseigner sur l'assassinat de Maurice Évrard ? Eh bien nous avons du neuf et du suspense. Les archives de Lille vous accueilleront quand vous voudrez. Au fait, pour ce qui est du saboteur, ou de la saboteuse, il existe effectivement une liste des personnes qui ont consulté les archives de *L'Écho du Nord* à Dunkerque. La documentaliste acceptera que vous y jetiez un œil, mais motus. Elle ne sait pas si c'est très régulier, mais détériorer les journaux archivés ne l'est pas non plus.

Intrigué, Nemours se précipita l'après-midi même, à Lille, à quatre-vingts kilomètres de Dunkerque, aux archives régionales du journal.

Ô joyeuse surprise, l'arracheur n'ayant pas sévi jusque dans les sous-sols des Archives, il retrouva les pages de l'été 1930. Il dévora les articles qui dévoilaient le drame.

Au 17 juillet : *La police a appréhendé un de nos concitoyens, connu sur la place de Dunkerque, puisqu'il s'agit du jeune docteur Charles Blondeel, installé dans le quartier du Fort Louis, depuis 1928. Il semblerait que M. Maurice Évrard se rendait chez celui-ci en visite privée pour, croit-on savoir de source confidentielle, régler un conflit. M. Blondeel est interrogé par la police.* On sentait la dénonciation de petits copains ou d'initiés pas forcément bien intentionnés. *Le meurtrier, un certain Alexandre Van der Hagen, interné à ce jour à l'hôpital des aliénés de Bailleul, et dont les propos sont toujours confus et délirants depuis son acte, après avoir hurlé « Il voulait pas me donner son cœur ! », se refuse à tout commentaire sur sa victime et les raisons de son acte.*

C'était curieux de retrouver ce patronyme, à près d'un siècle de distance, celui du futur propriétaire des terrains du Clippon. Ce devait être un nom de la région. Ou plutôt des Flandres belges.

Les articles des jours suivants révélèrent un drame plus sombre. Ils se déroulaient véritablement comme un feuille-

ton. Il sauta le début qui n'était qu'un résumé des articles précédents pour s'appesantir sur les lignes d'après et les relire : ...
Le docteur Blondeel a dévoilé aux enquêteurs que M. Maurice Évrard, qui comptait parmi ses amis les plus chers, venait en fait emmener sa propre femme, Jeanne Blondeel, avec qui il avait décidé de partir. La police soupçonne le docteur Blondeel d'avoir commandité le crime qui s'avérerait être passionnel. Le docteur Blondeel a été placé en garde à vue. Nemours n'en revenait pas. « De M. E. à J. B. »... de Maurice Évrard à Jeanne Blondeel. C'était donc cela. Le cadeau d'un amant à sa maîtresse de tableaux de son frère peintre. Et le mari accusé, peut-être, à raison...

Il se précipita sur la suite. *[...] Mme Jeanne Blondeel a déclaré, très émue, qu'« effectivement elle aimait, d'amour vrai, Maurice Évrard ». Les deux amants s'apprêtaient donc à partir ensemble ce jour-là, après une explication avec le mari. Toujours d'après les aveux de Mme Blondeel, il n'était pas question de fuir mais d'assumer leur liaison et la situation. Seulement l'amant n'était pas là au rendez-vous, ni à 19 heures ni jamais. Inquiète, elle a attendu, dans l'état de fébrilité que l'on peut se figurer, son ami Maurice Évrard qui n'est jamais apparu. Et pour cause... Elle avait d'abord cru à un revirement de sa part. Les amants ont donc été séparés par l'accident meurtrier. À quelques minutes près, elle aurait pu ne rien dire et choisir, par la suite, en apprenant sa mort, l'action à suivre. Mme Jeanne Blondeel a avoué à son mari la situation à 19 heures et M. Maurice Évrard, sur la route qui le menait chez les Blondeel, a trouvé la mort vers 18 h 40, d'après les personnes qui ont trouvé le corps. Comme si le destin l'attendait là, tapi au coin du dernier immeuble de la rue du Pouy, à une centaine de mètres de la place Jean Bart.*

Il semblerait que le docteur ne soit plus accusé de complicité. En effet le déséquilibré s'est enfermé dans un mutisme profond après avoir nié connaître le médecin mais également le crime. Ce qui contrarie les inspecteurs. De plus le docteur Blondeel a un alibi. Il accomplissait sa tournée loin du lieu de l'assassinat, chez un patient qui s'est spontanément présenté au commissariat.

Nemours s'étonnait de ce style parfois lourd et ampoulé propre au XIXᵉ et au début du XXᵉ siècle.

En épilogue, en quelque sorte, venait le dernier article du 28 juillet : *Le meurtrier semble avoir repris ses esprits et répète maintenant que le docteur lui a « commandé » de le venger. L'accusation est prise au sérieux par la police. Le docteur Blondeel connaissait-il la liaison de sa femme et de son ami avant qu'elle ne lui soit avouée par sa femme ? Celle-ci assure que non et aussi que jamais « son mari n'aurait pu être capable de violence directe ou indirecte ». L'aliéné connaissait-il Maurice Évrard ou Jeanne Blondeel ? En était-il amoureux ? Le meurtrier n'est pas non plus un patient du médecin. On se perd en conjectures. Le docteur Blondeel a été incarcéré à la prison de Dunkerque jusqu'au procès qui explicitera peut-être toutes les zones d'ombre qui règnent en force sur cette affaire.*

Nemours se demandait maintenant ce qu'il était advenu de ce pauvre homme innocent, ce docteur Blondeel, à moins qu'il ne fût réellement l'assassin de son rival.

Il dut fouiller attentivement les pages de l'année 1931 et 1932 jusqu'au milieu de l'année 1933 pour retrouver, en forme de deuxième et nouvel épilogue, des nouvelles du docteur Blondeel enfin relaxé. *Le procès s'achève en non-lieu après une longue enquête : il n'y avait en effet aucune preuve que celui-ci soit le commanditaire du crime perpétré par Alexandre Van der Hagen. Le docteur Blondeel a repris son cabinet et compte se remarier puisqu'il a divorcé en prison de Jeanne Blondeel, qui a définitivement quitté la région.*

Nemours était tout excité. Si ce n'était pas lui l'assassin, alors quel terrible malheur le docteur Blondeel avait-il vécu ! Il avait divorcé. Mais ce mariage ? Avec qui ? L'avait-il engagé alors qu'il était en prison ? Et Jeanne, avait-elle souffert ? Ou était-elle finalement débarrassée d'un mari qu'elle n'aimait plus ? Elle avait eu le choix entre attendre son amant et, hors de sa présence, se taire quand le mari est arrivé, ou lui parler. Elle avait choisi de parler après la nouvelle de l'assassinat.

L'accusation de crime avait dû peser longtemps sur les épaules de Charles Blondeel. Même dans l'exercice de son métier. À moins que ses anciens patients, révoltés par tant d'injustice, ne lui aient, au contraire, tout de suite réaccordé leur confiance. Décidément cette affaire l'intriguait. Il allait poursuivre l'investigation.

Il revint galvanisé à Dunkerque. La liste des consultants des archives de la bibliothèque municipale allait devenir captivante. Qui avait voulu gommer cette histoire ? Et pourquoi ?

Dans les rues de Dunkerque, surtout dans le centre, des chants intempestifs éclataient, ici et là, sur le seuil de quelques maisons, dans les magasins, entre les étals du marché. Il y avait dix fois moins de gens en civil que déguisés. Une parodie, une caricature de ville. Les trois Joyeuses avaient débuté.

Nemours et Agathe recommencèrent donc, ce samedi, à se déguiser. Lui ne changerait rien à sa tenue. Agathe avait recyclé une vieille salopette rayée, enfilé un tee-shirt jaune engrossé d'un coussin, laissé ses cheveux boucler et peint son nez en rouge : le tour était joué, elle était Coluche. De loin.

Ils se rendirent chez Zizine, un café sur le port où ils avaient rendez-vous avec un groupe d'amis.

Il y avait celui qui s'était rasé une moustache vieille de dix ans pour l'occasion et par commodité, afin de mieux se tartiner les lèvres de rouge. Il était plutôt habillé en péripatéticienne et précisait : « en pute de plage », faux léopard et strass, perruque rousse et petit haut noir avec « du monde au balcon ». Dans ses faux têtches[1] il avait caché quelques billets, un paquet de cigarettes et ses clés de voiture. « Le sac du carnaval. » Une trouvaille, d'après lui. « Quand on n'a pas de poche, il faut des idées, hein ? » La mixture, transpiration-papier mâché-tabac mouillé, qu'il en retira à la fin du premier chahut, se vidant la poitrine, lui ôta toute envie de fumer ct de déposcr un brevet de « sacs-roberts » de carnaval.

---

1. Un têtche : un sein.

Il y avait aussi un couple de chirurgiens, homme et femme, déguisés en « techniciens de surface » de comédie. Si bien déguisés que ceux qui ne les connaissaient pas disaient à ceux qui les connaissaient : « Ils sont moches, non ? » Comme si, réellement, dans la vie, ils l'étaient.

Il y avait également un solide gaillard en nuisette rose et déshabillé assorti, des nœuds-nœuds dans les cheveux, à la manière des yorkshires. Sa femme, en Autrichien viril, achevait de le ridiculiser. Un autre en cycliste 1900, un menuisier en boucher des Halles et un boucher en charcutier – il était seul à voir la différence. Personne ne pouvait deviner à qui il avait affaire, chômeur, médecin, ouvrier, avocat, RMIste, docker ? Ce qui amusait ceux qui les connaissaient.

Le groupe partit à pied en chantant vers le Kursaal, pour le bal de l'oncle Cô.

Ce bal ne présentait guère de différence avec celui du Chat noir, du moins aux yeux de Nemours. Peut-être les estrades placées différemment, des décorations autres... Mais Cô Schlock officiait toujours au devant de la scène, tel qu'en lui-même, impressionnant et impavide.

Une liturgie laïque. Un rituel sacré. La litanie des chants, comme à la messe, restait immuable et le répertoire semblable à celui des bals précédents, afin que chacun puisse retrouver ses repères. Effectivement Nemours chantait cette fois, presque comme les autres, au sein de ce grand corps dunkerquois, parmi ces milliers de voix rompues à l'exercice.

À 4 heures, ils sortirent avec quelques amis pour avaler une soupe à l'oignon, boire un dernier verre dans l'un des multiples bouis-bouis ouverts toute la nuit sur la digue. C'était encore joyeux. Des cliques[1] jouaient dans les cafés, dans les rues, sur la digue, partout. Ils entrèrent dans un endroit enfumé et bruyant, mais chaleureux. Ça riait dans tous les coins et même au centre. Nemours écoutait un Dunkerquois raconter, avec une forte voix éméchée, comment il avait une

---

1. Une clique : une petite fanfare.

fois de plus fui le foyer conjugal. Le malheureux homme avait fait l'erreur d'épouser « une de la campagne qui ne comprenait rien à rien ».

Agathe voulut à toutes fins lamper une dernière bière avant la bière de trop. Il était 5 heures. L'heure de sentir la fatigue dans les mollets. Ah ! Il lui fallait de l'entraînement pour arriver jusqu'à la fermeture sans lassitude, ni hachée menu par les courbatures. Avant de rentrer, elle s'éclipsa jusqu'aux toilettes. Avec une drôle de tête au retour.

— Dis que tu ne vas pas m'en vouloir !

Oh, la phrase démarrait mal.

— J'ai perdu mon portable. Il est tombé dans le trou des chiottes.

Nemours resta sans voix.

— En enlevant les bretelles de ma salopette, je n'ai plus pensé aux poches de l'espèce de bavette devant... et tout a glissé dans le trou...

Ça y est, il avait compris. Son téléphone aussi y était passé ! Il aurait dû le laisser dans sa voiture, mais pour ne pas l'abandonner à la convoitise des voleurs, sur l'insistante et généreuse suggestion d'Agathe, il le lui avait confié. Une erreur, c'était une grossière erreur. L'ultime bière était la bière de trop.

Il se précipita aux toilettes. La porte était déjà refermée sur les activités du suivant.

— Cela ne te consolera pas, mais j'ai aussi perdu mon Montblanc.

Qu'est-ce qu'elle fabriquait avec ce stylo de prix à un bal de carnaval ?

La fatigue tomba d'un coup sur ses épaules.

13.

La deuxième pêche avait commencé sous la grisaille. De l'avis de Pierre Blondeel, le capitaine Le Kaer était moins doué pour trouver les bancs que Coubel, mais c'était sa première campagne en tant que capitaine.

Ils étaient descendus aux alentours des îles Westmann, se disant que la morue y serait plus abondante. Supposition qui ne se vérifia pas. Alors ils décidèrent de descendre plus au sud et se rapprocher de la maison. Un coup de vent leur permit d'expérimenter une méthode qu'un capitaine leur avait recommandée. Verser des litres d'huile en la faisant couler d'un baril à bouchon ouvert. Effectivement en alourdissant la surface de l'eau, les vagues s'aplatissaient. Une mer d'huile au sens propre contre la coque. Il n'aurait pas fallu que le vent dépassât force 10.

Ils se résolurent à remonter au nord. Ils traversèrent une période très favorable où la morue mordait voracement à l'appât et c'était doublement heureux : ce labeur physiquement prenant bloquait les pensées de Pierre. Émile disparu, sa belle quittée sans réelle tentative de quoi que ce soit de définitif...

Pierre n'était pas un godelureau sans expérience. Il avait eu quelques belles amies plus âgées, à la faveur de fêtes ou des périodes de carnaval. Les mœurs flamandes avaient influencé la ville et réussissaient bien à la population. À Dunkerque la gaillardise était admise. Au contraire des villes voisines, où les mœurs étaient si différentes, où la grivoiserie remplaçait la rigolade et le drame la coquinerie. On ne sait pas trop depuis quand la saine influence des Flamands avait joué. Depuis Bruegel ?

Pierre ne se demandait pas ce qu'il aurait dû faire, il le savait. Pour la conquérir il lui fallait du temps, de l'observation et la mise en place de toute une stratégie, que la disparition de son frère Émile avait stoppée net. Il pensait à son père, à ses frères et à sa sœur, déjà éprouvés. À l'argent aussi qu'il fallait rapporter. Il ne pouvait pas laisser sa famille. Il ne le pouvait tout simplement pas. Se dire qu'ils étaient loin, qu'il était loin, que sa vie était ailleurs et qu'il se moquait au fond de ce qu'il leur arriverait. Il connaissait des gens qui pouvaient agir ainsi et même qui ne pouvaient pratiquement pas s'occuper des autres. Comme si ce comportement quasi animal était inscrit dans leurs gènes. Une fois sortis des limbes de l'enfance, sous n'importe quel prétexte, agressif ou pacifique, ils étaient partis sans se retourner. Évidemment ces ingrats, ou ces indifférents, peu importent les qualificatifs, ne savaient pas que leur vie ne pourrait pas être heureuse et que leurs futurs proches, souvent nés d'eux, les quitteraient à leur tour. Et curieusement ces médiocres aimants seraient souvent incapables à vie ni d'en comprendre le processus, ni de l'arrêter pour les générations d'après, ni d'en analyser les raisons, et réaction plus pathologique, de ne pas en souffrir.

Il ne pouvait tout simplement pas abandonner le poste. C'était une attitude atavique. Dans sa famille, des générations d'hommes qui ne fondaient pas leurs vies sur le pécuniaire mais sur des rapports affectifs. Pierre en était là de ses réflexions.

La vie était devenue tranquille, presque routinière. Le mois de juin en mer est souvent plein de douceur et de la présence, presque tangible, des animaux marins.

Dans l'amour ou l'attirance du pêcheur vers cette pêche au long cours, dans les raisons d'y revenir, campagne après campagne, il y avait les animaux, les nuits étoilées, l'immensité. On ne pouvait pas imaginer paysage plus grand, à part dans le désert. Retrouver les dauphins accompagnateurs par famille suivant le territoire. Et les poissons qui sautaient comme des torpilles ou des jets d'eau ou à plat avec de grands splatchs bruyants. Vraie spécialité des dauphins par temps calme, qui offraient quelquefois de véritables spectacles : le saut le plus long, le plus haut, le plus tordu, le plus... La variété des figures était grande.

Aussi les baleines. Un dos miracle, une queue surprise. Ces rencontres-là s'apparentaient à une fête. Un applaudissement.

Et puis les oiseaux, des centaines d'oiseaux, rares sur 'es côtes de France. Des escadrilles de fous de Bassan, bec et regard jaunes, pattes bleues, ailes blanches à bord noir. Ils passaient, viraient au ras des mâts et remontaient en trombe vers le ciel. Les solides goélands et les impétueux faucons des mers qui les coursaient dès qu'ils avaient des prises dans le bec. Et bien sûr les mouettes, victimes des deux, et gueulant leur impuissance devant leurs prédateurs qui en profitaient pour chiper la proie tombée de leur bec puis s'enfuyaient, poursuivis par un gros vacarme.

Qui a dit que le ciel en mer était vide ? Un jour Pierre avait reçu sur la figure un merlan qu'une mouette excédée, tarabustée par un faucon des mers, avait fini par lâcher. L'équipage avait bien ri et Pierre aussi. Une autre fois, c'était un pigeon poursuivi par l'un de ces terribles faucons qui s'était réfugié entre les jambes d'Erwan. Lorsqu'il fut rassuré, le faucon semé, le pigeon s'était éloigné avec des regards dédaigneux, voire irrités, envers son sauveur.

En s'approchant d'un îlot ils avaient pu voir, perchée sur les rochers, une colonie de *fratercula arctica*, « petit frère de l'Arctique », leur nom savant dont Pierre apprit enfin le nom courant : macareux moines, de petits oiseaux drolatiques avec leur bouille de perroquets à gros bec jaune et orange et leurs yeux tout ronds. Et aussi des guillemots, nerveux et fins, que Pierre appelait « dindins ». De temps en temps, des phoques venaient pointer hors de l'eau leurs yeux exorbités et leur museau de chien comme pour s'enquérir de la situation. Des troupeaux de globicéphales, à la présence rare, passaient, de leur nage lente et lourde, poursuivant leur route sans dévier, sous l'imperturbable figure de proue de la *Louise.* Dès que le vent enflait, comme nés des vagues, apparaissaient, aigus comme des hirondelles, en apostrophe, les étonnants pétrels de tempête.

« Homme libre, toujours tu chériras la mer / la mer est ton miroir / tu contemples ton âme. » Baudelaire chantait juste dans la tête de Pierre.

Et le spectacle infini des vagues, du jeu du soleil avec l'eau, de l'argent du matin, de l'or du soir et des diamants du plein midi.

C'est aussi pour toute cette magie que Pierre repartait tous les ans dans ces mers du Nord si poissonneuses.

La mer qui ne le consolait de rien et le guérissait de tout.

Actuellement les jours de Pierre n'étaient plus faits que de contemplation volatile et d'efforts physiques. Choisir les bonnes manœuvres, lancer les bons ordres et calculer les bons points astro. Et d'effort mental pour ne pas penser. Il ne se demandait même pas si cela allait durer toujours. Il en était là de sa vie. Il poussait jour après jour, juste un jour après l'autre. Comme un alpiniste au milieu de la montée, vertigineusement cramponné à la paroi rocheuse, et qui, pour ne pas se démoraliser ou se flanquer le vertige, ne regarde ni en bas ni en haut.

Certes il avait à nouveau fait connaissance avec les marins du bord, les Petit-Jean, les Pierre Trézégier, Yves Salin, Louis Le Houérou... Certes il sympathisait et parlait agréablement avec tous mais son cœur n'y était plus. Au début et cette fois encore, leurs habitudes l'avaient intrigué, et aussi leur langue très mêlée de breton qu'il avait fini par comprendre. Il s'était bien mis au patois du Grand-Fort.

On ne mangeait pas non plus tout à fait la même chose que sur les bateaux dunkerquois ; peut-être plus de lard, peut-être plus de saindoux, et surtout il n'y avait pas le biscuit de mer mais du pain que le coq cuisait dans un four aménagé sur le pont. On buvait du cidre et surtout plus d'alcool fort, à 50°et plus. Ce bord était régulièrement plus alcoolisé que celui de la *Louise-et-Gabrielle* et que tous les bords nordistes qu'il avait fréquentés auparavant. Il lui sembla que les habitudes bretonnes faisaient fi du danger. L'idée que l'alcool protégeait du froid était une stupidité, mais que leur dire ? Il savait aussi qu'oublier était une méthode pour ne pas souffrir. Il le vivait. Son salut à lui, son rempart.

Il ne put s'empêcher de retourner en rêve au côté de son Islandaise. L'avoir revue avait ravivé sa mémoire. À sa voix si ronde, ses yeux si verts, il pouvait ajouter un nez droit, modèle pour sculpteur, et des jambes admirables « d'enlèvement de Sabine ». Si on lui avait demandé d'imaginer des jambes qui lui plairaient, il n'aurait pas dessiné mieux. À la fois fines et solides. Un mollet qu'il avait seulement entraperçu mais suffisamment pour deviner la perfection de la jambe entière.

Il se disait que s'il avait eu le temps, il lui aurait fait une cour assidue avec force bouquets de fleurs des chemins, à la saison claire, de murmures à l'oreille et d'apprentissage de l'islandais. Il aurait cherché du travail, n'importe quel travail. Pêcheur, paysan, ce qu'il aurait trouvé. Il aurait proposé son aide dans la ferme de son Islandaise. Il se serait logé chez le sympathique curé des Œuvres de mer. Il aurait, il aurait...

Jo Le Kaer était devenu un ami et Erwan un petit frère. Pierre continuait à lui apprendre le plus de choses possibles et le petit, du haut de ses seize ans tout neufs, faisait des prouesses en calculs et en navigation. Il deviendrait un bon navigateur. Il aimait ça et il était doué. Heureusement qu'ils étaient là aux côtés les uns des autres pour lui faire passer franchir les caps de tous leurs deuils. Mais c'est Jo qui, à l'ombre d'une phrase, l'assassina un peu. Sans le savoir, sans le vouloir. Un soir au détour d'une conversation à deux :

— Tu as remarqué cette jolie fille à Faskrud ? Une rousse fabuleuse, lui demanda Jo.

Pouvait-il s'agir d'une autre fille ?

— Oui, répondit Pierre. Si tu veux parler de cette grande fille royale. Pardon, impériale. Oui, je l'ai repérée. Pas vraiment rousse, d'ailleurs.

C'était drôle ces mots-là, plaqués dans une conversation qui aurait pu être de bistrot.

— Je ne l'ai pas vue cette année, ajouta Jo. Mais les années précédentes, oui. Quelle femme !

Pierre le laissa parler. Il n'avait pas envie de commenter son ange.

— On m'a dit qu'elle s'appelait Soley. Elle se promenait l'année dernière avec un grand gaillard, tu sais, type scandinave, armoire blonde, de la gueule, parfait Viking quoi, ajouta Jo, dans le vide.

On ne se méfie de rien et soudain un pic à glace vous transperce, comme ça, un soir. Sonné à la seconde par le rapt de son rêve.

Comment en vouloir à Jo ? Pierre prétexta la fatigue pour se coucher. Et fut incapable de parler pendant des jours. Il souriait, il fonctionnait. Il ne pensait plus. Si on lui avait demandé de décrire les symptômes de ses souffrances, il aurait parlé d'épaississement du sang dans le cerveau, d'écorchement à vif.

Il maigrissait et Jo finit par deviner son état. Qu'il attribua à ses deuils. Et son tourment pour son frère. Alors il l'accabla de tâches. Et un soir le fit boire un boujaron de cognac. Cela lui délia la langue :

— Tu sais, Jo, cette fille, je l'ai là.

Et il montra sa tempe, ses yeux, sa bouche et sa poitrine et retint à peine un rictus de douleur.

Une manière de signe de croix, pensa Jo. Sans rien ajouter. Il le prit par le bras et l'entraîna à l'arrière, dans le carré avec tous les hommes de veille. C'était samedi. La pêche avait bien donné et le saleur venait de leur annoncer que les cales seraient bientôt pleines. Il accepta d'avaler avec eux leur alcool brûle-gueule. Ils chantèrent des chants de marins, des chants bretons et celtes qui sonnaient étrangement à ses oreilles. Cette soirée lui remit les idées en place. C'était folie que de ne pas renoncer.

Le lendemain, à l'ouverture des paupières, un peu nauséeux, Pierre se reprit à penser à elle, bercé par une houle d'ouest. Sur la *Louise* encalminée, le temps s'étirait en longueur et en langueur.

Il connaissait son prénom maintenant. Soley. Soley... Que c'était doux à prononcer. Soley... Presque soleil.

Comment avait-il pu laisser passer cette information – le beau nom de Soley – au profit de l'autre, un fiancé?

Fallait-il renoncer parce que Jo l'avait rencontré l'année dernière avec un garçon? Parce que tous les marins qui l'avaient vue une fois se la rappelaient pour toujours? Et alors! C'est le contraire qui eût été surprenant. Qui était ce bellâtre albinos? Peut-être un ami. D'ailleurs elle n'était pas avec cet ami cette année. Ou son frère. Ou un cousin. Comment pouvait-on douter comme cela? Qui était-il, lui, pour se démonter pour un rien? Son moral se refixa dans les hauts et dans l'espoir. Et l'idée funeste que tout était perdu s'envola.

Au repas du midi, un plein soleil cognait. Calme plat. Ils buvaient ensemble leur café sur le pont. Attendant le vent pour reprendre la pêche, quand le vent voudrait bien s'y mettre. Son voisin retira son pull islandais. Pierre s'en empara pour mieux l'admirer.

— T'aurais dû t'en prendre un. Les femmes tricotent des jacquards avec des laines naturelles sans aucune teinture.

Ces trois couleurs, du greige au gris et beige, étaient comme un morceau d'Islande.

— Tu l'as troqué?

— Oui. C'est cette belle fille un peu rousse, qui l'a tricoté. Ça doit être une sacrée tricoteuse, hein? qu'il appuya d'un clin d'œil.

Pierre éprouva un haut-le-cœur à ce commentaire salace.
— Une belle gâmiiine, comme on dit à Dunkerque, non ?
La plus jolie de toutes, et Dieu sait si elles sont magnifiques,
ces Islandaises ! Les plus belles du monde !
Pierre se calma. Il tâta le tricot pour mieux en sentir la dou-
ceur, puis le respira. Une discrète odeur de mouton propre.
— Tu connais le monde ?
— Ok, les Anglaises… C'est cette fille, Soley, qui organise
ce commerce, avec son cousin, Kolben, tu sais le grand blond
qu'on voit souvent avec elle.
Son cœur fit une embardée. Bien sûr ! Son cousin. Il aurait
dû s'en douter !
— Tu les connais ?
— Depuis des années. La femme du grand Kolben est extrêmement habile de ses doigts. C'est elle qui file les laines et
qui met au point les modèles. Toutes les femmes de Faskrud
tricotent. Et Kolben s'occupe de faire prospérer l'affaire. Il
en fait la réclame auprès des matelots. Il les exporte jusqu'à
Reykjavik. Je dis « exporte » parce que la route est longue et
le voyage dure plusieurs jours. Il s'y rend l'été sur les petits
chevaux.

L'information capitale s'abattait sur Pierre, comme cela,
par hasard, au détour d'une banale conversation. L'homme
qu'il avait entraperçu était son cousin. Il aurait pu se
demander si l'homme rouge et l'homme de loin étaient le
même. Il évita doute et réflexion. Pierre était maintenant soulagé comme si un chemin au milieu d'un bosquet plein de
ronces s'ouvrait par miracle devant lui à nouveau. Une image
de sa petite enfance resurgit. Lui, le nez plongé dans des histoires de chevaliers et de princesses. Il se trouva stupide et
en rit pour lui-même. Et aussi une réplique de *Phèdre*, dans
la pièce de Racine, qui revenait sporadiquement à l'esprit de
Pierre – en fait tous les jours depuis le baiser –, comme un
air de musique obsédant : « – Aimez-vous ? – De l'amour, j'ai
toutes les fureurs. »

Sous un ciel poudreux, un petit vent frais se leva, sifflant
la fin de la récréation et la reprise de la manœuvre.

Le carnaval des vents d'Islande

Un navire de la station d'Islande envoyé chaque année par la France, un aviso[1], rôdait dans les parages. La veille on l'avait aperçu de loin. À 10 heures, il envoya dans ses haubans un pavillon qui avertissait la *Louise* qu'il se rendrait à son bord. Sous un ciel bas, sa chaloupe rejoignit la goélette. Le capitaine, un lieutenant et deux marins montèrent à bord sans mal, la mer n'était pas encore formée. Ils apportaient des nouvelles de la flottille.

S'échangèrent des salutations et des prévisions plus hypothétiques que scientifiques sur le temps, mais le plus important était là posé sur le pont : un gros sac de courrier. Quelle chance d'avoir rencontré l'aviso ! Ce sac, c'était Noël avant l'heure, c'était le carnaval en été, c'était cloches, poussins et chocolat sans Pâques. Avant de distribuer les lettres, Jo Le Kaer offrit un verre au petit groupe puis ils repartirent. Par politesse d'abord mais aussi parce que le plaisir en serait plus fort, les lettres ne seraient distribuées qu'après leur départ. On prendrait le temps.

Se délecter tranquillement des bonnes choses qui arrivent sans qu'on les ait même attendues... Ou différer la douleur des annonces meurtrières.

Il y avait une lettre pour Pierre. Elle allait changer toute sa vie. Le comprit-il avant de l'ouvrir ? Il retint sa respiration. Son cœur battait à faire mal.

Dunkerque, le 3 juin 1898

Cher fils,

Peut-être as-tu appris ce qui était arrivé à Émile et au Léon. *Une histoire incroyable. Rassure-toi, il va bien et tout est rentré dans l'ordre. Je vais lui laisser te raconter son aventure. Nous n'avons même pas eu le temps de craindre pour lui qu'il était déjà rentré à Dunkerque. Ta lettre est bien arrivée par le bateau des Œuvres de mer. Nous sommes soulagés de te savoir vivant. Ne te soucie pas pour la famille. Émile*

---

1. Petit navire de guerre qui sert de porteur de messages et d'escorteur.

a retrouvé du travail à la pêche côtière qui donne bien cette année et ma nouvelle fonction au Bureau Veritas, société d'expertise de la construction navale, vieille maison franco-hollandaise fondée en 1828, est confirmée. Nathalie et Jean sont encore très malheureux de la mort de maman mais leur jeunesse les sauve. Pour moi, j'ai l'impression de devoir grimper une colline sans faîte. Je ne m'en tire pas trop mal au quotidien. Pourtant, mon Dieu que c'est dur et triste sans elle. Nous soutenons la famille de Joseph du mieux que nous pouvons. Quelle misère que la mer ! Je t'embrasse et te redis mon affection. Garde-toi bien.

Ton père qui t'aime

Cher frère,
J'ai appris ton malheur mais tu es vivant. Notre cousin va nous manquer. La famille est très touchée. Et le moment où Joseph a lâché... Mais n'en parlons pas, cela fait trop de peine.
Je te raconte ce qui m'est arrivé. Nous sommes partis de Dunkerque, comme tu sais, avec la vieille goélette. Bien après le Dogger bank et comme un coup de vent de nord menaçait, le capitaine a pris l'option vers l'est, vers les côtes de Norvège. Je trouvais que ce choix nous limitait dangereusement dans l'action. « De l'eau à courir », disait toujours le capitaine Braems. Tu te souviens ? Mais bon, comment influencer cette vieille bête de capitaine ? Le vent n'a pas faibli pendant des jours et il a même forcé. Cela devenait intenable. On avait la côte de Norvège devant nous. Le capitaine avait fait envoyer de la toile. Il fallait bien s'éloigner de la côte jusqu'à ce que le Léon, qui remontait mal au vent avec ses formes lourdes à l'ancienne, veuille bien s'écarter et que le vent veuille bien tourner à l'ouest. Si cela avait été un balaou[1] avec ses mâts penchés en arrière, mais là ! Bref, le capitaine a regardé la

1. Goélette dunkerquoise à mâts penché en arrière, plus ardente au vent.

carte et, alors qu'on ne tenait plus (ça craquait de partout, on n'avait plus de grand voile et les coutures de la voile d'artimon commençaient à s'ouvrir), il l'a dirigé vers un fjord étroit à faire peur. Il faisait nuit noire. On a cru notre dernière heure arrivée. La goélette au plein, on y avait droit. Et puis, presque un miracle, le bateau s'est embouqué entre deux rochers. Pas mal calé du tout. Une voie d'eau s'est quand même ouverte à l'avant; en abordant, un petit rocher bien acéré a troué le bordé sous la flottaison. Il n'y avait plus qu'à quitter le bord. C'est ce qu'on a fait et vite. On a réussi à emporter tout notre paquetage. Même le capitaine a fait sortir en hâte sa malle avec son journal de bord, les instructions nautiques, le sextant, ses instruments, enfin tout ce qu'il avait de précieux. On est arrivé à rejoindre à pied, de rocher en rocher, le haut de la falaise et un chemin qui nous a menés jusqu'à un village à quelques kilomètres de l'entrée du fjord.

On a marché peut-être trois, quatre kilomètres. Les villageois avaient été alertés et, au matin, on a tous été logés chez les uns, chez les autres, par deux ou trois, dans la paille ou dans de vraies chambres. Enfin on a pu se reposer.

Notre situation n'était pas mauvaise. On est allé revoir le Léon. La pauvre vieille goélette piquait de l'arrière. Je crois que le capitaine s'est arrangé avec les menuisiers du coin pour qu'elle soit récupérée par petit bout avant qu'il ne soit trop tard. On a pris le temps d'admirer le village, charmant, tout en bois et très coloré, les paysages grandioses, les promenades dans le coin, même s'il faisait très froid. Et les habitants, plutôt les habitantes. Ce n'est pas nous qui allons ruiner la réputation de beauté des Scandinaves, crois-moi! Enfin il a fallu repartir au bout de quelques jours, dès que notre retour a pu s'organiser. À vingt-cinq, ce n'est pas rien! Avec des voitures à cheval vers un port et, de là, un bateau pour Dunkerque.

Notre arrivée, je me la rappellerai toute ma vie : à l'échelle de coupée, sur le quai, les gendarmes étaient là. Je croyais que c'était normal à cause du naufrage. Quand le capitaine est sorti, ils lui ont passé les menottes. L'autre n'a pas moufté. Je ne comprenais rien. Rien de rien. Je t'assure que cela a été un choc. Avec les camarades, on se regardait avec des yeux de merlans frits. On était là, bec béant. Tu nous aurais vus! L'explication, on l'a eue très vite. Et puis on a mieux compris, après coup, l'attitude calme du capitaine. Et même le choix du cap plein est, après le Dogger. Le capitaine a, dès l'arrivée au village norvégien, écrit à l'armateur et à l'assureur.

Première lettre à l'assurance : « Monsieur, j'ai la tristesse de vous annoncer le naufrage du Léon, sur les côtes de Norvège, devant la baie N. À la suite du mauvais temps de nord et à cause d'une aggravation subite, le Léon n'a pas pu remonter au vent. J'ai choisi pour sauver l'équipage de rentrer dans la baie la plus sûre. Mon journal de bord explique tout. Nous sommes assez chanceux d'être tous sains et saufs. Nous allons nous embarquer pour Dunkerque le plus tôt possible. Veuillez croire, Monsieur, à ma respectueuse considération. » « Respectueuse considération »! Tu parles! Tu vas voir la suite. Il a écrit à l'armateur : « Cher ami, je suis heureux de vous annoncer que nous aurons une nouvelle goélette l'an prochain. Les circonstances nous ont été favorables et, comme prévu, dès que j'ai pu trouver une baie qui permette la manœuvre, je m'y suis dirigé. Tout l'équipage est sauf. Cela n'a pas été facile; le Léon était un vieux complice, mais nous naviguerons enfin en sécurité l'année prochaine sur un bateau neuf.

Veuillez recevoir, cher ami, mes cordiales salutations. »

Le hic, c'est qu'il s'est trompé d'enveloppe. Il les a inversées! Tu peux croire cela! Je pense que le pauvre vieux a dû avoir des remords d'avoir fait un coup pareil et son esprit coupable l'a dénoncé pour lui.

J'ai trouvé du travail à la petite pêche le lendemain de mon retour. Évidemment ce n'est pas pareil. Cela gagne moins et on n'est pas avec les Islandais, mais rentrer presque tous les soirs à la maison n'est pas mal non plus. Ne t'inquiète pas pour nous. Tout va bien. Pensons plutôt au capitaine : il purge, avec l'armateur, une peine de prison, et il a aussi perdu son droit de naviguer comme capitaine. C'est assez dur. On appelle cette escroquerie aux assurances « barate-

rie ». Tu le savais ? Je n'ai jamais autant écrit. Tu me fais
battre mon record.
  Porte-toi bien.

  Je t'embrasse bien fort.
  Émile

Oui, Pierre connaissait le mot « baraterie ». Quelle histoire ! Il s'en amusait tout seul. Et Émile était vivant et bien vivant ! Ah, la sensation de détente, d'apaisement que cela lui procura ! Indicible ! Un énorme poids en moins ! Son cœur se remettait à battre normalement, ses poumons à respirer sans contrainte, son âme était légère !

L'affaire du *Léon* lui parut aussi grave que rare. Heureusement, au XIXᵉ siècle, on ne punissait plus de mort la baraterie, comme on le faisait encore au XVIᵉ siècle. Le capitaine avait aussi la chance que les gens de mer ne soient plus soumis au régime pénal de 1852, reconnu trop dur et remplacé en 1882 par le droit civil. C'est le Tribunal de Commerce qui était désormais compétent.

Pierre savait que les équipages et les armateurs gardaient plutôt secrètes les fautes : il ne fallait pas que l'honneur d'un armement, des marins et même du capitaine coupable puisse être compromis. L'orgueil du « Grand Métier ». On dit que la présence du mousse était souhaitable lors des interrogatoires : il mentait mal et craquait devant les gendarmes.

Pauvre vieux capitaine et pauvre vieille goélette. Pierre imaginait un grand chambardement dans la conscience de cet homme. Un tel lapsus !

On pêchait maintenant la morue d'août, le « driv'vish » qui évoluait à faible profondeur, pourchassé par tous ses prédateurs, flétans, phoques mais aussi goélands, fous, gerfauts.

La nuit tombait de plus en plus tard. Quel contraste avec les premiers mois.

La saison s'achevait.

Là-bas, loin sur tribord, terre ! De petits rochers affleuraient. Non ! Un troupeau de baleines... Ce soir-là Pierre,

133

enveloppé d'un coucher de soleil aussi flamboyant qu'envahissant, se rappela un chant flamand qui en français donnait
ceci : *Vient le mois de juillet tant désiré ; alors nous faisons
voile disant adieu au cap Nord. Nous retrouvons avec bonheur
l'île de Grimsey et nous voguons en hâte vers la pointe rouge ;
et de là à la baie bleue qui nous donne beaucoup de cabillauds.
Le mois d'août arrive ensuite. Chacun songe à sa bien-aimée.
Nous courons vers le sud, la pêche est finie. Quand le quinzième jour arrive, chacun de nous pour qui l'absence a été une
leçon d'amour dit : « adieu Langueness » ! Laissez donc aller
le navire. Qu'il fasse écumer les vagues ; déployez le hunier.
Matelot apporte-nous la bouteille ! Pilote ! À bâbord ! Regarde
voilà Newport. Puis d'un commun accord nous tenons la côte
jusqu'à Dunkerque.* La nostalgie le prit à la gorge.

Alors que le bateau redescendait du haut nord enfin vers le
sud de l'Islande – pêchant encore les bons jours –, pour faire
route vers la Bretagne, Jo, les mains agrippées à la barre, le
regard tourné vers le large, lui annonça, sur un ton apparemment détaché :

— Tu vas rentrer à Faskrud. On passe tout près. On y sera
demain matin. Je t'y amène avec la chaloupe. L'abbé des
Œuvres de mer a besoin de quelqu'un pour l'aider à fermer la
chapelle et toute l'installation. Et puis je ne pourrai pas faire
un crochet par Dunkerque. Tu sais, nous, on passe entre l'Irlande et l'Angleterre, par le canal Saint-Georges, et cela ferait
un grand détour après. Et puis j'ai bien réfléchi, t'as toutes
tes chances. Tu es le plus bel homme de nous tous, de tous
les pêcheurs, alors avec ta Soley, tu as vraiment tes chances.
Tu es piqué de cette fille. Ne me demande pas comment je
sais, je sais. Tu es un type bien et elle aussi. Ça va marcher.
Vas-y. Ne me dis pas que je me mêle de ce qui ne me regarde
pas, ça me regarde. Ne me réponds pas que ta famille… que
l'argent… qu'on ne pourra pas ramener sans toi la *Louise* à
Paimpol, avec Erwan on saura. Tant pis pour ta fierté mais
on saura. Allez, la fortune sourit aux audacieux !

Pierre fit ce qu'il ne se croyait plus capable de faire : un
vrai sourire. Puis il lui tomba dans les bras, en étouffant un
sanglot.

14.

Février 2011

Le lendemain après-midi, c'était la Bande de Dunkerque. Le point d'orgue du carnaval, le plus couru, le plus connu, le plus spectaculaire, le plus éclatant. Son apogée. Les masques allaient défiler jusqu'au soir en masse compacte, sous l'œil des badauds repoussés sur les trottoirs par la mêlée. Pour Nemours, sa première Bande. Cela avait commencé dès midi. Agathe et lui étaient invités à passer chez Antoine : on y « faisait chapelle[1] ». Sa fille Claire avait tout organisé. C'était une « bonne » chapelle où tous les amis d'amis pouvaient entrer. La maison était largement ouverte aux carnavaleux introduits. Quand ils passèrent le porche, cela chantait déjà. Une vingtaine de personnes, essentiellement des Noirs, des Blanches et des clownes. Des Noirs de carnaval, déguisés en Noirs de bande dessinée : un pagne sur des collants noirs, un pull à col roulé noir, des gants de coton blanc, le visage peint en noir surmonté de plumes de faisan et de coq fixées sur un bandeau en fausse fourrure léopard, des tirettes de boîtes de coca en guise de « boucs' » d'oreilles.

---

1. Faire chapelle : ouvrir sa maison aux carnavaleux.

Simulant des scarifications, des traits blancs sur les sourcils, le nez et sur chaque joue. Ces multiples éléments si caractéristiques qu'ils servaient de marque de fabrique au « vrai » Noir. Car on en voyait d'autres, des imitations, des ersatz.

Claire, toujours déguisée en clowne blanche, avait l'air décidé à apprendre en accéléré le carnaval à Nemours. Elle lui présenta un Noir qui, très cérémonieusement, venait de lui faire le baisemain.

— Bernard ne pratique le baisemain qu'au carnaval. C'est son truc ! Bernard est le chef des Noirs. Oh ! Ils ne sont pas les seuls à faire partie d'un groupe. Les Truc'muches, les Wichepreutes sont les plus récents, je crois. Mais ils s'organisent plutôt en cliques, en petites fanfares. Eux, les Noirs, ils datent ! Raconte, Bernard !

— On dirait un ancien combattant ! J'ai créé en 69 la confrérie des Noirs. On était quatre. Aujourd'hui, et depuis dix ans, on est quinze et pas un de plus. Quand l'un part, plus souvent du fait d'un déménagement que d'un décès, je te rassure, on lui choisit un successeur à l'unanimité. Par cooptation. Autre règle : pas de femmes. Je pense que nous sommes une des rares sociétés uniquement masculines. Même l'Académie française a cédé.

Il prit alors son accent de Dunkerquois au carnaval.

— Faut pas croi' ! C'est du travail, les Noirs. Tout ce cirââge. Le premier jour, ça gratte. Heureusement aujourd'hui ma peau a déjà fait trois bals. Et puis i' faut savoi' donner de son co'. Moi, j'revois mes ongles d'orteils, tout blancs, tout rôôses, qu'en novembre. Le reste de l'année y sont noi', surtout les gros.

— Comment ça !?

Bernard le Noir reprit un accent « civil » pour lui expliquer.

— À force de pousser pour maintenir la bande au premier rang. Les pieds appuient violemment sur le bout de la chaussure et les ongles se soulèvent, en sang après des heures de boulot. Ah ! Faut savoi' êt' des héros.

Claire l'entraîna vers d'autres clownes blanches.

— Moi, j'ai fondé la « consœurie » des clownes, comme vous pouvez le voir.

Effectivement, il y avait là d'exactes reproductions, en plus gros, plus grand, plus petit ou plus mince de Claire la clowne.

— On accepte les hommes mais aucun n'a postulé...

— Tu ne lui as pas dit le mode de sélection! commenta l'une. Ah! Il va être édifié!

Il y avait aussi des Noires blanches. Cinq. Elles étaient l'exacte réplique inversée des Noirs : pull blanc, collant blanc, maquillage blanc, une très peu discrète coiffe en plume et en panache, et cerise sur le podingue[1], dans la main un fémur de bœuf.

— Elles ne sont pas aussi fortiches que leurs hommes. Eux, ils portent souvent un berguenaer. Lourd et encombrant.

— Ce sont les femmes des Noirs?

— Les femmes, les amies, les copines. Ils ne font pas carnaval ensemble, mais ils se retrouvent parfois dans des dîners ou dans des chapelles, comme aujourd'hui.

Le chat Tom courut se frotter à Claire qui lui rendit ses caresses. Nemours voulut le prendre à son tour, mais il n'en était pas question. Pas de familiarité...

Claire poursuivit le tour des présents.

— Saluons nos ancêtres.

Antoine en queue-de-pie saluait solennellement de son haut-de-forme. C'était drôle de le voir ainsi en théâtreux. Il se tenait entre une fausse Bavaroise et un faux sorcier, vrais vieux messieurs.

— Voici mon ami, le grand sorcier.

Bernard le Noir et le sorcier s'étaient pris affectueusement dans les bras. De même couleur, ils ne risquaient pas de déteindre l'un sur l'autre.

— Il est notre maître à tous, commentait Bernard, notre modèle, hein! Camarad'! Notre grand chef Noir!

---

1. Pudding.

137

Effectivement on voyait qu'il avait inspiré aux Noirs leur tenue. Lui, le sorcier, portait de hautes plumes d'autruche ostentatoires, un pagne et un plastron en léopard grossièrement imité, de fausses scarifications vertes et blanches sur fond noir :

— I' faut du doigté pour pa'veni' à de telles p'ouesses en peintu' sur soi, expliqua Bernard.

Un Russe d'opérette fit son entrée. Le sorcier quitta aussitôt les bras de Bernard pour ceux de la Bavaroise et ils unirent leur voix pour entonner sur l'air de « Kaline, kakaline, kakaline ka maya » :

— Gâmine, ma gâmine, ma gâmine, elle est pas là !

Et ça reprenait en chœur.

Pour les couplets suivants, il extirpa de son plastron de fourrure un carnet de chant. Miss Prout les avait rejoints. Le concert débutait. Miss Prout était croquignolesque. Elle portait perruque blonde, robe princesse chatoyante et rose buvard avec bandeau en diagonale, blanc et inscription argent « Miss Prout », un maquillage Barbie bleu-rose et faux cils. Les rides et les bedaines de Miss Prout et de la Bavaroise signalaient la retraite débridée et dénonçaient les joyeux fêtards.

Un nouveau Noir se pointa, saluant l'un d'eux d'un formidable :

— Comment va ton chien ?

L'autre lui répondit d'ailleurs en détail. Le nouvel arrivant se tourna ensuite vers Nemours.

— Tiens çui-là, on dirait Philippe, tu trouves pas ? Évidemment, on sait qu'c'est pas lui, mais ça l'fait, hein !

Nemours fut à nouveau intrigué, encore ce Philippe !

— Qui est ce Philippe ? Vous le connaissez, Claire ?

— Oui, de vue. Un type, un peu plus âgé que vous, mais un clone quand même.

— C'est troublant.

— Oh, on a tous un sosie dans le monde, non ?

Une fanfare déboula. Le souffle des trompettes, la puissance des tambours et les stridences des fifres coagulèrent la foule. Qui repartit dix minutes plus tard, comme elle était venue, les embouts de trompettes en bouche et les tambours en roulement.

— Tiens, reprends du potch' vleesch!

Un délice qui semblait être la spécialité de Claire, une terrine de veau, lapin, poulet en gelée. Une tranche de plus et Nemours étoufferait.

Il fallait quitter la chaleur de la maison d'Antoine, si on voulait assister au lancer « d'harengs » et au rigodon final.

Certains, lourds de potch't-bière, parvinrent à s'extirper des fauteuils, soulevés par les clameurs de la Bande.

D'autres restaient béatement attablés devant leur podingue et quelques-uns beuglaient sur les airs du carnaval.

Un Noir lança:

— Maint'nant qu'on est en 'tit comité, j'vous la montre.

Nemours s'inquiéta de l'ambiguïté de la remarque.

Puis il sortit de sous sa chaise une bouteille de champagne de grande marque.

— C'est du bon!

C'était vrai que le champagne était « tonitruant », suivant l'appréciation d'Agathe.

— Bon, i' faut que j'y vais! annonça Claire, dans une « pure » syntaxe dunkerquoise.

Antoine salua Nemours d'un « J'ai du neuf pour notre affaire. Très étrange. À bientôt », qui piqua sa curiosité.

Dehors, dès les premiers cent mètres, la plupart des masques amis s'égaillèrent dans la nature, dispersés parmi la foule. Nemours avait perdu la Bavaroise et Miss Prout. Le sorcier avait tout de suite semé tout le monde. Il semblait s'être si vite évanoui que l'on avait compris qu'il faisait plutôt chapelle ailleurs.

Claire, Nemours et Agathe, cette fois en Carmen, tentaient de retrouver les carnavaleux, tout en chantant: « Est-ce que t'as pas vu la Bande? » Agathe faisait une drôle de Carmen en perruque noire à gros peigne rouge, créoles aux oreilles, mais en jean, redoutant le froid. Craignant maintenant d'avoir trop chaud, elle voulait s'en débarrasser.

— De toute façon, lui dit Nemours, si tu laisses ton jean et ton blouson, qu'est-ce qu'il te restera de Carmen ?

Tandis que les deux autres l'attendaient, elle s'assit sur un muret, sortit du sac à dos qu'elle avait eu la précaution d'emporter – pour une fois organisée et fière de l'être – une jupe rouge à pois noirs et à volants qu'elle enfila. Puis, à demi assise, se tortillant, elle retira son pantalon serré. Un Ma tante qui passait lui lança :

— T'déshabille pas, j'ai pas le temps !

Ce qui égaya la petite troupe.

Agathe repartit, le jean dans son sac, crochant le bras de Claire et de Nemours. Ils s'enfoncèrent ensemble dans une mêlée, happés par la chaleur d'un groupe. Puis s'en détachèrent. Il fallait rejoindre la place de la mairie. C'était l'heure des harengs.

Elle marchait à grands pas, les mains bien enfoncées dans les poches de son blouson. C'est alors qu'elle trébucha puis tomba lourdement, les mains piégées.

Nemours et Claire la relevèrent, le genou en capilotade.

Un grand gaillard à forte poitrine turgescente sous une blouse siglée Croix-Rouge, coiffe blanche sur une perruque à stricte coupe au carré, s'approcha et d'autorité agrippa Agathe sous les aisselles, écartant Claire : « Laissez, madame, c'est mon travail ! », comme s'il était vraiment infirmière.

Bordée dans son lit et gavée d'antalgiques, Nemours et Claire l'abandonnèrent avec quelques scrupules.

Une foule dense et colorée les attendait, semblait-il, sur la place. Le jet d'harengs du balcon de la mairie avait débuté. Quelques gros homards en plastique et des sachets de cellophane contenant des petits harengs tournoyaient dans les airs tandis que des grappes de masques tendaient les bras et se bousculaient ; d'autres déchiquetaient à pleines dents les harengs attrapés. Ceux qui tenaient un homard savaient qu'ils n'auraient qu'à passer le lundi chez le poissonnier pour toucher leur lot en chair et en pinces. Claire, en habituée du carnaval, se rappelait les temps anciens, où le sol était glissant de harengs frais et gluants et, élections municipales obligent, où des slogans promettaient formellement « Prieur du clipper / Duvard du homard ». Duvard avait été élu...

Tout le monde se remit en route. L'orchestre en ciré jaune, puis le grand Cô' Schlock et sa cantinière, l'immuable Marylin, les premières lignes de grands, de gros et de costauds, parsemées de gabarits crevette mais nerveux et décidés à tenir comme les autres la Bande qui poussait férocement.

Placé au rang suivant, tête levée, Nemours, même avec sa haute taille, ne voyait plus de la rue que le haut des immeubles, que les enseignes des boutiques.

Ces milliers de masques diffusaient beaucoup de chaleur aux deux sens du terme. Et Nemours transpirait de la sueur des autres, celle du grand corps dunkerquois.

Et sur les trottoirs, des badauds portaient leurs enfants sur les épaules pour qu'ils voient mieux et pour les protéger de la bousculade. Beaucoup chantaient avec la Bande, à son passage, dans l'exaltation. Le regard parfois extatique. Parmi les spectateurs, Nemours fut touché par une femme à la lourde soixantaine. Elle souriait les larmes aux yeux, manifestement envahie par les souvenirs.

Collé à Claire, au deuxième rang, enfin dans le vif du sujet, il comprit mieux la difficulté des choses. Écrasé, écrasant, portant et porté, ne percevant plus précisément les frontières de son corps parmi cet amas, ce n'était plus lui mais lui avec le groupe qui sautait à pieds joints à « Ah! Qu'ils sont bons quand ils sont cuits les macaronis », une réclame de 1930.

Un carnavaleux hilare, devant le premier rang, tourné en sens inverse dans l'espace protégé par l'immunité orchestre-tambour-major, lui chatouilla le nez avec son plumeau aromatisé au hareng-saur, décrétant haut et fort « Channel numéro cinqueuh ». Son calambour appuyé par sa prononciation à l'anglaise de Channel.

On discernait le « métier » de Claire. Nemours se sentait à l'aise à ses côtés. Elle tenait bien la poussée, d'autant qu'il valait mieux n'être que deux ou trois et rester groupés. C'est pourquoi Claire avait laissé partir les autres clownes Blanches, au fond ravie d'initier « l'gâmin ». Un certain silence régnait au milieu de la bande. C'était si laborieux de marcher sans tomber, de contenir la poussée, que personne ne chantait plus. On entendait juste quelques rigolades fuser par-ci par-là, calmes et décalées : « Ça vaut le sauna » ou « Jamais eu aussi chaud depuis l'été dernier » ou encore « Si on trouve un chapeau haut de forme, c'est le mien ».

Claire riait ; elle venait d'être pelotée d'une façon qui l'amusait. Surgie de la foule indistincte et compacte une main avait juste pincé son bourrelet abdominal. « Je vieillis ! Avant c'était l'têtche ! »

Vers 18 heures, derrière le beffroi, Cô Schlock fit sonner l'entracte d'une vingtaine de minutes avant le rigodon, le final qui se jouerait sur la place Jean Bart. L'acmé de l'exercice.

Claire et Nemours se retrouvèrent une bière à la main devant le bar du *Leughenaer* en compagnie de quelques autres. Le grand sorcier enfin sorti de ses chapelles n'était pas loin, flanqué de ses acolytes, Miss Prout et la Bavaroise.

Cô Schlock était congratulé et saluait les vieux camarades, pas vus depuis l'année précédente, alors même qu'ils habitaient tous l'agglomération.

Une fille s'approcha de Claire, l'embrassant à grands gestes. Claire glissa à l'oreille de Nemours : « Impossible de la reconnaître. Celle-là c'est une vraie ! » Cette fidèle du carnaval avait l'air si à l'aise. Son costume était à la pointe de la mode carnavalesque : veston noir, sous-verre en tissu de zinc de pub anglais cousu au dos, hautes chaussettes de laine, grosses chaussures de marche et kilt écossais rouge, qu'elle ne manquait pas de vanter : « Écossez-le vous-même. » Son chapeau scintillant, issu du recyclage d'un arbre de Noël, une grosse boule au sommet de guirlandes rouges et argent, « Ça fait la blague, hein ? J'chuis brillante, non ? Si je perds la boule, tu m'le diras ? » « T'inquiète. C'est fait ! » lui répondit quelqu'un.

Son visage d'un côté vert de l'autre rouge (tricot vert, bassine rouge : vert pour tribord et rouge pour bâbord ?) et d'un coup d'un seul elle embrassa Nemours à pleines dents.

— Alo' gâmin ! On découvre la vie ?

Au signal de Cô Schlock, la Bande se dirigea vers la place Jean Bart. La « vraie Dunkerquoise » entama avec eux le rigodon.

Chacun semblait connaître son rôle pour ce dernier acte. La fanfare suivie d'une petite noria pénétra dans le kiosque central et l'énorme reste de la troupe se mit à tourner autour.

Pendant une heure, jusqu'à la nuit noire, Nemours eut un sentiment d'apothéose. L'apothéose de l'énergie, l'apothéose des chahuts, des voix, des cuivres et des tambours. Le rigodon, c'était l'apothéose de l'apothéose. Sous la baguette de Cô Schlock les chants s'enchaînaient dans un ordre habile, ceux qui énervent – beaucoup – et ceux qui calment – un peu. La bousculade était à son comble, telle que les masques femelles avaient pratiquement disparu de la mêlée. À elles, on ne la faisait plus. Les habitués trop chenus s'étaient eux aussi presque tous évaporés.

Un phénomène l'étonna : un nuage de condensation flottait au-dessus des premiers rangs tant le froid était sévère et la chaleur élevée à l'intérieur de ce conglomérat de pieds, de jambes et de bustes mêlés à ne plus savoir quels abattis appartenaient à qui. Ce nuage empêchait d'identifier quiconque à un mètre puis avec le vent se rabattait sur le kiosque et la fanfare.

La Dunkerquoise se hissa sur les épaules de Nemours surpris et meugla à tout va l'hymne à Jean Bart. L'ensemble agenouillé se releva bras tendus vers la statue du héros. Sonna, claqua et vibra le final du rigodon.

Deux grimés s'embrassèrent tendrement, mêlant leurs couleurs.

Claire et Nemours, finalement lâchés par la Dunkerquoise, se dirigèrent un peu abasourdis vers la maison d'Antoine. La chapelle se poursuivait. Il restait du potch' Vlesch, du bon vin et de la bière à volonté.

C'était assez rigolo, pour Nemours, d'observer les carnavaleux défaits, le maquillage détrempé, les jambes flageolantes, mais toujours enfiévrés.

Un Noir entra derrière eux, plutôt titubant, que Nemours reconnut à son « Comment va ton chien ? », cependant plus pâteux que quelques heures auparavant, adressé à un Zorro qui répondit le plus sérieusement du monde :

— Et pourquoi jamais de nouvelles d'humains ?

Le Noir se redressa le mieux possible.

— J'chuis vétérinaire, ti'frê' !

Ce type semblait estourbi.

— J'chuis bien ennuyé, j'ai pas pris ma voiture et je voulais rentrer en taxi, mais y' a plus de taxi… Ça t'embête, Antoine, si j'reste, j'chuis dans le pâté. D'abord i' faut que je mange un peu et que je boive. De l'eau.

Ils lui proposèrent de le reconduire chez lui, mais il ne voulait pas les déranger ; il habitait loin, à une vingtaine de kilomètres.

Il se requinqua si bien qu'il décida illico de repartir au bal des Acharnés qui suivait toujours la Bande de Dunkerque. Chacun admira son énergie ? Sa dinguerie ? Juste avant de s'éclipser, il chuchota, en visant avec la maladresse des imprégnés l'oreille de Nemours :

— Tu te demandes pas pourquoi tu ressembles tant à ce Philippe ? Y'a Bernard ou Antoine qui pourraient te le dire…

Cette remarque incongrue laissa Nemours sans voix. Il savait quoi lui ? L'homme était reparti « s'acharner » dans la nuit avant que Nemours ait pu l'interroger.

Claire, un peu assoupie, était assise à côté de lui, tout contre lui, ce qui donna à Nemours une idée.

— Vous vivez seule ?

— Tu dois me tutoyer, surtout au carnaval. Mon mari est resté à Paris. Tu sais, il n'a pas une passion pour tout ça, et puis, il n'est pas de la région...

C'est en sortant, embrassé bien près des lèvres, qu'il comprit mieux ce qu'elle semblait avoir en tête.

15.

Pierre Blondeel s'était établi dans sa nouvelle vie islandaise. Il avait donc « posé sac à terre » et échangé gîte et couvert contre la force de ses bras, prêtés d'abord au prêtre de la Maison des Œuvres de mer puis aux Jorgenson. L'Islande lui permettait d'échapper à un passé envahi de morts et de se projeter dans un avenir ouvert. Mais, paradoxalement, la solitude de l'étranger et de la langue, loin d'être encore apprivoisée, le replongeait aussi dans ses deuils. Comment aurait-il pu oublier si vite la mort de sa mère, celle de son cousin et de tout l'équipage de la *Louise-et-Gabrielle*?

Pourtant Soley était là, à ses côtés, dans toute sa beauté et sa douceur, toujours. Présente, mais loin, juste à quelques centimètres lors de leurs mutuelles leçons d'islandais et de français, à quelques décimètres pendant les repas avec le père, à quelques mètres le soir lorsqu'ils lisaient dans la même pièce, ou à quelques dizaines de mètres dans la journée, quand ils travaillaient, et la nuit, dormant dans deux chambres séparées par un étage. Une distance, un respect fraternel s'étaient installés entre eux. C'est elle qui avait instauré ce *modus vivendi* dès le début – qui d'autre? Elle

146

n'avait pas oublié leur étreinte de mai. Ils s'embrassaient chastement et avec une intensité invisible pour se séparer la nuit. Une rapide caresse dans le cou, une tape sur l'épaule ou un sourire chaleureux, un baiser aimant, c'était tout.

Il s'était conformé à ses règles. Étonné tout d'abord comme un passage obligé mais point désagréable et présentant des plaisirs. Que s'était-il passé? Qui l'avait éloignée? S'était-il même passé quelque chose? Peut-être est-ce ainsi que cela devait être. Il le vivait sans frustration, puisqu'il la voyait. Un exercice de patience et d'amour. Lui qui avait osé lui dire qu'il l'aimait – d'accord, en français –, lui qui avait paru si audacieux, n'osait plus rien. De peur de la choquer et de la faire fuir. Sans doute parce qu'elle était simplement là, à portée de vue, dans sa splendeur rassurante. Aussi peut-être lui-même ne cherchait-il pas au fond à rompre son profond repli, son besoin de solitude, de reconquête de lui-même.

Ils aimaient particulièrement leurs leçons d'après le repas du soir, penchés sur une grammaire et un glossaire de 1860, d'une vie antérieure française d'un voisin, à rire de leur prononciation souvent mutuellement ridicule.

Les repas étaient le plus souvent pris à trois, sauf le dimanche, où quelques proches étaient invités, et une fois au moins dans la semaine, le voisin, de vingt-trois, vingt-quatre ans, qui les aidait dans les plus lourds travaux de restauration de la charpente de la maison. Le prénommé Osgurn, prénom rêche pour un physique abrupt, était un monumental blond costaud à tête de tomate, aux joues et au nez couperosés. Une tête de paysan islandais moins gâté par la nature que ses congénères. Pierre n'éprouvait pas de jalousie à son encontre. En tout cas il le pensait de bonne foi. Et aussi qu'il était une des rares personnes antipathiques à graviter autour des Jorgenson, peut-être même la seule... Comment Soley aurait-elle pu s'intéresser à ce gros bovidé? La seule explication tenait sans doute dans l'isolement de cette région d'Islande. Il existait pourtant, cet Os-quelquechose, dont elle ne s'approchait jamais physiquement, sauf pour les salutations d'arrivée ou de départ.

Le carnaval des vents d'Islande

Les soirées avec les Jorgenson étaient courtes – on se couchait bien sûr tôt – mais extrêmement apaisantes. Près d'un feu de tourbe, ils lisaient tranquillement ; Pierre des livres français, eux des journaux ou des livres islandais. Les Islandais étaient tous de grands lecteurs. Chaque foyer possédait une Bible, des livres même copiés ; ils se les prêtaient, ils se les empruntaient. De vieilles sagas (Pierre, tout seul et pas peu fier d'y être parvenu, en avait déchiffré les titres) que Soley traduisait avec lui, surtout *la saga de Gudridur*. Il s'agissait de l'histoire d'une Islandaise partie en l'an 1005, vers le Vinland, un pays nouvellement découvert, en fait l'actuelle Amérique. Après y avoir mis au monde un fils, elle revient dans son île. Gudridur raconte les péripéties du voyage et relate ainsi la vie des Vikings, puis repart, vers Rome cette fois, pour rencontrer le pape.

Cette Gudridur, lui expliqua Soley, est présente aussi dans la saga d'Erik le Rouge et dans celle des Groenlandais.

Ils lisaient également des romans français, dans lesquels elle apprenait la langue, et rappelait aussi à Pierre son enfance d'avaleur de livres ; Dumas, Maupassant, Victor Hugo et les fascinants poètes maudits, les Baudelaire et Verlaine… Pierre s'était d'ailleurs remis à dévorer Victor Hugo, dans le gros livre vert des Jorgenson, bien usé, hérité du voisin francophile. *Les Misérables*, qu'il n'avait encore jamais lu, l'enchantait par sa lenteur si semblable à ces jours pleins de nuits. La bibliothèque du voisin était une mine de pépites.

À l'école, on avait fait lire à Pierre *Hans d'Islande*, bien évidemment *Notre-Dame de Paris*, également *L'Art d'être grand-père* et *La Légende des siècles*, débités à longueur de strophes pour lui exercer la mémoire. Il lui restait aussi par cœur et dans la tête quelques poèmes qui le soutenaient aujourd'hui et qu'il avait récités un soir, d'une voix douce, peu sûr d'être compris, mais convaincu d'être écouté. « *Demain dès l'aube, à l'heure où blanchit la campagne…* » Ces vers que, quelquefois, dans la lande littorale, seul il se déclamait en silence, au cœur de la mystérieuse Islande, pour se redonner du courage, pour s'injecter aussi un peu de France.

148

C'était un extraordinaire soutien à l'action sans pensée que le climat de ce pays forçant à ne jamais s'arrêter. Après avoir retapé les locaux des Œuvres de mer, il s'attaquait maintenant à l'entretien de la grange attenante à la ferme des Jorgenson. Sa charpente menaçait de s'effondrer. Et le logement hivernal des petits chevaux urgeait. Il travaillait en compagnie de M. Jorgenson, et toujours avec lui – c'est aussi ce qui plaisait à Pierre –, même si le silence était la façon de s'exprimer de cet Islandais à la si noble prestance et aux mains si solides, si rudes. Il régnait entre eux une relation de confiance. Sans raison, se disait Pierre, car après tout ils se connaissaient depuis peu. Pierre d'ailleurs s'était plutôt imposé, après des mois d'approche il est vrai, mais finalement la famille Jorgenson ne savait rien de lui.

Tous deux avaient déjà changé une partie de la charpente – ce qui n'avait pas été le plus simple ni le moins risqué. Les travaux se passaient en hauteur et demandaient parfois la force d'au moins deux hommes, aidés de leviers intelligemment placés. Un filet de protection prêté par un homme du village voisin avait été tendu sous la zone des travaux et était déplacé au fur et à mesure. Nul doute que cette île aux ressources limitées, pour peu qu'elle soit aussi bien structurée que ce Jorgenson et ses semblables, deviendrait prospère, tant il est avéré qu'un pays n'est riche que parce qu'il est organisé et non le contraire.

Par la suite, ils avaient prévu de s'attaquer à l'intérieur de la ferme elle-même. Ce genre de réparations était parfait pour l'hiver. Il y avait deux chambres dans les combles – dont la sienne –, aux planchers de bois, aux murs et aux plafonds entièrement lambrissés de lames de pin, qui méritaient depuis des lustres d'être restaurées tant elles étaient sombres et noires de la suie des fumées des cheminées. Il allait falloir raboter, poncer, vernir.

L'activité physique lui procurait une saine fatigue. Il s'y jetait même à corps perdu, tant son dos lui faisait mal, certains jours.

Pourtant dès qu'il s'arrêtait et se retrouvait seul, il se sentait flotter, comme s'il se déplaçait dans un nuage. Le décor du jour entièrement blanc, moelleux et moutonneux s'y prêtait. Sa vie suivait un cours insolite. Et surtout, s'il y réfléchissait, rien n'avançait entre Soley et lui, aussi parce que ce fichu Osgurn le tétanisait : peu importait qui il était, sa personnalité. Il était islandais, lui, il parlait islandais, lui. Répondre à côté l'agaçait. À « Hvad er Klukkan ? », donner l'heure alors qu'on lui demandait de l'eau ou servir de l'eau quand on lui réclamait un plat, ne rien saisir du tout de ce qui se disait à la sortie de l'office du dimanche, même pas l'essence de quoi que ce soit, cela vexait Pierre à la longue, même si les rires ostentatoires lui étaient épargnés. Ne pas comprendre, pour lui qui se savait vif, était aussi frustrant que devenir sourd et muet. Et surtout, cette difficulté ne servait pas sa confiance en son pouvoir de séduction.

Il attendait, pour s'avancer auprès de Soley, des circonstances favorables mais les circonstances ne se présentaient jamais.

Quelquefois le soir ou quand le temps était mauvais l'après-midi, pour varier ses plaisirs, Soley filait la laine de leurs moutons sur une antique quenouille, la séchait aux vapeurs d'eau chaude. Une opération qu'il n'avait jamais vue dans son Nord sans mouton. Ensuite elle tricotait des pulls sans couture en jacquard, des *lopi*, des gants et des chaussettes en point jersey ou torsadés, dans les couleurs des moutons, du crème au marron foncé, en passant de l'ivoire au grège. C'était réussi. Il le lui disait en islandais. Elle appréciait. Parfois elle riait à une blague peaufinée pour être comprise.

Il se lança aussi dans la cuisine. Dans les recettes de sa mère plus précisément. Petit, il adorait faire les crêpes avec elle ou le pain ferré, qu'elle appelait aussi « pain perdu » comme dans le Nord, et, plus compliqué, la milanaise. Une merveille dont la recette devait remonter – au moins – aux origines de sa lignée. Il fallait de la farine, du beurre, des œufs, du sucre. Ingrédients que l'on trouvait dans la réserve des Jorgenson. On réalisait un début de sauce blanche, avec trois cuillères de farine et une cuillère de beurre, auquel on ajoutait du lait, tout doucement, exactement un demi-litre, puis quinze cuillères de sucre puis, avec une attention maniaque, on remuait un quart d'heure sur le feu, pas plus, puis quatre jaunes d'œufs mélangés et les blancs en neige montés fermes à la main, le tout versé dans un plat préalablement caramélisé puis placé au four au bain-marie. Le gâteau gonflait légèrement durant une demi-heure à peu près, jusqu'à ce que le couteau planté dans la masse en ressorte sec. C'était un délice qui avait surpris les Jorgenson, et leur surprise avait étonné Pierre. À dire vrai, le régime islandais était sans fantaisie, sans variété, pauvre de la pauvreté du pays et de son climat. Un régime quasi tout poisson, conservé en saumure, fumé, séché, salé, dessalé, mais en saison frais et bouilli, églefin, loup, flétan, bien sûr cabillaud et truite et saumon. Aussi des œufs, des laitages, du beurre, du fromage au lait de brebis surtout, le skyr – prononcé comme on éternue Stir – omniprésent, du pain à la farine de blé importée, comme toutes les céréales. Peu de viande fraîche, de mouton surtout. Il fallait la saler. Il craignait le scorbut mais les réserves des Jorgenson contenaient des conserves de condiments qui l'éviteraient et toujours le lichen des montagnes, cette sorte d'algue bouillie dans du lait, leur servait de légume de base, avec les pommes de terre. La manière d'accommoder les ingrédients était sûrement moins imaginative que dans son Nord. Et cela lui manquait.

Il se surpassait en cuisine, surtout le dimanche, jour de la viande. Mais les produits habituels de sa région étaient impossibles à trouver ici. Certes il y avait des vaches mais pas de carottes, certes il y avait des veaux mais pas de champignons ni de haricots verts, des poules, mais peu. C'est le mouton qui abondait. Dans cette maison où le poisson était roi, il leur mitonna du poulet en aiguillettes avec de la crème fraîche de vaches des parents d'Osgurn, accompagné d'un gratin dauphinois avec un ersatz de gruyère.

Soley lui sembla reconnaissante de l'aider à entretenir la maison. Lui se disait qu'il fallait qu'il tente quelque chose d'autre pour lui plaire et passer au niveau supérieur. Mais il se trouvait dans une situation compliquée. Peu d'argent pour se faire beau et peu de possibilités dans ce hameau, pas non plus de moyens matériels, trop retiré de tout. La ville la plus proche, Akureyri, « riche » de dix mille habitants, était perdue au fond du fjord Eyjafjödur, à environ deux cents kilomètres au nord de chez eux. Et quelle expédition pour s'y rendre !

Il se sentait mal habillé dans des vêtements que les uns, les autres et les Œuvres de mer lui avaient procurés. Il brossait régulièrement ses deux pantalons et sa vareuse bleue et lavait lui-même soigneusement ses deux pulls, ses chemises et ses sous-vêtements. Jamais il n'aurait accepté que ce soit Soley qui le fasse. En tant que marin, cet exercice lui était coutumier.

Parfois, à cause de ses cheveux de plus en plus longs, sa barbe mal rasée, il se sentait sale et misérable. Le moyen de se lancer auprès de Soley ? Une idée lui vint alors : et s'il lui demandait de lui couper les cheveux ? Il l'avait d'ailleurs vue le faire à son père. Elle accueillit la demande avec un rire de gorge des plus séduisants mais lui répondit en français, par un énigmatique :

— Dimanche, je te montre.

Le dimanche, il les accompagna, comme tous les dimanches, à l'office luthérien qui réunissait le village de Faskrud. Et là sur la route, elle lui désigna la maison de la coiffeuse du village, mi-bénévole, mi-professionnelle. Il en fut surpris, presque choqué. Était-ce une manœuvre dilatoire ou une façon de lui dire qu'elle le trouvait grossier et trop entreprenant ? Il se rendit dans la semaine chez la dame, par ailleurs charmante, toute dodue et très avenante. Elle lui fit une coupe si courte qu'il n'aurait pas à y revenir avant six mois. Soley lui sauta au cou en lui passant les mains dans ce qui lui restait de cheveux. C'était la première fois qu'elle le touchait, qu'elle l'embrassait ainsi. Pour se faire pardonner ?

La restauration des chambres du haut était pratiquement finie. L'effet était très réussi. De plus, les pièces étaient chaudes parce que bien isolées avec la laine de mouton, glissée derrière les lattes de bois. Les maisons, blotties derrière des collines de tourbe et de mousse, résistaient bien à des températures d'hiver qui pouvaient descendre jusqu'à moins vingt. Le chaud Gulf Stream calmait les excès continentaux.

C'était du beau travail dont les deux hommes étaient fiers. Restaient à remplacer les rideaux, les courtes-pointes, opération que Soley se réservait.

Dehors les aubes malades de janvier se levaient avec peine au milieu du jour.

Les jours flottaient, dans la nuit presque perpétuelle, comme la lumière des quelques heures claires de l'après-midi. Pierre flottait à côté de ces gens stables, plantés dans leur vie, dans leur monde.

On était en février quand soudain, coup de théâtre, M. Jorgenson, de retour de chez le sysselman, le collecteur des informations de l'extérieur, lui annonça que le dundee *Fernand* cherchait un marin, l'un des leurs s'étant cassé une jambe lors du chavirage du bateau. L'homme et le bateau étaient en réparation, l'un à l'hôpital de la capitale, et l'autre au bassin de radoub.

Pierre accepta la proposition. Rendez-vous fut pris par télégraphe pour la deuxième semaine de mars, à Reykjavik. Le temps qu'il faudrait pour réparer le *Fernand*.

Il s'apprêta à partir. Les Jorgenson décidèrent d'en profiter pour l'accompagner à la capitale. Pierre n'aurait pas réussi à dire si c'était par amitié ou par convenance ou pour rompre la monotonie de leurs jours. Des vacances en quelque sorte. Osgurn, bien sûr, s'engagea à s'occuper des bêtes, poneys et moutons.

Le jour du départ, son paquetage était prêt. Il avait huilé ses cirés, pantalon et veste, et ses hautes bottes de cuir. Soley lui réservait une surprise : un gros chandail en jacquard et aussi des chaussettes si épaisses et si moelleuses qu'on en percevait la chaleur au seul regard. Elle les lui offrit en citant le dicton islandais : « Il n'y a pas de mauvais temps, que de mauvais vêtements. » Le père Jorgenson lui versa ce que, selon leur accord, il lui devait et lui prêta très amicalement une veste, un bonnet, des moufles et des bottes en peaux de mouton, pour le voyage. Ainsi harnaché comme une tribu d'esquimaux, tout le monde fut prêt dès potron-minet. L'excitation du voyage les avait tous gagnés, avait envahi leurs regards et leurs jambes. Il était temps de partir. Dans la longue nuit du matin, le vent de la veille s'était éteint. Ils sellèrent quatre solides petits chevaux – le quatrième porterait leurs bagages –, et s'éloignèrent pour une aventure d'au moins douze jours. Il fallait parcourir plus de quatre cents kilomètres pour joindre Reykjavik. Jorgenson y vaquerait à ses affaires, Soley chinerait pour trouver des tableautins à accrocher dans les chambres, et des tissus pour confectionner des dessus-de-lit. Elle en profiterait pour vendre sa production de tricots.

L'affrontement fréquent de l'air sec du Groenland et du Pôle et le front d'air tiède et humide d'origine tropicale produisaient des changements soudains de temps et de température. Un autre proverbe islandais disait « Si tu n'es pas content du temps, attends cinq minutes ». Les températures pouvaient varier d'une quinzaine de degrés en quelques heures.

Leur route suivit les contours des fjords de l'est. Ils s'arrêtèrent pour la nuit chez des amis, à Djupavogur, petit port de pêche coloré, tapi au fond du Berufjördur. Ces rencontres avec des inconnus l'enchantèrent. Depuis un mois son islandais avait franchi crescendo toutes les étapes jusqu'à la compréhension courante. Enfin.

Ils repartirent et traversèrent de nombreuses langues de glace crachées par le Vatnajökull, le plus grand glacier d'Europe. De temps en temps ils rencontraient des animaux, aussi mythiques que des chimères pour Pierre. De petits loups polaires, à la fourrure épaisse et grise, et aussi une fois, et heureusement de loin, un ours blanc. Soley ou son père évoquaient la présence magique des trolls, des elfes et des revenants. Une présence peu bienveillante. Ils évitèrent en contournant largement un drôle de rocher d'environ trois mètres de haut, en forme de petit pain planté à la verticale, comme un menhir breton. D'après eux, c'était la demeure d'elfes. Une écurie voisine était abandonnée. Le fermier, une connaissance des Jorgenson, s'était plaint, dès les premiers mois de sa construction, d'accidents étranges et de maladies anormalement nombreuses sur les bêtes et l'avait vite évacuée.

Un paysage vide parsemé de constructions en bois, comme des maisons de poupée, rouge, blanc, vert, ou de buttes de tourbes et de pierre aux façades de bois trouées de porte et fenêtres, et parfois de chapelles toutes pointues.

Kolben Jorgenson avait relaté à Pierre le drame de l'éruption du volcan Laki qui, en 1783, avait décimé hommes et troupeaux par ses émanations toxiques et une coulée de lave de plus de cinquante kilomètres de long. Comment oublier qu'un tiers de la population avait alors disparu? À quand le prochain réveil? Et lequel? Hekla, Öræfajökull, Vatnajökull, Grímsvötn, Kverkfjöll ou le petit Eyjafjallajökull dit Eyjafjöll, qui était entré en éruption au début du siècle, en 1820 précisément. Il avait grondé, craché et éructé de longs mois mais sans tuer. Leur nombre pouvait faire craindre le pire dans les prochaines décennies. Sur les îles Wetsmann, l'Eldfell menaçait. Entre le 63°-64°de latitude Nord et 20°-21° de longitude Ouest, cela s'agitait bien sous la terre. En contrepartie, l'eau chaude naturelle de mieux en mieux captée apportait la chaleur dans les maisons.

De haltes à la nuit tombée chez l'habitant en longs parcours au rythme des trépidations des poneys, ils franchirent un désert de cendres, de grandes étendues de sable volcanique, les champs de lave coulée de l'Eldhraun, des plages de sable noir. Ils s'extasièrent devant les aiguilles rocheuses à Myrdal, les falaises sculptées en arches par l'océan Atlantique à Reynisfjall et Dirholaey, une large chute d'eau en rideau, la cataracte Skogafoss, à Skogar. Ils firent des crochets pour visiter aussi les gorges de la rivière Hvita, la spectaculaire chute d'eau de Gullfoss, appelée « la chute d'or », puis la vallée des sources chaudes à Haukadalur et le champ de geysers de Geysir, avec le curieux et ponctuel geyser Strokkur qui jaillit tous les quarts d'heure. Jorgenson tint tout particulièrement à montrer à Soley et à Pierre à Thingvellir le site de l'Althing, le premier parlement du Moyen Âge occidental. Il projetait de lui montrer, à Reykjavik, le nouveau bâtiment en pierre de lave noire, construit en 1881. Mais l'Islande depuis longtemps dépendait du Danemark et ne rêvait que d'indépendance.

Les deux Jorgenson semblaient particulièrement réjouis depuis quelques kilomètres. Complices et mystérieux, ils tressautaient sur leurs poneys avec allégresse, intriguant Pierre. Le trio s'acheminait vers un agglomérat de tumulus de terre à portes et fenêtres et de maisonnettes en bois et tôle ondulée. Les petites maisons serrées comme les troupeaux de leurs petits chevaux l'hiver. Ils s'arrêtèrent devant une maison de nains, un triangle à toit herbeux rejoignant de chaque côté la prairie, toute ramassée au centre d'autres tas de terre géants. Des rideaux se soulevèrent et un petit couple d'Islandais sortit comme poussé en rafale par un joyeux vent intérieur. Des mots d'accueil gutturaux sortaient de leurs bouches en ronde et chants d'oiseaux.

L'accueil était chaleureux. La sœur aînée de Kolben Jorgenson était si contente de le voir, ainsi que sa nièce. Son beau-frère aussi manifesta aux deux Jorgenson son plaisir. La présence de Pierre ne les surprenait pas ; ils avaient dû être prévenus. Sur leurs doubles visages ridés, des sourires relevaient le rideau de leurs paupières tombées et de leurs vieilles joues. Des patères appelaient leurs lourds vêtements mouillés, un bon repas les attendait, une grosse omelette et des pommes de terres sautées grésillaient sur la cuisinière, un feu de tourbe flambait dans la minuscule cheminée. Des petits fauteuils bas leur tendaient leurs accoudoirs.

Pierre participait maintenant, sans trop de difficultés, à la conversation mais les nouvelles des uns et des autres lui échappaient. Le moment vint de s'installer dans les deux chambres délaissées par les enfants devenus adultes.

Dès que Pierre eut baissé la tête pour passer sous le chambranle bas et refermé la porte, Matti, l'oncle de Soley, frappa à la porte de Pierre. Il s'excusa de le déranger mais il avait à lui demander conseil et services. Pierre l'engagea à poursuivre, d'un regard bienveillant qui cacha son étonnement.

Quand le vieux Matti sortit de sa chambre, Pierre avait une mission secrète à remplir pour lui et, curieusement, cette requête lui livrait une clé. Il comprit mieux, ou crut comprendre, ce qui avait provoqué le sensible et brusque changement d'attitude de Soley à son égard.

Avant que l'obscurité ne tombe totalement, il put voir par sa fenêtre réduite, au loin, « une eau hyémale qui formait une cascade dont le dernier bond atteignait la mer ». Phrase sur laquelle il avait arrêté quelques jours plus tôt d'un marque-page sa lecture de chevet des *Mémoires d'outre-tombe* de Chateaubriand. Plus tard, c'est la lune qui fit scintiller d'argent la cascade. Il reprit sa lecture à la lumière d'une bougie. Il en sourit. En symbiose avec l'écrivain.

16.

Février 2011

— « Modifier le vécu psychique en améliorant votre territoire d'existence. » Houh ! Qu'est-ce que c'est que ces gugusseries !

— Tais-toi, je n'entends plus rien !

Agathe remonta le son de la radio.

— Je pars. Ne t'inquiète pas.

Nemours attrapa son manteau, salua Agathe et releva son courrier, qu'il ouvrit dans la rue.

Une enveloppe sans timbre et dont l'adresse se limitait à son nom l'intrigua. Son contenu le surprit plus encore : un gros Q majuscule et rouge. Rien d'autre. Une blague stupide. Sans doute un voisin. Il jeta le tout dans une poubelle perchée sur un poteau et n'y pensa plus.

Il se rendait chez Antoine et ce plaisir hebdomadaire l'emportait sur tout le reste.

Une ribambelle de petits nuages folâtres se poursuivaient jouant à cache-cache avec les derniers rayons du soleil.

Le rituel de ses rencontres avec le vieux monsieur se poursuivait, rassurant comme toutes les habitudes et délicieux parce que choisi. Il aurait pu boucler le thème. Il ne le faisait pas. Au contraire.

Et toujours le bon fauteuil, toujours le bon feu de bois, et encore le retour vers le passé.

Antoine ferma les yeux pour écouter son père à travers la voix de Nemours :

Un projet mûrissait déjà dans mon esprit depuis quelque temps. J'avais en gestation, dès 1927, la création d'une société d'armement et le projet de faire construire un bateau de Grande Pêche pour l'Islande.

J'étais pourtant dans mon élément à la SAGA, depuis la direction effective d'un service que j'avais monté, où le travail d'affréteur était varié, intéressant, nécessitant initiative et décision.

J'assurais la rotation de long-courriers, de cargos à vapeur, avec du fret régulier vers l'Angleterre, bois, charbon, ciment, ou vers la Suède et les bois du nord en retour. On utilisait des voiliers islandais au cabotage.

La vie sur le port présentait quelques joies. Parmi nos contremaîtres, Nèche Maes était un peu la tête de Turc. Il voulait apprendre à rouler à vélo et, pour s'entraîner, se rendait tôt le matin sur la plage de Malo, déserte à cette heure. Il était atteint d'un strabisme convergent. Cette anodine infirmité, quoiqu'inesthétique, n'avait pas d'influence sur l'acuité de la vision de Nèche et ne saurait expliquer l'incident suivant. Lancé à vitesse modérée sur la plage, ne voilà-t-il pas que notre Nèche aborde par l'arrière un brave curé, qui se promenait en lisant son bréviaire... et Nèche d'apostropher sa victime : « Ben alô frè', tu peux pas t'ni' ta d'oite! » Le curé se releva et aida charitablement Nèche à remonter en selle, car il lui était plus difficile de monter sur le vélo que d'en descendre.

Quand il fut assez sûr de ses capacités vélocipédiques, il se risqua à venir à vélo place Alfred Petyt où, pour l'occasion, les copains firent une haie d'honneur et l'applaudirent avec la chaleur que l'on réserve au gagnant à l'arrivée du Tour de France.

Circuler sur le port n'était pas sans risque. Me rendant un jour quai Freycinet IV, alors que l'on venait de terminer le déchargement d'un bateau, je n'eus que le temps de m'arrêter puis de reculer vivement. Des palanquées de bois étaient jetées par-dessus bord sur le quai. Puis je vis émerger la tête de Nèche, criant cette recommandation aussi impérative que tardive et inutile : « Veille en bas! » De vrais facétieux. Un docker qui passait près d'un tout jeune peintre lui lança « Ga'd gamin, t'as mis ta peinture à l'envers du côté qui brille! », appuyant sur le « briiiille ». Le barbouilleur se retourne sur son travail. Hop! Le docker lui subtilise son pot et son pinceau. Il le cherche encore...

Nemours s'interrompit pour mieux rire. Une vraie complicité s'était installée entre eux.

Il s'essuya les yeux et reprit :

Mon idée de changer de métier perdurait. Quand je décidai de me lancer dans la Grande Pêche, 25 ans après que mon père eut eu la même idée, je suis allé voir M. Chantelot à Fécamp qui nous avait construit le Fursy. Chantelot avait été mutilé par une blessure au cours de la guerre de 1914 et il s'accommodait tant bien que mal d'une jambe de bois. Ayant cessé de construire, il se morfondait dans une pesante inactivité. Tenaillé sans doute lui aussi par l'envie d'entreprendre – à nouveau –, il me confia que si je lui donnais la commande d'un dundee pour la pêche en Islande, il rouvrirait un chantier. Outre ma commande, je lui procurais celle d'un bateau de pêche fraîche pour l'armement Leprêtre de Grand-Fort-Philippe, ainsi qu'une vedette à moteur pour un ami architecte à Paris. Après avoir rappelé un ancien collaborateur, M. Lemaître, Chantelot associé à Lemaître démarra le Chantier Naval de Normandie, baptisé ainsi suivant mon conseil.

L'année suivante, Chantelot reçut une importante commande pour la marine nationale. Ce fut l'Étoile et l'année suivante son sister-ship, la Belle-Poule. Il me confia les avoir dessinées en adaptant le plan du Fursy. Ce qui fait que le fameux Fernand, *le dundee de 1903, existe encore un peu avec ses descendantes. Deux belles goélettes qui naviguent encore aujourd'hui.*

— Mais je les connais. Je les ai vues, quand j'étais petit, au mouillage à l'Aber'vrach! En 1987. Oui, elles sont impressionnantes. Nemours poursuivit.

Le Willy-Fursy, *solide dundee à moteur auxiliaire, appareilla finalement le 15 février 1929, pour la campagne d'Islande, avec la flottille gravelinoise. Le moteur auxiliaire qui, à partir de 1918, facilitait la manœuvre pour maintenir ou pour replacer le bateau au-dessus du banc de morue, ainsi que le stockage des morues en vrac dans la cale augmentèrent la productivité. C'est ainsi qu'avant 1914 quand un bateau revenait avec six cents tonnes, soit quatre-vingts à quatre-vingt-cinq mille morues, on pouvait considérer cette campagne de six mois comme très satisfaisante. Alors qu'après les années 1920, les bateaux en une demi-campagne rapportaient cinquante à soixante mille morues.*

Avant l'arrivée de la première pêche du Willy-Fursy, *j'avais décidé de transformer et de négocier moi-même le produit de la campagne. Il me fallait un magasin pour stocker la morue et un emplacement pour le lavage et le repacquage[1].*

Il fallait aussi un atelier de filetage et un bureau. Le filetage et la préparation des expéditions furent concentrés dans un seul magasin au milieu duquel étaient installés nos bureaux. Le tout construit sur un terrain appartenant à ma famille et situé derrière la maison familiale.

Entre-temps je devais constituer un réseau de vente, m'assurer du concours de représentants qualifiés afin d'établir un fichier de clients directs, des mandataires aux Halles, des groupements de détaillants, etc.

---

1. Repacquage : Stockage en fûts ou dans des citerneaux de la morue dans la saumure.

Le carnaval des vents d'Islande

On prétend que la chance sourit aux audacieux ; je crois que cela peut s'appliquer aussi aux inexpérimentés qui ne doutent de rien et qui foncent avec insouciance. Avant la campagne de vente, les collègues se réunissaient et cherchaient à se mettre d'accord sur les prix de vente aux clients. Le marché régional de la morue d'Islande était largement dominé par une société gravelinoise Grandpêche, qui groupait sept armateurs dont quatre Dunkerquois. La morue d'Islande se différenciait de celle de Terre-Neuve, pêchée aux lignes de fond, ou de la morue de chalutier. L'appellation « coupe droite » ou « dunkerquoise » servait en quelque sorte de marque de fabrique.

En cette année 1930, je sentis qu'il était possible de réaliser un groupement de négoce pour la vente en commun des produits de pêche des trois armateurs locaux : et ma société d'Armement à la Pêche Islandaise, la CAPI. Et je fondai la société de transformation du poisson La Morue Islandaise (L.A.M.I. en abrégé), le 6 juin 1931. Je décidai de créer aussi une nouvelle marque – après « fishsteak », comme marque principale, et les contremarques, « codlet » et « cabyo » – pour une boîte de filet de morue de cinq cents grammes, « Hekla », au dessin moderne, un soleil stylisé bien centré en deux couleurs. Elle n'a pas vieilli après plus de quarante ans de bons et loyaux services.

Pour le stockage j'allais pouvoir disposer, en plein centre de Gravelines, des deux mille mètres carrés des locaux de notre associé Maurice Torris. Bientôt j'y installai une sécherie. Le débouché existait en Martinique et en Guadeloupe et je fis mes premiers pas dans l'exportation. Le séchage du poisson, comme la salaison, est une très vieille industrie que la France a pratiquée régulièrement dans les temps anciens. Les pays du Nord séchaient à l'air libre, mais on a vite cherché à faire réaliser mécaniquement ces opérations de déshydratation.

La campagne de pêche de 1928 ayant été sans histoire et encouragé par de bons premiers résultats, je décidai d'acheter un second bateau. Je trouvai à Fécamp un trois-mâts terre-neuvas désarmé, le Solidarité, *prévu pour recevoir un moteur, et décidai de le transformer en dundee à moteur.*

Pour rapatrier de Fécamp à Gravelines le Solidarité, *qui allait devenir le* Victor-Émile, *j'avais choisi un petit équipage de deux Invalides de la marine bien « valides » et deux matelots plus jeunes, commandé par un vieux capitaine d'Islande, Pierre Coubel. Le départ était prévu pour le matin. La veille, le pilote avait conseillé de ne pas le différer car la météo annonçait du mauvais temps. Je décidai donc qu'on appareillerait la veille à la marée de neuf heures du soir. Le capitaine-armateur fécampois, qui avait vendu le bateau, accepta de nous accompagner et avec moi, l'équipage fut au complet. Sitôt hors des jetées de Fécamp, mon capitaine Coubel fit hisser toutes les voiles comme s'il s'agissait d'un voyage au long cours. Il avait pris la barre. Le capitaine fécampois s'était allongé sur une couchette du poste arrière. J'avais remarqué qu'il avait embarqué quelques victuailles dont deux bouteilles de Pernod ou de Calva, je ne sais. Il ne se réveilla que le lendemain matin.*

Pierre Coubel commandait la manœuvre en « gueulant », *comme il devait le faire lorsqu'il commandait en Islande. Nous n'étions que cinq pour border les voiles; il fallait s'aider du treuil à main. Pierre Coubel hurlait ses ordres, comme s'il fallait qu'on l'entende à travers la tempête. Bientôt toute la toile fut dehors, les grand-voiles, la trinquette et les focs. Il fit hisser les deux flèches et les deux huniers. Il était grisé comme peuvent l'être les grands régatiers en pleine course. Il faisait nuit, il fit quand même larguer les rabans et déployer le grand hunier. Heureusement il s'arrêta là et le petit hunier resta serré sur sa vergue. Le vent montait et notre trois-mâts marchait grand train : on dépassa allègrement un petit vapeur qui faisait la même route que nous et Pierre Coubel était encore plus excité qu'à l'appareillage. Cette fois le temps se gâtait sérieusement; la pluie accompagnait un vent assez violent. À la barre notre « cap'tain » sous sa vareuse de toile, col ouvert, semblait toujours en pleine euphorie tonnante. Il décida cependant de ramasser le grand-hunier; la pluie avait cessé mais le vent n'avait pas molli. Il s'agissait donc de monter dans les hauts pour tenter de carguer ce méchant hunier. Il ne pouvait être question d'y envoyer nos deux Invalides qui avaient fait le gabier trente ans plus tôt. Avec les deux matelots me voilà dans les enfléchures puis sur les marchepieds, le ventre sur la vergue du hunier qu'il s'agissait d'agripper et de fixer fortement sur la vergue. De retour sur le pont on entendait Pierre Coubel, toujours à la barre, proférant à voix toujours aussi forte d'abominables imprécations à l'adresse du capitaine fécampois qui ronflait imperturbablement dans sa couchette... Vingt-quatre heures après notre sortie de Fécamp, nous étions devant Gravelines. On mouilla l'ancre en attendant la marée haute vers minuit.*

On voit quel genre d'homme était ce capitaine Coubel, resté à la barre pendant vingt-quatre heures. Son ami Joseph Soonekindt était de la même trempe. Entre eux régnait une certaine émulation et au départ d'une campagne leur poignée de main me rappelait celle qu'échangent deux boxeurs avant le match, semblant se défier du regard. Cette émulation restait cependant marquée par la bonne camaraderie qui les unissait à terre.

Un jour, en pêche, à quelques encablures l'un de l'autre, Pierre Coubel voulut voir ce qu'il y avait dans les bacs de Joseph Soonekindt. Hissant ses cent vingt kilos dans les haubans il s'apprêtait à observer à la jumelle le niveau de morues du concurrent mais il vit la silhouette massive du camarade Joseph, lui aussi grimpé dans ses haubans pour faire la même observation...

Joseph Soonekindt avait à son actif quarante-trois campagnes d'Islande dont trente-sept de commandement et n'avait jamais cessé d'être malade à chaque début de campagne, ce qui ne l'avait pas découragé ni dégoûté du métier.

Sa dernière campagne d'Islande, avec le Victor-Émile, *devait être un test pour s'assurer que son fils était capable de le remplacer. Peu avant le départ il avait dû garder la chambre, congestion, grippe, fièvre, que sais-je ? Il avait juré n'avoir pas besoin de médecin et nous étions à quelques jours de la date fixée pour le départ. C'était inquiétant. Mathilde, sa femme, tout tranquillement m'assurait qu'il serait au départ, mais je n'étais pas rassuré. Elle me détailla le régime qui devait le remettre sur pieds : omelettes de six œufs et des glorias, grog au rhum, avant de se coucher avec sur le dos deux flanelles, un chandail et un cache-nez de laine. Le jour du départ Joseph Soonekindt était à son poste, il prit la barre et commanda l'appareillage avec les mêmes coups de gueule qu'avant sa grippe. Au retour de la campagne – qui fut assez fructueuse – il me dit simplement : « Pour mon fils Joseph, ça va aller, tu peux lui donner un commandement. » Il fallut cependant le ramener chez lui en voiture, peu de temps après il décédait. Pour être sûr de voir son fils assurer sa relève, il avait tenu jusqu'à cette ultime campagne, bien qu'ayant depuis longtemps gagné ses Invalides.*

Nemours s'arrêta de lire. Pensif, Antoine poursuivit, comme à la suite de son père :

— Les salaires des Islandais étaient supérieurs à ceux des pêcheurs « à la côte », également à ceux des ouvriers. Les capitaines aussi étaient extrêmement bien payés. Excusez-moi, je vais changer de sujet, mais saviez-vous que les ascendants d'André Malraux sont originaires de Dunkerque ? Son grand-père tonnelier a possédé deux bateaux. Malraux en parle dans *Les Conquérants.* Vous connaissez ?

Oui, Nemours l'avait lu.

— Oublierons-nous les efforts que firent ces conquérants des temps modernes, qui prospectaient de nouvelles zones de pêche comme on cherche de l'or... Leur fabuleuse épopée est terminée. Ceux qui savaient, qui ont vu, qui l'ont vécue, se sont tus. Ceux qui ont entendu, oublient chaque jour un peu plus. Mais je crois que je deviens grandiloquent !

Il eut un sourire moqueur envers lui-même. Il proposa classiquement à Nemours un apéritif.

— Vous plaisez-vous chez nous ? Vous vous intégrez ?

— Indubitablement, mais je ne me sens pas tout à fait chez moi. D'autant que je ne sais pas si le journal va me garder. Et puis je regrette parfois ma vie à Paris. Là-bas chez moi, ici en visiteur. Certes heureux. Le carnaval y est pour beaucoup !

— Au journal, votre rédacteur en chef, mon ami Arnaud Luyce, est très content de vous. Je le sais. Il n'est pas homme à s'épancher et à complimenter, mais soyez rassuré, il vous gardera tant que vous le voudrez.

Nemours ressentit une véritable satisfaction. Il aimait bien et le travail et l'ambiance au journal. Et Dunkerque commençait à s'infuser dans ses veines.

— En revanche, je me demande si vous n'avez pas un problème avec je ne sais pas encore qui !

Il laissa suivre un blanc méditatif et soucieux.

— Vous n'avez probablement pas tort. J'ai pu étudier la liste des consultants de la bibliothèque, grâce à votre amie la conservatrice. Un nom m'a intrigué et un seul : *P. Van der Hagen*. Il est passé un mois avant moi. Le même nom que l'assassin de Maurice Évrard ! Comme si un membre de cette famille avait décidé de faire disparaître toute trace de cet opprobre. Et ne serait-ce pas la même famille que le vendeur des terrains du Clippon ? On deviendrait vite soupçonneux...

Tenu au courant en détails au fur et à mesure par Nemours, Antoine connaissait toute l'histoire du crime qui s'était produit à l'époque de sa propre naissance.

— Ce pourrait bien être lui. Ou pas. Écoutez, Nemours, je vais me renseigner de mon côté. On ne sait jamais...

— Merci de votre soutien. Par ailleurs je voudrais vous demander ce que vous pensez de la situation politique de la région littorale.

— Je vais vous paraître vieux sage. Ou vieux singe.

Ce mot lui tira un large sourire entendu.

— La démocratie, c'est l'alternance, le changement. C'en est la base. *Confer* la Grèce ancienne. Gauche, droite, peu importe. Ils font leur fromage quand ils détiennent le pouvoir longtemps. Et font tout pour le garder. C'est un rapt total.

Chaque fois. Dommage. Dunkerque socialiste depuis un quart de siècle et, dans la circonscription voisine, plus d'un siècle. Il n'y a rien d'autre à dire. Pourquoi me demandez-vous cela?

— C'est si neuf pour moi.

17.

Mars 1899

Après douze jours de difficile mais exaltante randonnée dans l'obscurité et la clarté renaissante des jours de mars, les Jorgenson et Pierre touchèrent enfin au but. Ils se logèrent au centre de Reykjavik dans la maison de la famille Jorgenson.

Dès le lendemain ils arpentèrent ensemble les rues. Il découvrit un village de petites maisons de pierre, austères, ou de bois et de couleurs vives. (Il fallait bien cela pour égayer ce pays plongé six mois dans la nuit presque totale.) Il trouva, à la poste, en provenance de France, un mandat. Sa famille lui envoyait une grande partie du salaire que l'armateur leur avait remis. Il posta une lettre à son père pour commencer à accomplir la mission dont l'oncle Matti l'avait chargé.

Celui-ci n'avait pas voulu en parler devant toute la famille pour ne pas remuer les inquiétudes. L'histoire tenait en quelques mots. Leur fille Melkorka, dite Melka, du nom d'une princesse irlandaise enlevée par des Vikings avait été mariée de force à un Islandais de haut lignage et, à la fin, s'était adaptée au pays et à sa vie. Son histoire millénaire révélait un besoin de gènes neufs dans cette société séquestrée par la mer. La *Laxdaela saga*, la « Saga des gens de la vallée du saumon », racontait sa légende.

La cousine de Soley, la jolie fille de la photo sur le vaisselier, était tombée amoureuse d'un ancien pêcheur français à la morue qui travaillait désormais sur un chantier de construction à Reykjavik. Ils habitaient ensemble depuis plus d'un an. Elle leur avait annoncé qu'elle était enceinte. S'il ne l'épousait pas, c'est qu'il attendait son acte de naissance pour ce faire. Mais ce document tardait à arriver de France. Il arguait d'un problème administratif avec la mairie, son acte de naissance peut-être perdu, d'après lui. Il invoquait un incendie au milieu du XIXe siècle. La famille ne comprenait pas qu'il lui faille tant de temps, comme Melka sans doute, qui n'exprimait pourtant (ou n'osait exprimer) aucun désappointement, tout à sa joie d'attendre un enfant de son homme.

Kolben avait fini par s'impliquer dans l'affaire, en approchant le curé en fonction pour l'été à Faskrud, qui ne comprenait pas que l'ancien pêcheur de Fort-Mardyck, Fred Thooris, n'ait pas d'abord épousé Melka. Ce concubinage était gravement contraire aux us de l'époque et du pays. La famille se sentait humiliée. Matti lui avait expliqué : « Nous ne voulions pas d'un Français, enfin nous préférerions un Islandais, et ce Français ne veut pas d'elle. » Pierre le Français avait été un peu choqué de cette manière directe voire brutale de présenter les choses mais une fois la vexation passée, il pouvait comprendre. « Il ne nous respecte pas. Il ne la respecte pas. Nous ne voulons pas accabler notre Melka, mais nous sommes inquiets. Un mauvais pressentiment. »

Il avait promis de se renseigner. Quelqu'un de Fort-Mardyck parmi les pêcheurs devait le connaître. Cette toute petite localité d'une centaine d'habitants, à toucher Dunkerque, jouissait d'un statut particulier. Une concession royale lui avait été accordée lors du rachat de Dunkerque et ses environs aux Anglais. En les exonérant d'impôt, elle remerciait les habitants d'avoir bien accueilli le roi Louis XIV lors de sa visite dans la région. De cette concession il résultait une obligation d'épouser une ou un Fort-Mardyckois pour y habiter ou hériter d'une maison. Il y avait donc beaucoup de mariages entre cousins et peu de patronymes dans ce milieu fermé presque de force. Pratiquement tous étaient pêcheurs d'Islande. Leur histoire était faite de naufrages et de drames, de veuves et d'orphelins, de pauvreté et d'exemplaire solidarité.

Tout s'expliquait mieux dans l'esprit de Pierre. La rupture d'attitude envers lui. Les Jorgenson, père et fille, avaient été douchés par cet événement et mis en garde contre lui par contrecoup. L'épisode avait effrayé tous les Islandais proches. Un oiseau de passage se posait, se rengorgeait, lançait sa parade d'amour, ses roucoulades, et la suite les avait alarmés et refroidis.

Pierre sentait bien que tout cela n'était pas clair. Il en saurait plus sur le *Fernand* ou à l'escale de mai.

Le *Fernand*, superbe et robuste dundee, l'attendait presque. Il repartirait le lendemain, réparations achevées. Pierre arrivait *in extremis*.

La séparation d'avec les Jorgenson le surprit. Les quitter lui parut anormal. C'est ça, anormal. Une anomalie, même si c'était prévu, voulu, volontaire.

Il retrouva avec un peu de mal son univers de marin. Une fois de plus, il ne connaissait pas l'équipage. De plus la séparation d'avec Soley l'inquiétait à nouveau. Après tout, rien ne s'était passé de décisif qui pût lui laisser entrevoir une intimité autre qu'amicale. À nouveau elle était loin, à nouveau, il ne savait plus que croire. Il se lança énergiquement dans sa nouvelle activité. Il s'attachait au *Fernand*, à ce gros dundee efficace de vingt-cinq mètres avec ses deux mâts de même hauteur, son avant droit, ses formes plus pansues que les goélettes. Son bois, ses voiles sentaient encore le neuf.

D'entrée de jeu, le capitaine Zoonequin lui raconta leur chavirage, en guise d'introduction initiatique.

— J'ai été impressionné par la hauteur de la lame. Un monstre. Les dégâts du bateau étaient peu importants pour un aussi gros chambardement. Ça a bien tourneboulé.

Il expliqua comment, entraîné dans une gigantesque vague, le *Fernand* avait basculé, s'était retourné sous l'eau, quille en l'air, dans un furieux et puissant mouvement, puis redressé dans ses lignes. À l'avant, le mât de misaine avait disparu, cassé à l'emplanture, l'autre, l'artimon, était coupé net, à la jonction du mât de flèche. L'ensemble des dommages consistaient en quelques prélarts endommagés, deux, trois poulies arrachées et deux voiles en place déchirées. Comme le capitaine avait prudemment réduit la voilure dès le début de la tempête, il restait au bateau assez de voiles intactes pour rallier Reykjavik.

— Voilà l'histoire ! On s'en tire à bon compte. Un seul matelot blessé. Heureusement que je les force à s'accrocher avec une assure quand ils manœuvrent sur le pont. Une chance quand même que personne ne soit passé par-dessus bord ! Mais le bateau s'est exceptionnellement vite rétabli sur sa quille.

Pierre s'intégra vite à la vie du bord, comme à son habitude. Il s'agissait d'un équipage de toutes origines, entendons originaires de tous les villages allant de Grand-Fort-Philippe à Bray-Dunes. Parce que ce bateau venait augmenter la flottille – aucun bateau ne s'en étant soustrait –, l'équipage avait été ardu à constituer. De plus, à cause du retard pris à la mise à l'eau, il avait fallu réunir dans l'urgence cet équipage supplémentaire. Ils venaient de Dunkerque, de Saint-Pol-sur-Mer, de Gravelines, des Huttes, de Bray-Dunes, de Leffrincoucke, de Rosendaël, de Dunkerque et même de Calais pour l'un d'entre eux.

Le *Fernand* marchait admirablement bien, et surtout, était très stable en pêche. Sa réputation n'était pas surfaite. Pierre eut envie d'innover dans sa manière de pêcher. Il choisit de se préparer une ligne spéciale, en ajoutant à la « koligne », une tige en fer de soixante-dix centimètres avec deux lignes, les « kasterlignes », et un hameçon à chaque bout. Cette ligne pesait donc environ huit kilos. Ce dispositif connu présentait le risque d'emmêler la ligne avec ses deux poissons crochés aux hameçons. Certes Pierre avait mal au dos à la fin des journées mais il pêchait deux fois plus de morues qu'à l'habitude. À la fin du mois d'avril, avec deux mille cinq cent trente-cinq morues, il était le meilleur pêcheur de l'équipage. Il se comportait avec une ardeur presque excessive, taraudé par un double besoin : l'argent et l'oubli.

Le *Fernand* fit escale à nouveau à Reykjavik pour y récupérer le marin blessé remis sur pied. Les Jorgenson étaient rentrés à Faskrud. Pierre en profita pour faire un achat essentiel : une bague en argent d'entrelacs contournés. Lui plaira-t-elle ? Il était fermement décidé à déclarer son amour. Ou son amitié. Ou son intérêt. « Advienne que pourra ! »

À la sortie du port, le *Fernand* fit route sur la baie de Faskrud pour y décharger sa cargaison de première pêche sur le bateau chasseur. Pierre y débarquerait. Il trouverait probablement ensuite un engagement. Mais la première chose qui l'intéressait était qu'il LA retrouverait.

Tout se passa à peu près comme prévu. Une goélette dunkerquoise, l'*Irma*, au mouillage dans le fjord, recherchait un second. Le sien avait été évacué et opéré d'une appendicite sur le bateau-hôpital des Œuvres de mer, également à l'ancre dans la baie. Les accords furent pris entre Pierre et son nouveau capitaine. L'*Irma*, en attente de son navire chasseur, repartirait après déchargement de ses tonnes c'est-à-dire dans une huitaine de jours. Ce qui accordait quelques jours de répit à Pierre et lui permettait de retrouver Soley. Il leur demanderait à nouveau le gîte, s'ils l'acceptaient. Il tiendrait là une chance sinon de parler à Soley – que lui dire sur leur avenir ? –, du moins d'être près d'elle.

Auparavant, dès l'arrivée dans la baie de Faskrud, il irait se renseigner pour Matti sur Fred. Au Quartier général des pêcheurs, la buvette des Œuvres de mer, il trouva le début de piste qu'il cherchait. Un équipage de Fort-Mardyckois se tenait attablé dans un coin. Ce qu'il apprit le fit frémir et cogiter.

— Fred Thooris, ben, fiu, il est marié. Il a même deux tiots.

— Et pas à n'importe qui, la fille de not' maire.

— Il s'est installé à Reykjavik, non ? ajouta le troisième.

— Ben, il étaut charpentier, au dépa', alors il a été engagé su' l'chantier de construction. C'est sûr qu'il a été obligé.

— I' paraît qu'ils l'ont pas revu depuis deux ans à Fort-Mardyck.

— Bien obligé. Il faut c'qui faut. Qu'est-ce qu'i veulent ? Il ramènera plus de sous que nous ? Hein ?

— Ouiais, nous en six mois on gagne pour l'année mais lui i' s'fera quin même plus.

— Té crois ? Pas sûr.

L'attendait aussi aux Œuvres de mer une lettre du papa Blondeel. Il la lirait dehors.

Alors qu'il descendait les marches jusqu'à la langue de terre du rivage, léchée par les vaguelettes irisées, il aperçut le gros Osgurn. Il l'évita soigneusement, se rappelant ce samedi de janvier où il avait trop bu. Ils avaient failli en venir aux mains tant son empressement auprès de Soley lui avait paru grossier.

À l'abri du tombant de la falaise, il ouvrit la lettre. Fred Thooris avait effectivement demandé à la mairie son acte de naissance ; apparemment le maire-beau-père bloquait l'envoi. Un arc-en-ciel vint déchirer son attention. Lettre à la main, il le regarda s'ouvrir jusqu'à ce que le soleil le gomme.

Pourquoi Fred n'avait-il pas trouvé un copain complice pour lui obtenir en douce le papier sans que le beau-père ne l'apprenne ? Fred avait d'ailleurs pris son temps pour le réclamer. Alors quoi ? Voulait-il vraiment se marier avec Melka ? Ou juste que cela dure ? Peut-être s'était-il seulement laissé emporter par son désir ? N'était-ce pas un lapsus que cette demande qui ne pouvait passer inaperçue? Veut-il qu'on arrête de France sa folie polygame? Qu'on découvre qu'il s'est laissé piéger par lui-même, par son attirance pour une Melka qu'il n'a pas le courage de quitter, embouqué dans cette liaison, ou, à l'inverse, embourbé dans un mariage dont il n'a pas la force de sortir? Est-il tombé si amoureux de Melka que l'occasion, l'herbe tendre a tout emporté sur son passage, jusqu'à la mémoire de sa famille française? Si cet homme ne songe pas au divorce, que veut-il? Le demandera-t-il plus tard? Peut-être attendait-il que son beau-père ou sa femme le libère? Espérait-il un miracle? Qu'on décide, qu'on tranche pour lui? Mais enfin que signifiait au fond le comportement de Fred Thooris? Pierre se perdait en vains postulats ratiocineurs.

L'inquiétude grimpa en lui sur ce qu'il allait faire de cette découverte et de la tempête annoncée. Fallait-il parler? À qui? À Jorgenson? Puisqu'il ne pourrait joindre Matti avant longtemps.

Sa décision était prise, il allait se taire. Laisser faire le destin. Cette affaire ne regardait personne d'autre que lui. Melka serait prévenue en son temps. La vérité ne saurait rester cachée longtemps. L'annonce de la trahison ne changerait plus rien à rien. L'enfant viendrait quand même au monde. C'était à Fred de choisir la suite. Ce que Pierre savait, désormais d'autres le leur diraient. À l'une ou aux autres. Lui gardait toujours les secrets inutiles ou nuisibles aux intéressés. Ce qui lui semblait sagesse et bienveillance et non lâcheté ou crainte de dire.

Était-ce utile ou urgent de révéler la turpitude de Thooris? Non. De plus, il ne serait pas Cassandre à annoncer les mauvaises nouvelles. Il ne tenait pas à aggraver les préventions contre lui. Il écarta son trouble et toutes ces questions pour se replonger dans le moment présent.

Tout propre et rasé de frais, se sentant bien dans sa vareuse et son pantalon neufs achetés à Reykjavik, il se rendit à la ferme avant l'heure précoce du dîner des Jorgenson. Sur la route d'herbe rase, il était enjoué, content de parcourir ce bout de terre qui l'entraînait vers le sourire et les yeux ravisseurs. Il songea que, décidément, à la longue, les paysages valent surtout par ceux qui les habitent. À l'approche de la ferme, il observa quelques habitants sortir puis rentrer dans leurs mottes de terre herbeuse et de mamelons de pierre comme des marmottes de leurs trous. Les toits rouges des Jorgenson apparurent.

Il lui sembla rejoindre sa famille. Les retrouvailles furent extrêmement cordiales. Soley lui sauta au cou, dans un élan moins de femme que de petite fille, moins d'amoureuse que de sœur, et l'embrassa avec enthousiasme. Tant de chaleur ! Il en fut une fois de plus surpris et comblé. Bien que plus retenue à cause de son vieux papa, elle était toujours aussi alerte, toujours aussi magnifique.

Il reprit sa place près du feu. Il se délecta à nouveau de SA présence. De sa voix chaude et un peu rauque, de cette peau dorée, de ces longues jambes qu'il devinait, puisque cette fille, si féminine, portait le plus souvent des pantalons, de cette mouvante chevelure de miel... Et se retrouva à nouveau intimidé, à nouveau incapable de rien.

Il se dit « l'amour, ça bloque ! ». Il est vrai aussi que Jorgenson était très présent. De toute la soirée, il lui fut impossible de s'isoler avec Soley. Les Jorgenson écoutaient le récit de sa campagne de printemps. Ils lui montraient les derniers jacquards de Soley. Le français rocailleux de Soley et l'islandais de Pierre, comme des grenouilles dans sa bouche, se mêlaient. Puis ils se séparèrent, les paupières lourdes. Il se réinstalla dans la chambre, aujourd'hui claire, dont les rideaux et le couvre-lit avaient fleuri l'espace. Devait-il descendre la retrouver dans sa chambre ? Il renonça. Qu'avait-il à lui proposer, à part une fougueuse et durable étreinte ? Il y avait tant réfléchi avant de tenter de la fléchir. Il devait repartir naviguer. Il ne se voyait pas en fermier émigré à vie ; elle allait rester dans son île pour les raisons inverses. Et puis la France lui manquait, sa famille, son monde. Quelle promesse à part celle de l'aimer à perpétuité ? Pouvait-il même le lui jurer ?

Le lendemain était un dimanche. Il se rendit donc avec eux à l'office. Puis ils retournèrent vers la maison. De toute la matinée, il lui avait été impossible de s'isoler avec Soley. Il tournait et retournait dans sa poche la boîte à bijou. Le repas approcha et Jorgenson sortit nourrir les bêtes, refusant fermement l'aide polie de Pierre.

C'est alors que Soley lui proposa de s'asseoir à la grosse table de bois noir : elle voulait lui parler. Elle hésitait. Les mots ne venaient pas. Il pensa que c'était dû à la barrière de la langue. Un peu abruptement, elle jeta sa phrase :

— J'ai un fiancé !

Il fut doublement touché. Crucifié même. Quoi ! Un fiancé ? Après tout, réflexion faite, il le savait bien qu'elle avait un fiancé ! Pourquoi le lui rappeler ? Pourquoi cette cruauté ?

— Tu veux voir son image ?

Son « image » pour « photographie » aurait pu l'amuser, en d'autres temps. Elle riait, la méchante.

Était-elle folle ? Perverse ? Puisqu'elle le tuait dix fois et plus ! Il devait avoir l'air hagard, une tête « ed' ca poursui[1] ».

Elle sortit une sorte de portefeuille, l'ouvrit et le lui balança, pratiquement, à la figure. Toujours dans un rire clair. Un microscopique miroir refléta son propre visage.

La scène n'avait duré que quelques secondes mais son intensité avait projeté dans leurs veines des doses d'adrénaline qui leur parurent mortelles. Puis d'un coup, ils se jetèrent dans les bras l'un de l'autre et s'embrassèrent, submergés par l'émotion. Dieu ! Que sa bouche était douce et savoureuse. Que leurs lèvres étaient délectables, à ces morts de faim.

---

1. « De chat poursuivi », en ch'ti.

Ils s'expliquèrent ensuite. D'autant que M. Jorgenson allait revenir.

— Je ne te demande rien, Pie-rr. Fiancés n'est pas mariés. C'est « Je t'aime », c'est tout. Nous sommes libres.

Non, elle n'était pas amoureuse d'Osgurn. Non, elle n'avait jamais été fiancée à lui. Il était juste un voisin solitaire et un ami d'enfance. Il se croyait des droits. Son père et elle l'avaient arrêté il y a quelques jours dans son improbable rêve.

À travers le sabir évolué de Soley, Pierre comprit : si Osgurn ne se calmait pas, il perdrait le droit d'habiter sa maison dont les Jorgenson étaient propriétaires... Efficace. Sur leurs relations entre Osgurn et Soley, entre Soley et lui, Pierre s'était trompé. À ce point !

Elle eut beau lui répéter qu'il avait été lent, qu'il ne l'avait pas comprise, lui était sûr qu'à cette époque-là elle n'avait pas envie de lui. Cela se sentait.

C'était la longueur des jours ensemble, c'était le voyage à travers l'Islande qui avait travaillé pour eux.

Pourtant peut-être après tout avait-elle raison ? La différence d'habitudes, de culture, d'éducation des Français et des Islandais avait pu troubler tous ses repères. Peu importe ! Ils s'aimaient à égalité.

— Je t'aime, et moi aussi je ne te promets rien, mais de t'aimer à jamais.

À son « À jamais » Soley marqua l'incompréhension, l'inquiétude. Il murmura un « Pour toujours » qui ranima son sourire.

Ils étaient à se caresser les mains, à ne plus se les déprendre, quand Jorgenson frappa à la porte et entra.

Pierre s'était mis debout. Il s'avança vers Jorgenson, impressionné par sa haute stature, mais son grand sourire lui annonça que l'homme avait compris quelque chose et qu'il était sinon d'accord du moins favorable. D'autant que Jorgenson lui fit l'accolade et dans un français approximatif et guttural :

— Appel-me Kolben.

Pierre approuva en secouant la tête. Il enchaîna, un criquet dans la gorge, et dans un islandais qui lui sembla correct, « Je dois partir mais je reviendrai ».

Ils firent tous trois un repas heureux. Le dernier avant son nouveau départ. Un repas de fête. Soley avait sorti la belle vaisselle et préparé un repas fin de steak de baleine, tendre comme une entrecôte de bœuf. Malgré les difficultés à se procurer les condiments, elle avait reconstitué la recette de la sauce au poivre que Pierre aimait. Suivie de sa milanaise. Un petit alcool fort acheva de les égayer.

Elle l'accompagna jusqu'à la butte des départs. Ils s'embrassèrent comme au premier jour. Puis se laissèrent, ne pouvant aller plus loin. Avant de franchir la pente de leur séparation pour trois nouveaux mois, *in extremis*, il repensa à la boîte dans sa poche. Soley parut éblouie par la bague, sobre et simple comme elle, et surtout émue qu'il ait lui aussi, et au même moment qu'elle, décidé de briser l'attente et le mutisme.

— Cela ne change rien à ce que nous avons dit.

C'est elle qui parlait. Il lui en fut reconnaissant. Si reconnaissant qu'il en essuya une larme.

Il sourit. Puis s'éloigna à toutes jambes.

La chaloupe du bord, appelée par un sifflet puissant entre ses doigts, s'approcha. Pierre devait retrouver ses compatriotes avant la nuit et faire la connaissance de son nouveau bord.

Dans la soirée, tous les marins se rendirent à la maison des Œuvres de mer. Il retrouva également l'équipage du *Fernand* et le capitaine Zoonequin. Ils lui firent fête à l'annonce de son bonheur futur avec cette belle Islandaise. Beaucoup connaissaient son histoire, lui supposaient une bonne fortune et l'enviaient sans bien comprendre.

L'*Irma* appareilla à l'aube.

Pierre n'avait plus peur de LA perdre et seules la pêche et la conduite du bateau pouvaient désormais l'occuper. Il réfléchissait qu'il ne serait pas le seul marin français à épouser une Islandaise. Il n'était pas le seul Français à résider dans l'intérieur de l'île. Quelques-uns étaient même d'anciens déserteurs de la Royale. Du temps où la guerre du Tonkin ravageait les troupes. Ici, l'avenir leur appartenait. Il n'aurait jamais espéré rencontrer un patron et un équipage aussi plaisants. Ces Dunkerquois étaient gais, à l'image du capitaine Braems. Un homme bon et facétieux. Le bord était très joyeux. Une atmosphère bon enfant y régnait quoi qu'il se passe avec la pêche. Ils entretenaient tous le rire, presque par système. Ils se mettaient à chanter, en pêche, aux repas, dans le carré. C'est un vieux chant du carnaval, en flamand, qui avait leur préférence. Une chanson exhumée des archives des siècles derniers qu'ils entonnaient tous ensemble : « Als de groote klokke luyd / De reuze komt uyt / Mooeder onsteeckt't beeste bier / De reuze is hier »... Pierre en comprenait le sens « Lorsque la grosse cloche sonne / Le roi sort. / Mère sors ta meilleure bière, le roi est là. » Pour le dernier couplet égrillard, voire obscène « Als den boer, zyn poeper opstack », personne ne voulait lui traduire...

Non seulement l'ambiance à bord était miraculeusement légère mais encore la morue donnait, de surcroît le temps était extraordinairement clément. Jamais Pierre n'avait autant admiré la faune. Les dauphins toujours, les épaulards lourds et menaçants, que d'aucuns appelaient aussi orques, les grands oiseaux voyageurs habituels du haut Septentrion, mais aussi de longues nuées d'oies et de canards sauvages.

Les marins, Pierre le premier, ne se lassaient pas du spectacle de la mer, de la diffraction de la lumière sur elle, toujours mouvante, et surtout, surtout des baleines furtives qui en trouaient la surface. Les baleines à bosse et les rorquals étaient cette année très nombreux à voguer autour des bateaux. Ces monstrueuses têtes curieuses qui pointaient, crêtes parmi les crêtes, à la surface de l'eau, les gigantesques sauts au loin, les énormes queues plongeant en éventail, et ce saisissement extrême à la rencontre d'un troupeau qui sondait au dernier moment devant la vague d'étrave étaient toujours un bonheur. De grandioses couchers de soleil carmin et fauve les baignaient de félicité. Pierre ne rêvait plus que d'entrer dans le lit de sa belle.

Il se demandait juste si, devant eux, les jours sans nombre donneraient raison à son optimisme ?

18.

— Waououh ! Ça marche ! J'te l'avais dit !

Agathe, assise sur son lit, tressautait. Nemours pensa à de Gaulle : « Il ne suffit pas de sauter comme un cabri en disant l'Europe, l'Europe, l'Europe ! » Elle aurait voulu manifester mieux son excitation mais sa cheville foulée l'en empêchait. Elle montra à Nemours une lettre que le facteur venait d'apporter ce lundi.

— L'interné de force est sorti de l'hôpital psy et des griffes du médecin-chef. Et voilà le travail !

Elle riait de plaisir.

Ce trop-plein d'enthousiasme la rendait émouvante. Nemours se dit que le monde se tenait droit aussi parce que beaucoup de ses habitants avançaient comme elle.

— Au fait, toi qui t'intéresses aux cabillauds, tu devrais prendre le temps d'aller les voir à Nausicaa, à Boulogne-sur-Mer. Ils sont d'un naturel curieux. J'ai bien sympathisé avec une grosse mémère morue, affectueuse, collante même. On ne s'est pas quittées des yeux pendant au moins cinq minutes. Fascinant.

Il ouvrit lui aussi son courrier. Parmi d'autres enveloppes, deux sans timbre et sans adresse, avec uniquement son nom entier écrit à la main, Raphaël Nemours. À l'intérieur deux

Le carnaval des vents d'Islande

feuilles blanches, une par enveloppe, un U sur l'une et un I sur l'autre, tous deux rouges. De même dimension, semblait-il, mais de factures légèrement différentes, peut-être la lettre U un peu penchée la rendait différente du I bien droit, comme s'il s'agissait de deux écritures. De plus en plus intrigué, il pensa au précédent envoi. U, I? Si on les rapprochait du Q : QUI. Effectivement : qui?! Il écarta ces questions sur lesquelles il n'avait plus le temps de se pencher et rangea les lettres dans un tiroir.

Il était l'heure de se préparer pour la Bande de la Citadelle. Nemours n'était pas si désolé de pouvoir – enfin – semer une Agathe estropiée. Sa mère viendrait la chercher tout à l'heure pour l'embarquer à Paris.

Ce carnaval se déroulait en face du centre-ville, du côté port, devant le lourd bâtiment de la Communauté urbaine.

La proximité de la mer et le piquant de l'air viendraient secouer torpeur et vapeur éthylique.

— Tu pars en Citadelle?

Elle eut une moue désolée, partagée entre l'envie et la consternation.

Il sortit après avoir tendrement salué la courageuse Agathe, si précise sur les expressions du carnaval. « En citadelle! » Il avait rendez-vous avec son mentor. Claire l'attendait chez Borel. Un bistrot du côté du port.

L'ambiance semblait y avoir atteint son acmé. L'air composé pour cette Bande revenait en rengaine : « C'est la bande de la Citadelle / On va chanter ce gai refrain / De chez Zizine à chez Borel / Avant de fermer les paupiè' / Viens donc boi' une derniè' biè'. »

Nemours reconnaissait quelques masques rencontrés la veille. Bien sûr des Noirs, des Blanches mais aussi un homme extrêmement grand, tout en vert, kilt vert, veste verte, bonnet vert et maquillage vert et blanc. Ses rides, accentuées par les couches de fard blanc, accusaient les soixante-dix ans bien frappés. Il se tenait tout près du tambour-major et semblait surveiller les abords à la manière d'un périscope.

Les pauses multiples devant chaque café permirent à Nemours et Claire d'entrer en contact avec lui. Il était un des personnages phare figures du carnaval et le cousin de Claire.

— Je suis le Géant vert. Les Dunkerquois m'appellent comme ça. (Il montra son kilt.) C'est la couleur de mon clan, mon père était un Mac Orlan et ma mère une Verdoy. Comme Claire.

— Vous faites tout le carnaval? demanda Nemours au géant.

— Pratiquement. Je sers de vigie! En bénévole, bien sû'! Mais dis donc, je t'avais pris de loin pour Philippe Blondeel? Si je ne savais pas qu'il était déguisé en clown, vraiment je m'y serais trompé!

Nemours haussa les épaules, agacé.

Sur ces entrefaites une grande fille se pencha sur le Géant vert, assis, l'embrassa et salua Claire. C'était la Dunkerquoise.

Tous ensemble, ils repartirent vers la place de l'Yser, décor du dernier acte : le rigodon commençait, qui plaça la grande fille au côté de Nemours, séparé de Claire par la bousculade. Et toujours cette forte sensation d'être un fil du tissu.

Dans l'élan et l'excès enthousiaste du final, Nemours et la Dunkerquoise s'embrassèrent sur les lèvres puis se quittèrent, leur route bifurquant.

Nemours rejoignit Claire. Ils avaient projeté de dîner à Malo-les-Bains, dans un de ces bruyants cafés devant la mer. Le maquillage de Claire coulait un peu, la fatigue lui rendait sa cinquantaine.

Ils sortirent du restaurant à 23 heures.

Sur la digue, la Dunkerquoise passa devant eux. Claire, fatiguée, en profita pour s'esquiver et rentrer chez son père. Nemours lui proposa d'aller boire un verre quelque part. La Dunkerquoise choisit un bistrot près de l'ancienne Manufacture des tabacs. Ce lieu gris le jour, la nuit devenait magique grâce aux multiples reflets des éclairages et des enseignes sur les zébrures de l'eau, grâce aussi à l'odeur fraîche de la mer et au bruit du clapot.

Elle, ce n'était plus « la même semoule ». Aussi taiseuse que Claire était prolixe. Il est vrai qu'à côté de Claire, Agathe et Antoine étaient laconiques et cette fille, carrément mutique. D'autant que le café était suffisamment bruyant pour que la conversation soit impossible. Ils chantèrent avec d'autres. Une clique entra. C'était reparti. Les chants lui plaisaient, même lourds ou grivois, et il chantait avec des inconnus qui en trois couplets et deux bières devenaient frères.

Il sentit qu'il allait dépasser la dose raisonnable. Il lui fallait rentrer se coucher avant que ça ne dégénère. Il lui proposa de la ramener chez elle. Ils habitaient à deux pas l'un de l'autre. L'alcool aidant, l'atmosphère, ils se dirigèrent vers la voiture bras dessus bras dessous puis dans les bras l'un de l'autre. Ils s'embrassèrent goulûment. C'était doux, agréable, surprenant. Un fantasme à peine imaginé et déjà réalisé. Embrasser, désirer une inconnue. Cette belle fille était séduisante, enveloppante. Des yeux si pâles et si troubles, vitreux même – l'alcool n'y était pas pour rien –, que cela en était gênant. Elle se lova contre lui puis se détacha. Ils s'installèrent dans la voiture et poursuivirent leurs travaux. Leurs baisers se firent plus tranquilles. Elle se recula au moment où Nemours lui caressait un sein sous sa veste. Il perçut une réticence et il lui parut décent de repartir. Il arrêta sa voiture devant chez lui, la Dunkerquoise ayant expressément choisi de se rendre à pied jusque chez elle. Elle avait posé la main sur la cuisse de Nemours dans un état second.

En passant dans sa rue, ils aperçurent un homme sous le porche, semblant attendre quelque chose, quelqu'un. Il n'était plus question de baisers. Que faisait ce type à sa porte ? Une fois garé, il se dirigea vers l'homme qui s'adressa à lui avec précipitation et énervement.

— Je suis venu remercier Mlle Agathe.

Devant l'étonnement de Nemours il précisa :

— Avec son ami, Mc Rufy, ils m'ont sorti de l'hôpital. Alors elle est pas là ?

Nemours lui trouva les yeux un peu fixes et un ton presque agressif.

— Non, elle est absente pour quelques jours.

Son « Je reviendrai » lui parut curieusement menaçant. Qu'est-ce que c'était que ce type qui se pointait chez Agathe à plus d'1 heure du matin ? À moins qu'il n'ait attendu des heures. Mais cela aussi était dément. La Dunkerquoise s'était évanouie. Il ne connaissait pas son nom. Épuisé, il prononça en esprit « La Dkoise », et cette appellation, plus courte, s'inscrivit sur son disque dur mental. C'était la première fois que Nemours buvait autant. Le pas incertain, il atteignit enfin son lit, soulagé de s'allonger, puis s'accrocha à son matelas pour ne pas rouler et tanguer.

Le lendemain, il se rendit chez Antoine. Il lui fallait de la matière aux chroniques hebdomadaires « Petites et grandes histoires de la pêche en Islande ».

Un homme à la figure austère voire sévère arpentait le trottoir, téléphone vissé à l'oreille. Celui qui déposait les lettres farfelues ? Sa tête d'huissier, d'inspecteur du travail ou du fisc suggérait à Nemours une conversation éminemment sérieuse sur les charges du lendemain ; une saisie chez l'un, un contrôle fiscal chez l'autre, une opération de police programmée sur un chantier bourré de clandestins... En passant, l'homme frôla Nemours qui entendit distinctement les mots : « Pommes dauphines, ce soir ? Oui, ça m'irait bien. » S'il avait été le facteur anonyme, il ne serait pas resté à flâner là, se dit-il.

Cette intrusion dans la vie domestique de ce quidam lui avait fait oublier la récente interrogation que posaient de nouvelles lettres du matin. Cette fois il avait reçu trois enveloppes, toujours sans timbre, sans adresse et seulement son nom, d'une écriture trois fois différente. Une petite distinction par rapport aux précédentes, en haut à gauche des chiffres : 3/15, 4/15, 5/15. Il y avait donc un ordre à ces missives, donc sans doute une fin ?

À l'intérieur E, S, T. Un message « Q-U-I-E-S-T » ?

Levant les yeux, il aperçut Antoine qui lui ouvrait déjà la porte.

— Alors, jeune homme, comment allez-vous ? Et notre pauvre Agathe ? Toujours invalide ?

Les préliminaires écourtés, Antoine enchaîna tout de suite sur le sujet qui l'habitait depuis le début de leurs rencontres, et Nemours ne put s'empêcher d'admirer sa belle vitalité. Aussi l'évidence de sa solitude de vieillard isolé par l'âge et le handicap.

— Ma fille a fait une nouvelle sélection dans les écrits de mon père et a choisi ce qui vous intéressera le plus. J'ai hâte que vous me les lisiez.

Tom se roula en boule sur les genoux en flanelle douce d'Antoine.

Alfred Leprêtre, dit « Frédin », était de la même essence que Coubel et Zoonequin. Sa réputation faisait qu'on lui confiait les meilleurs bateaux. Sa passion était telle que, s'il arrivait que la pêche ne donne pas, Frédin devait se coucher, agité, fiévreux, et il fallait le calmer avec des compresses mais dès qu'il entendait les morues claquer sur le pont, il remontait aussitôt, prenait la barre, communiquant son excitation à l'équipage en pêche. La morue prise à l'hameçon, « broquée », était alors remontée rapidement, vivement décrochée, le plomb était aussitôt rejeté par-dessus bord et cette cadence forcenée, sous l'aiguillon tonitruant de Frédin, était soutenue aussi longtemps que le bateau se maintenait au-dessus du banc de morues. Dès que la pêche était « coupée », il fallait virer de bord, pour tenter de revenir à la lisière de la « piaule », sous laquelle on venait de dériver. Bout au vent, en attendant que la trinquette et le foc viennent au lof, Frédin à la barre donnait de grands coups d'épaule, comme s'il indiquait à la brise ce qu'il attendait d'elle, et quand la voile était appuyée, il faisait une pirouette.

Il n'y avait pas beaucoup de problèmes à bord entre les uns et les autres. Il me revient le seul cas, plus comique que dramatique. Un marin, connu pour sa tendance à boire, avait

Le carnaval des vents d'Islande

abusé du gloria, plus eau-de-vie que café. Il s'était trempé et
le capitaine furieux lui ordonna de descendre dans le carré :
« Va te séquer ! » Ne pensant plus qu'à l'ordre, il s'assit sur
le poêle chauffé à rouge. Ses brûlures furent inquiétantes et
invalidantes.

Quand on le rencontrait dans le village et qu'on lui parlait
de son accident, il ne manquait jamais de proposer de montrer son derrière défiguré.

Il serait injuste d'oublier les femmes de marins et leur
rôle si important. Cela m'amène à parler d'un bon matelot
qui avait navigué sur un de mes dundees : Benoît A., dit
Babot. C'était un brave garçon de trente-cinq ans, grand,
sympathique, resté célibataire. Il habitait chez sa mère qui
lui faisait son sac pour la campagne d'Islande et Benoît était
toujours convenablement « gréé ». Cette brave femme était
habilitée à toucher les avances pour le compte de son fils.
En fin de campagne on passait au bureau de la marine où
on réglait les avances avant de passer en nos bureaux pour
y recevoir les délégations. J'avais préparé les enveloppes de
chaque matelot. Sous contrôle et vérification du Syndic
(ainsi désignait-on le préposé de l'Inscription maritime),
chaque matelot recevait la somme restée due.

J'avais gardé l'enveloppe de Benoît et attendais que sa
mère apparaisse. Mais elle tardait et je ne pouvais différer
davantage le paiement que je remis finalement à Benoît.
La somme était assez substantielle car c'était un très bon
pêcheur… En fin d'après-midi je reçus un coup de téléphone
de la gendarmerie : « Benoît A… ce n'est pas un homme de
chez vous ? »… « Oui mais que lui est-il arrivé ? »… « Oh !…
rien : on l'a ramassé dans un fossé, sur la route de Grand-
Fort. Il va passer la nuit au poste et ça ira mieux demain. »
Je demandai alors au brigadier si Benoît avait bien son
argent sur lui, en lui précisant la somme qu'il venait de recevoir. Non, il n'avait rien, pas un sou ; « seulement un grand
papier de boucherie sous le bras ». C'était l'emballage d'un
gigot que Benoît, bon fils, avait acheté pour sa mère. Il n'en
restait que l'emballage, mais l'intention y était.

Heureusement que la maman avait encaissé les avances et les délégations, sinon Benoît n'aurait pas rapporté grand-chose de sa campagne. Bien sûr il s'agit d'un cas exceptionnel, qui peut alimenter des légendes mal intentionnées. Je n'ai en effet pas oublié les propos d'un notable qui ne volaient pas bien haut, il affirmait qu'il s'agissait d'un métier d'esclaves où il fallait travailler vingt-quatre heures sur vingt-quatre en s'alimentant de nourritures pourries et sans rien gagner.

— Mon père, l'interrompit Antoine, était, chaque fois, blessé par ces accusations. Lui qui s'efforçait d'avitailler le mieux possible ses bâtiments, tout comme ses collègues. Comment auraient-ils pu leur mesurer la nourriture alors qu'elle était un des éléments de la réussite de la campagne. LE carburant essentiel même! Et imaginer les marins assez stupides pour ne pas y veiller. Au contraire la nourriture était plus abondante qu'à terre et au bout de leur ligne les poissons les plus frais, non?

— Mais pourquoi l'a-t-on dit?

— Les poncifs, méchants patrons, salauds de propriétaires... C'est quelquefois vrai, le plus souvent faux. Supposer mauvais celui qu'on ne connaît pas, n'est-ce pas l'être soi-même...

— Tous les armateurs étaient aussi honnêtes que votre père?

— Il a dû exister, dans l'histoire de cette pêche, des profiteurs mercantiles ou des impécunieux qui n'avaient pas les moyens de leurs ambitions.

— Aux dépens des pêcheurs?

— Les pêcheurs étaient prévenus et pas idiots. Tout se savait vite. Ils se donnaient les noms des mauvais, s'informaient les uns les autres. Cette pêche n'a duré que parce que, dans l'ensemble, les armateurs étaient gens de bien, n'est-ce pas?

« Gens de bien »? C'est la première fois que Nemours entendait cette expression, probablement très XIXe siècle. Il

ponctua son regard d'un « Sûrement » convaincu, puis reprit
le cours du texte :

*Le développement progressif du séchage de la morue a
permis, à peu d'exception près, le plein emploi du personnel. Avant la sécherie et à l'approche de la fin de la saison,
vers mars, certains visages étaient anxieux et nous étions
gênés, nous sentant confusément coupables et responsables
de ne pouvoir assurer le plein emploi, malgré nos efforts. Ce
n'était pourtant pas faute de chercher le moyen de combler
les « trous ».*

*Nous avions beaucoup de déchets lors de la coupe des filets
et ces déchets se vendaient à vil prix. Avec un traitement
approprié, je parvins à fabriquer un pâté où dominaient un
goût et un parfum de fumaison rappelant le haddock. En
petites boîtes de 1/8°, le pâté entier en sortait enrobé de gelée.
Le goût de ce pâté nutritif était agréable et il pouvait se tartiner, ce qui en faisait un article parfait pour les pique-niques.
Je le baptisais Patfish. Je devais apprendre à mes dépens que
s'il était possible de modifier avec succès la présentation d'un
article connu, comme par exemple pour les potages, il était
très difficile, en France, à cette époque, d'imposer un produit
nouveau. Le représentant de l'épicerie en gros à Paris ne me
laissa aucun espoir. Un grossiste aux Halles, M. Jougleux,
avec sa verve et sa rondeur habituelles, fut formel lui aussi :
« J'ai bouffé ton truc, c'est bon mais je n'en vendrai pas. »
Il avait malheureusement raison : j'essuyai là un échec. Il
fallait chercher autre chose.*

*Mon mandataire des Halles, M. Decourcelle, vendait alors
de grandes quantités de ce qu'on appelait « haddock » et qui
était plutôt un filet d'églefin ou de cabillaud, coloré en rouge.
On sait que le véritable haddock est un poisson de la famille
des gadidés appelé églefin. En Écosse, on le fume avec des
copeaux de hêtre additionnés de baies de genévrier.*

*J'installai dans mon magasin une cheminée, ou « cor-
resse », et avec des cadres grillagés adaptés, je réalisais un
beau et bon filet de haddock, convenablement fumé et doré.*

Le carnaval des vents d'Islande

Je choisis un mandataire des Halles. La publicité n'était pas d'usage là-bas et il fallait s'en remettre à l'envie et au goût des acheteurs. Alors pourquoi a-t-il fallu que mon véritable filet de haddock n'ait pu se vendre qu'à des prix régulièrement et notablement inférieurs à ceux du simili-haddock, coloré en rouge par un liquide au goût de fumée? J'eus beau insister. Il fut bientôt évident qu'il était plus sage d'arrêter cette fabrication. Une fois de plus, si je voulais ajouter un complément d'activité, nécessaire à la rentabilité de l'affaire, je devais encore chercher et trouver autre chose.

Nemours s'interrompit et regarda Antoine qui avait relevé la tête, une moue triste aux lèvres.

— C'était comme ça qu'il envisageait la vie. Faire le mieux et toujours plus. Vous savez, c'était sa nature. Il avait énormément d'énergie. Je l'ai adoré au point de ne pas pouvoir « reprendre le flambeau », mais aussi de souffrir beaucoup de ces essais cassés par le manque de moyens. Il aurait dû être un grand industriel, cela ne s'est pas fait. Quand je pense à tout ce qui se vend d'innovant aujourd'hui et qui se vend bien. C'était trop tôt. Il était en avance. Et maman qui le soutenait, l'aidait, l'encourageait. Les deux formaient un merveilleux attelage. Comment voulez-vous qu'à vingt ans je sois dupe de l'espoir qui l'a mené? Qui les a menés. Entreprendre, inventer, je n'y croyais plus. Aujourd'hui, je pense que c'était cela leur honneur. D'y croire.

— Vous avez eu une enfance heureuse?

— Malheureusement, oui. Elle me manque tant. Et aussi les longues années avec ma femme. Non, j'ai tort, pardon, c'était un mot. Bien sûr, c'était une chance. On ne se remet jamais d'une enfance torturée par ses parents. On survit le mieux possible, quand c'est possible pour ceux qui le peuvent parce qu'ils en ont le caractère. Et la vôtre?

— Très satisfaisante et protégée. Mes parents étaient souvent absents à cause du métier de mon père, qui est ingénieur en pétro-chimie, et travaille sur des plates-formes pétrolières ou dans des pays producteurs. Ma grand-mère m'a élevé en grande partie et a largement compensé leur absence.

Après un double silence, Nemours se replongea dans sa lecture.

*Il me vint à l'idée, toujours pour utiliser mes « retailles »
de morue, d'en faire de la farine alimentaire. Farine dont je
ne vis pas au départ l'utilisation précise. Les premiers essais
me firent mesurer les difficultés à vaincre : la morue salée,
après déshydratation, avait un degré de salinité tel que le produit n'était pas consommable.*

*Finalement fut mise au point une technique de fabri-
cation adéquate, sans produit chimique ni procédé de
désodorisation que n'admettent pas les règlements français.
La déshydratation se réalisait à des températures progres-
sives. Cette farine, que je baptisai Florfish, au goût plutôt
neutre, de bonne conservation et titrant soixante-treize
pour cent de protéines, avait aussi une excellente teneur
phospho-calcique, minérale, vitaminique et une insigni-
fiante teneur en lipides. Mais j'étais un peu comme la poule
qui a trouvé un couteau, qu'en faire ?*

*Un médecin me dit avoir obtenu de bons résultats dans les
cirrhoses du foie. Une fondation congolaise obtint de bons
résultats dans la déficience alimentaire infantile en mélangeant notre farine à du lait écrémé. Comment exploiter cela
en pharmacie ? Un article de cette nature, hyper protidique
et sans lipide, pouvait être intéressant dans les régimes revi-
talisants ou amaigrissants. Un autre ami médecin, quelque
peu désinvolte, me fit comprendre que c'était sans espoir :
un médicament protidique en ampoule existait. Seulement
il coûtait dix fois plus cher. Néanmoins je parvins à intéresser les distributeurs de produits pharmaceutiques. De
nombreux médecins contactés me demandaient des échantillons pour usage personnel, mais n'en prescrivaient pas
pour autant. L'un d'eux en confia à Antonin Magne, entraî-
neur de l'équipe cycliste Mercier. Magne ajoutait régulièrement une cuillérée à soupe de farine Florfish au potage du
soir de ses coureurs. Les ayant interrogés lors d'une étape à
Dunkerque, l'un d'entre eux, nommé Fournier, me confia*

que cette dose quotidienne de farine lui enlevait sa boulimie. Ce fut pour moi une révélation. J'étais sûr de la bonne assimilation de ma farine par l'organisme. Dans cent grammes de cette farine autant de protéines que dans quatre cent cinquante grammes de viande, et pratiquement sans matières grasses. J'appris plus tard, toujours par Magne, que la nourriture du gagnant du Paris-Bordeaux avait été additionnée de Florfish. C'était bel et bon mais la solution pour réussir la commercialisation du produit nécessitait un programme publicitaire qui demandait études et argent.

Je tentai d'autres applications, en particulier des granulés pour pigeons de course. C'eût été sûrement une amélioration de leur alimentation, mais là aussi la publicité était nécessaire et le marché relativement restreint. Ce qui était inconciliable...

Cette impasse me poussa à tenter d'utiliser cette farine pour autre chose que la diététique humaine ou animale : les potages déshydratés dans la composition desquels cette farine entrerait et qui seraient au goût du public, bref une sorte de soupe de poisson. Il fallut procéder à d'innombrables mélanges savants dans la cuisine. Étant chez moi le seul à avaler chaque jour un potage, j'étais le cobaye-dégustateur tout désigné. Ce régime me réussit parfaitement, je me sentais en forme et léger : de nos élucubrations conjugales jaillit un article diététique. Le hasard me réserva alors un cadeau. J'avais envoyé des échantillons à un courtier suisse. Plusieurs mois s'étaient écoulés. Un beau jour nous eûmes la visite de deux envoyés de la célèbre maison Knorr, leader des potages déshydratés. Cependant c'est la maison Maggi qui a commercialisé la première une soupe de poisson dans laquelle entrait une dose de farine Florfish. Mais Knorr suivit et fut un important client régulier.

Un événement imprévu se produisit en 1932 qui devait influencer profondément le destin de la pêche aux lignes. Ce qui nous est arrivé fut imparable. Le danger n'est pas tout de suite apparu aux armateurs, en revanche sur le plan commercial les conséquences ne tardèrent pas à se révéler redoutables.

Que s'est-il passé? Rappelons que la pêche aux lignes avait un caractère sélectif puisqu'elle ne ramenait le plus souvent qu'une morue de grande taille. Trois mois de pêche produisaient environ soixante-dix à quatre-vingt mille morues c'est-à-dire entre trois cent cinquante et cinq cents tonnes de gros cabillaud frais. Il s'agissait donc de morues de cinq à sept kilos, en moyenne. Il n'en était pas de même pour les chalutiers. En effet le chalutage donnait environ 70% à 80% de petites morues ne dépassant pas un kilo.

En 1932, les armateurs de chalutiers, arguant de la nécessité d'écouler leur production de petites morues, obtinrent du gouvernement une aide, sous forme d'une prime à l'exportation.

Une intervention des ligneurs et du syndicat des armateurs au ministère de la Marine marchande fut décidée. Je fus délégué pour tenter cette démarche. Il s'agissait de convaincre que cette mesure qui avantageait unilatéralement la production de chalut allait avoir des conséquences mortelles pour la pêche des ligneurs. Malgré notre inquiétude nous ne pouvions imaginer qu'on abandonnait ainsi une flottille de dix-huit islandais et de trente-six terre-neuvas, représentant mille six cent soixante-neuf marins embarqués.

Bientôt, contrairement à nos espoirs, fut votée ce qu'on appela la « loi Tasso » d'aide à la Grande Pêche. Le calcul des primes était fondé sur le tonnage des bateaux; en bref le chalutier allait recevoir environ cent mille francs, contre trois mille pour le voilier ligneur!

C'était le coup de grâce. Il fut admis que, techniquement, le chalutier devait faire disparaître le ligneur. Le chalutier était un engin de pêche sophistiqué, surchargé d'une importante force motrice, dont le prix à la construction n'avait plus aucune mesure avec celui d'un voilier. Les dégâts du chalutage sur les fonds, les destructions de trop jeunes morues allaient un jour se faire sentir et peut-être se payer...

Il nous fallut bientôt vendre en catastrophe nos belles unités avant même d'avoir eu le temps de les amortir. Elles trouvèrent preneurs principalement en Scandinavie. À contre-cœur je me séparai du Willy-Fursy *au profit de la Société des Œuvres de mer, pour servir de navire d'assistance. Il fut rebaptisé le Saint-Yves.*

C'en était fini du Grand métier à Gravelines ; nous allions cependant maintenir notre industrie en nous approvisionnant avec la production des chalutiers. On entrevoyait de se reconvertir en armateurs au chalutage mais la guerre obscurcissait l'horizon. Mon collègue Tooris, comme moi, étions mobilisables et les projets d'avenir mis en sommeil.

— Et voilà comment s'est achevée cette pêche...
Beaucoup de la nostalgie du père s'était transmise au fils. Nemours ressentait lui aussi ce drame de plus de soixante-dix ans, comme s'il s'était produit hier.

Antoine en vint, aussi pour couper court à la mélancolie, à la fameuse liste.
— Dans les dix noms, mon vieux Nemours, rien de notable sauf ce P. Van der Hagen. Je ne sais pas d'où vient cet homme. Il n'y a aucun P. Van der Hagen dans le pays, ni dans le département, ni dans la région, nulle part. Des tonnes de Van der Hagen mais pas de P. Peut-être en Belgique ?
Antoine disait « pays » comme on disait « coin ». Nemours se demanda si cette habitude de dire ne datait pas du temps où un lieu s'arpentait à pied ou à cheval et délimitait alors un pays.
— En Belgique ? Cela devient bizarre, la présence de ce type partout.
— Vous avez dit bizarre ? Trêve de plaisanterie, comment se passe votre carnaval ?
— Au mieux. Aussi grâce à votre fille et à ses sœurs, les clownes blanches.
— Vous me semblez avoir été adopté par notre société. Cela me fait grand plaisir.
Ils se quittèrent, toujours contents de leur amitié.

19.

La nouvelle lui arriva en juillet à Faskrudfjord par une lettre de son père. L'*Irma* y avait relâché pour faire de l'eau avant la traversée du retour. Il ne repasserait pas un nouvel hiver en Islande. L'armateur dunkerquois Numa van Cauwenberghe recherchait un nouveau capitaine pour sa goélette, la *Marguerite*. Aller chercher un stock de sel à Setubal, au Portugal, avant l'hiver, désarmer le navire à Dunkerque, puis préparer le réarmement, réparations, voiles neuves, réapprovisionnement, pour février. L'armateur faisait savoir qu'il l'engageait, s'il donnait son accord. Il n'avait qu'à embarquer sur l'*Espérance*, arrivée au mouillage, et qui devait repasser par Reykjavik. Puis rejoindre Dunkerque, par le premier vapeur.

Pierre aurait à peine le temps de saluer les Jorgenson. L'*Espérance* appareillerait dans quelques heures.

Ses sentiments étaient mitigés : devenir capitaine, mais quitter l'Islande, Soley et son père, une autre promesse de vie... Simplement il le fallait. Une heure pour les revoir. L'*Espérance* appareillerait dans quelques heures. Les Jorgenson lui donnèrent l'impulsion nécessaire. Ils n'auraient pas compris qu'il refuse une telle opportunité. Et Soley prenait cette suite tranquillement, ou faisait comme si.

Elle et lui s'étaient embrassés puis quittés, plus en fiancés chastes qu'en amants. Rien n'ayant, rien ne pouvant changer depuis leur déclaration à l'escale de mai dernier. Toujours les conventions... Toujours le poids des traditions ? À bord il apprit que l'*Espérance*, à capitaine et équipage en majorité Mardyckois, avait la charge de shangaïer[1] Fred à Reykjavik. Son beau-père avait en effet échafaudé un stratagème pour le ramener de force. Le capitaine expliquerait à Fred que ses papiers étaient à bord, qu'il n'avait qu'à venir les chercher et signer le reçu. Le lendemain, avant la manœuvre de rapt et l'épilogue provisoire, Pierre partit pour Reykjavik, rallier Dunkerque, par le premier vapeur.

Ce n'est qu'à l'arrivée à Dunkerque qu'il apprit la suite. L'homme s'était laissé prendre facilement. Comme s'il s'y attendait et mieux – ou pis – qu'il l'espérait. Il avait repris sa vie d'homme marié et de père. Tandis que son bébé islandais naissait sans lui. Il avait interdiction de s'engager, grillé comme pêcheur d'Islande. Les armateurs et les capitaines de la flottille étaient prévenus. Charpentier à vie. Assigné à résidence. Peut-être soulagé. Sinon pourquoi ?

Pierre toucha, pour la première fois depuis presque un an, le sol de France, envahi d'une forte émotion. Son père, ses deux frères, sa sœur Anna étaient présents à l'arrivée à quai. La famille se reconstituait pour quelque temps.

La vie de Pierre reprit un cours pressé. Il fallait réarmer la *Marguerite* qui avait passé plusieurs longs mois au bassin de radoub, après un chavirage et de graves avaries. Il fallait engager les vingt-cinq hommes d'équipage, il fallait s'occuper de l'accastillage, de tout ce qui ferait que le bateau serait en ordre de marche pour le voyage à Setubal, puis pour le mois de février.

---

1. Enlever des individus traînant sur un port pour compléter les équipages des grands voiliers hauturiers au long cours.

Ce premier dimanche de novembre, il fit une longue marche au bord de la mer. Il se remémora le poème qu'à vingt ans il avait écrit sur cette plage de Bray-Dunes, dans un élan d'émotion, un jour où le temps était particulièrement clément et le ciel limpide, si limpide. (Poème que sa sœur enthousiaste avait envoyé, à son insu, à un journal de Dunkerque qui l'avait publié.) Il aimait tant la poésie.

Il se chuchota ses propres vers. Allait-il retrouver l'émotion de jadis, quand il les composa? *Lisse et beige la grève / Et la mer lisse et grise au loin. / Dans la solitude lumineuse / Tout bruit s'isole en un irréel prolongement du silence. / Le murmure perceptible à peine du léger rouleau de beau temps sur la grève / Est, si l'on ferme les yeux, comme l'horizon du silence.*

Oui, cela fonctionnait. Il ressentit l'éclair de bonheur pur qui avait préludé à ces mots-là.

Tous les amis l'avaient invité à venir les voir. Il passa donc d'une maison à l'autre. Il fallait aussi qu'il visite les parents de Joseph. L'émotion fut grande. Ils ne s'étaient pas revus depuis le naufrage. Pierre raconta. C'est ce qu'ils attendaient et c'est ce qu'il redoutait. Il dut faire un effort inouï pour ne pas s'effondrer en larmes en racontant sa fin... Chacun des présents détournait le regard. Une diversion opportune lui fut proposée en la personne d'une jeune fille venue « prendre le café », que Pierre reconnut tout de suite. C'était Julia, une voisine, celle dont on disait qu'elle était la promise de Joseph.

Julia avait mûri. Elle était devenue très belle, à la manière des Bray-Dunoises. Avec un sourire magique. Une sorte de double de Pierre. Elle l'embrassa comme du bon pain et son élan fervent balaya la gêne. Cette joie ne signifiait rien d'autre que le plaisir de retrouver Pierre. Ils repartirent ensemble. Heureux et évitant de parler de Joseph. Il n'y avait rien à dire, sinon à être tristes ensemble, leur nature les poussant aussi à la réserve.

Pierre lisait dans les journaux les nouvelles d'Islande, attentifs aux volcans toujours actifs qui se réveillaient un peu à tour de rôle. Eykjafjöll, Hekla et les autres cette année-là semblaient dormir profondément.

Les jours et les peines se suivirent, occupant Pierre. Julia passait souvent le soir. Elle évitait de rester chez elle à rabâcher sa frustration de fiancée veuve... Tous les jours, elle aidait la famille de Pierre à tenir la maison. Quatre personnes y vivaient l'hiver.

Le retour près de son père avait été une autre épreuve. Un temps arrêté sur l'absence. Il voyait son père et attendait sa mère à ses côtés, derrière. Elle était là dans le vide. Son père était sans beaucoup de force, courageux en apparence, infirme à l'intérieur. Si profondément envahi du manque de son autre âme, qu'il était perceptible, malgré qu'il en ait, qu'il faisait semblant de vivre pour eux. En fait, comme un homme handicapé à perpétuité, presque invalidé au fond. Il pleurait la nuit, en cachette, seuls le gonflement et la rougeur de ses yeux le révélaient. Cependant il travaillait de chantiers en chantiers de constructions navales, à surveiller, à expertiser, à attribuer les justes certifications aux nouveaux bateaux. Il se taisait sur le mal moral qui le rongeait, parce qu'un jour un ami lui demandant comment il allait, il avait répondu : « Je ne respire qu'une fois sur deux, mon cœur ne bat qu'un coup sur deux, ma tête est divisée par deux. » L'autre lui avait répondu : « Moi aussi, j'ai de graves malaises et une tumeur au poumon. » Le malentendu l'avait gêné. Il ne l'avait pas dissipé, mais avait compris la leçon de la vie et depuis enterrait au plus profond son chagrin.

Pierre aurait espéré que son père puisse se reconstruire sans elle et peut-être avec une autre femme. Il savait pourtant qu'il serait désormais un exclu définitif de l'équilibre du bonheur. Lui aussi se sentait accablé. Un soir, il sanglotait devant un peignoir, un livre à elle. « Toi, ne sois pas triste, Pierre, moi, c'était ma femme. Je n'ai pas pleuré ma mère comme ça, voyons. » « Mais Papa, moi, ce n'était pas seulement ma mère ou ta femme, c'était un être exceptionnel. » La même femme indispensable autant à l'un qu'à l'autre.

« Oui, c'était une bonne recrue pour le monde, pour moi et pour notre famille. Pierre, tu dois vivre, te marier, avoir des enfants, travailler le mieux que tu peux. Ça ira, mon garçon. » Son deuil avait été reporté avec le voyage d'un an en Islande.

Le mois de février arrivait. Il lui fallait repartir. C'était mieux ainsi. Aidé de l'ancien capitaine Vérove, « aux Invalides »[1], et de l'armateur van Cauwenberghe, ils avaient achevé l'armement de la *Marguerite*.

Pierre, allègre, s'embarqua avec un groupe d'amis fêter le début du carnaval et le départ de plusieurs d'entre eux. Ils se rendirent en groupe au rendez-vous la brasserie de la place Jean Bart. Ils défileraient dans les rues de Dunkerque. Ensuite, vers 20 heures, ils repartiraient vers la plage de Malo-les-Bains où ils dîneraient au *Pavois*.

Pierre rencontra sur la place Jean Bart, par hasard semblait-il, Julia et une amie. Elles se joignirent à son groupe. La cohue sépara Pierre des autres, mais Julia et son amie, placées de chaque côté de lui, avaient résisté aux poussées. Julia se colla à lui pour le rigodon.

Elle ne quitta plus son bras jusqu'au *Pavois*. En la raccompagnant jusque chez ses parents, sur le chemin du retour, dans la voiture à cheval, ils s'embrassèrent avec une fougue inconnue. Pierre ne se posait plus de questions. Ne raisonnait plus, ne réfléchissait plus. À quoi bon? Il ne vivait plus que dans le présent. Oubliée Soley? Il ne se le demandait même pas. Comme s'il s'agissait d'une tout autre vie, d'un autre monde. Il ne s'appartenait plus. Il avait envie de vivre. Il avait envie de cette fille. Julia, très féline, l'avait entouré de ses bras, de son corps, de son odeur. Les bières bues tout au long de la journée lui faisaient pétiller la tête, allégeant sa conscience. Alors qu'ils commençaient à se déshabiller mutuellement, couchés entre deux dunes de sable, il se reprit au dernier moment.

---

1. À la retraite.

Parce qu'il ne se voyait pas faire l'amour dans les oyats, parce qu'il ne s'agissait pas d'une inconnue, il pensa tout à coup qu'un tel acte l'engagerait terriblement. Quoi qu'elle en penserait... Il arrêta ses caresses, se redressa et le plus diplomatiquement possible « Excuse-moi... Il ne faut pas... Je ne peux pas... »

Julia remit en place ses vêtements en désordre et avec un sourire ravageur, d'une voix troublée et troublante, le salua. Son « À demain » résonnait encore à l'oreille de Pierre quand il se coucha, à la limite de l'ivresse et du malaise.

Le lendemain le trouva plein de pensées contradictoires. Qu'en était-il vraiment de son amour pour Soley ? Que révélait cette envie de Julia ? Dégrisé, il se rendait compte de sa folie. Non de désirer Julia mais bien plutôt Soley. Comment avait-il pu croire à une alliance possible avec cette Soley, si belle, si magique, si superbe ? Trop mirifique pour lui. Et Islandaise. Une langue différente, une culture si éloignée, une personnalité aux réactions qu'il n'appréhendait pas toujours et pis, il devinait une nature, un tempérament si mystérieux que parfois il ne comprenait même pas ce qu'il y avait à comprendre. Était-il si aventureux, si téméraire ? S'unir pour la vie est une grande affaire...

Son père le prit à part pour lui parler de Julia. Sans détour. Elle était manifestement amoureuse de lui, si Pierre avait quelque sentiment pour cette belle Bray-Dunoise, ce serait une bonne affaire pour lui, en premier lieu, et pour tout le monde. Se lier avec une Islandaise – son père avait compris bien des choses, pensa-t-il – était aller au-devant de beaucoup de complications, de beaucoup de difficultés. Ce discours, Pierre pouvait l'entendre puisqu'il se le tenait.

— Il me faut juste du temps. Ne soyons pas pressés.

— Julia l'est peut-être. Elle est plus vieille que toi et, n'oublie pas, qu'elle est assez avenante pour ne pas rester libre très longtemps.

Il savait tout cela. C'était « la voix de la raison ». À cet instant, il se dit que toute décision contraire serait un affront fait à l'ardente personnalité de Julia. « Du même milieu, du même monde. Oui, ce sera mieux. » Le départ de la nouvelle campagne d'Islande 1899 le soulagea de ses douloureuses hésitations. Bien sûr que son père avait raison ; il fallait épouser Julia, sa semblable. Sa vie se simplifierait. Des enfants dans son pays, le retour à terre six mois par an, six mois de mer, cela faisait une vie commode, évidente.

Dès leur départ, sur la *Marguerite*, navigation et pêche se déroulèrent le mieux du monde. En les regardant pêcher le long du bord, s'escrimer pour sortir le lourd poisson, le « flinquer », le mettre en saumure, haler les tonnes en fond de cale puis sur un quai puis jusqu'au poissonnier puis dans une assiette... Tous ces efforts en regard d'une simple bouchée de poisson.

Le capitaine Pierre Blondeel réunissait deux par deux les marins, à la table réduite de sa cabine, afin de mieux les connaître tous. Il proposait aussi, à ceux qui le voulaient, de leur enseigner la navigation et le maniement du sextant. Il voulait les lier en équipe avant d'en faire un équipage.

Le mois de mars vit les cales se remplir de façon très satisfaisante. Il refusait de penser à Soley, à qui il n'avait pas écrit depuis son départ d'Islande. N'était-ce pas mieux ainsi ? Il ferait escale à Faskrud en mai. Peut-être lui parlerait-il alors. Il lui expliquerait que leurs différences empêchaient leur union. Elle le comprendrait. Il en était sûr.

Et puis tout se précipita. Un coup de vent arracha la flèche du mât de misaine. Cette rafale subite avait surpris gabiers et capitaine. On n'avait pas ferlé les voiles à temps. Il fallait réparer avant que ce dommage n'en entraîne d'autres.

La *Marguerite* se dirigea donc vers Reykjavik. Elle accosta à quai, un sinistre soir de grêle.

À pied d'œuvre dès le lendemain, il chercha des menuisiers pour reconstituer le mât, tandis qu'à bord les voiliers s'étaient mis au travail, paumelles et grosses aiguilles en main.

Alors qu'il se rendait à l'atelier, il rencontra Osgurn. Il l'aurait sûrement évité, s'il n'était pas tombé nez à nez avec lui. Curieusement Osgurn le prit illico dans les bras avec une joie démonstrative. Venant de la part de cet ogre, quel étonnement ! Il poussait maintenant de curieux borborygmes. Pierre n'entendait rien à ce qu'il tentait de lui dire à toute force. Il devait avoir bu. On était samedi. Pierre identifia juste, à plusieurs reprises, les noms de Soley et de Kolben Jorgenson parmi ce magma d'islandais informe. Voyant toujours de l'incompréhension dans l'œil de Pierre, il le quitta avec des mouvements d'ailes qui semblaient signifier à quel point il était déçu de n'être pas compris.

Un peu plus loin, sur la place, il croisa Per Mylius, un oncle de Soley, avec qui il avait sympathisé. Norvégien installé depuis des lustres en Islande, Per parlait un islandais besogneux mâtiné de norvégien, ardu à démêler, et, après de chaleureuses salutations – celles-là plus facilement intelligibles –, il lui expliqua que la situation avait beaucoup changé depuis son départ : le père de Soley était mort, la ferme avait été abandonnée pour l'hiver. Soley ne pouvant plus y vivre seule, si loin de tout, elle résidait désormais à Reykjavik, chez sa femme et lui. Le mystère du comportement d'Osgurn s'éclaircissait.

Pierre réagit d'une façon inouïe à ses propres yeux, quand il y repensa par la suite. Il se précipita sur-le-champ chez Per. Pressé, il se perdit dans le labyrinthe perpendiculaire des petites rues et il trouva enfin la bonne porte. Mais pas de Soley : elle était sortie sans avoir précisé où – crut-il le deviner aux gestes de dénégation de sa tante. Il fallait revenir plus tard. Il repartit, triste et désemparé. Où la trouver dans la ville ?

Près du quai où était amarrée la *Marguerite*, tous deux, front baissé contre la bruine, faillirent se percuter. Très surpris ils se dévisagèrent avec ravissement.

Soley se jeta dans ses bras. Elle pleurait, elle hoquetait et se cachait le visage dans le col de sa veste. Et cela, jamais Pierre ne l'aurait cru. À son départ d'Islande, ils étaient à cent lieues d'une telle intimité... Elle pleurait toujours à gros bouillons. Il ne pouvait que la serrer dans ses bras, lui embrasser les cheveux. Quel saisissement! Il ne savait que dire, que faire. Il ne savait plus qu'être bouleversé. Il pleura à son tour. Il pleurait Kolben, il pleurait sa maman, il pleurait Joseph, il pleurait de ses larmes à elle. Il se reprit dans un sursaut de volonté. Il ne pouvait décemment pas continuer à sangloter. Il renifla, se planta un sourire sur la bouche et lui releva le menton. « C'est fini, c'est fini. » S'il avait su qu'il l'aimait tant, il l'aurait aimée plus, mieux et sans atermoiement.

Elle lui planta son regard dans le sien et lui rendit son sourire. Il lui essuya les joues avec son mouchoir et le lui tendit. Elle se moucha puis elle rit, consciente de l'incongruité de tout. Elle se pinça les lèvres, les mordit et elle ouvrit la bouche.

— Je t'aime. Je suis à toi.

Il en resta sans voix. À nouveau il la serra fort dans les bras puis, la prenant par l'épaule, l'entraîna vers la Maison des marins, sur le port. Un endroit chaud. Il leur fallait parler. À cette heure de l'après-midi, il y avait peu de consommateurs et pas de marins français. On ne les remarquerait pas.

— Tu n'as pas reçu ma lettre?

Non, il n'avait rien reçu. Mais qu'est-ce que c'était que ce français si joliment parlé? Soley eut un sourire modeste.

— J'ai continué à apprendre.

Il n'en revenait pas.

— Veux-tu m'épouser?

Il se surprit lui-même. Aurait-il jamais imaginé pareille suite à sa vie, une heure plus tôt? Qu'est-ce qu'il lui prenait?

Son oui immédiat jaillit clair et lumineux.

Ils restèrent longtemps à se raconter ces mois sans l'autre. Et en français. Un français « soleyant ».

Pierre ne se demandait plus pourquoi tant de voltes dans le comportement de Soley, il tenait la réponse dans son propre comportement.

Son long silence un peu injuste n'avait fait qu'exacerber son irrépressible attirance pour elle. La mort de Kolben devait avoir bien évidemment aussi changé la donne.

Il se rappela ce proverbe appris de sa grand-mère irlandaise : « *True love never runs smooth* », l'amour vrai ne roule jamais facilement.

Ils ne se séparèrent que tard et devant la porte des Mylius. Il devait repartir sur le bateau ; ses avaries seraient réparées le lendemain. L'équipage l'attendait, impatient de reprendre la mer et de rattraper le temps perdu.

Ils se donnèrent rendez-vous à Faskrud au mois de mai.

Il vécut cette partie de la campagne mentalement à la cime des vagues.

Louis Fournier, son second et son confident, choisit un moment de calme pour l'entreprendre. À la tombée du soir. Appuyés tous deux à la lisse, alors qu'un somptueux coucher de soleil embrasait leur vaste monde.

— Il faut que je te dise à propos de Julia. Je sais que ta famille voudrait bien que tu t'intéresses à elle. Je n'aurais rien dit si je ne t'avais pas vu avec cette Islandaise. Je me lance peut-être trop. N'aie aucun scrupule. Je pense que vos caractères, à Julia et toi, sont plutôt contraires. Julia, je la connais, elle est passée dans bien des bras. Elle joue l'amour unique et éternel, mais j'en suis revenu...

— Toi ?

— Eh oui ! Je ne me suis pas méfié, comme beaucoup, crois-moi. Donc si tu dois te décider ailleurs... Mais, pardon, je me mêle peut-être de ce qui ne me regarde pas.

— Au contraire, je te remercie de m'avoir parlé.

Ils se turent, accablés par ce que ces informations avaient de tristes. Julia perdue. Mais Pierre ne se sentait plus aucun courage pour assumer le destin de celle-ci.

Sa décision était prise. Il épouserait Soley.

Et se confirmait une fois de plus que la vie, quand même, se hasardait imperturbablement à faire avancer les choses. À sa façon.

20.

Février 2011

Nemours émergeait doucement de sa léthargie. Il perçut des sifflements. Il lui était difficile d'en situer exactement l'origine. Encore un peu comateux, il tenta avec effort de les repérer. S'ils venaient du dehors, cela ne ressemblait pas à des bruits de travaux émis par quelques chignoles ou autres machines infernales. Le bruit se précisait, venant peut-être et étonnamment de sous son oreiller. Des stridences longues et courtes se déroulaient en rythme régulier. Comme du morse. En fait c'était du morse. La même rengaine repassait en boucle, semblait-il, et cela venait carrément de son oreille ! Du fond de son oreille.

Se tournant et se retournant dans son lit, il tenta de faire cesser cet insupportable sifflet. De ses mains, il se boucha les oreilles. En vain. Contre toute raison, la note unique, blanche, noire, reprenait semblable, dans le même ordre cadencé. Ti-ti-ti / ta-ta-ta / ti-ti-ti... et après deux, trois secondes de silence, la litanie reprit. La surprise passée, le désagrément se transforma en curiosité. Nemours pouvait traduire l'alphabet morse. Enfant, avec ses copains, il avait joué sur des émetteurs-récepteurs jouets. Les premiers signes étaient faciles à comprendre : S.O.S. Et le message se répétait encore : trois courts / trois longs / trois courts.

206

Du fond de la gorge, bouche fermée, Nemours émit des murmures en morse qui voulaient dire : « Où êtes-vous ? » La réponse arriva qu'il traduisit par : « Prisonnier. » Il n'eut pas besoin de répéter sa question, l'autre répéta le message de façon plus complète : « Je suis prisonnier. » Sa troisième question fut : « Qui êtes-vous ? » La réponse arrêta – momentanément – les battements de son cœur. « Toi. » « Qui toi ? » « Toi, Nemours. » « Quoi ! Moi ? » En tout cas, c'était son nom. Il ne rêvait pas. Quelle était sa détresse ? Il eut le temps de penser que sa tête lui faisait mal et qu'il devrait appeler un médecin, quand le téléphone sonna. Et le réveilla. Un cauchemar, c'était un cauchemar !

C'était Agathe qui l'appelait de Paris pour bavarder. Envie que Nemours, la bouche emplie de borborygmes incompréhensibles, contraria net. Elle raccrocha.

Il se sortait difficilement de ce drôle de rêve. Et avec une grosse migraine. C'était tout ce qui restait de réel de cette histoire abracadabrante qui l'étonnait encore.

De la grotte de ses draps, il sortit les bras et alluma la radio. La chance voulut que la musique de Bach le cueillît. Il s'échappa enfin de sa nuit.

Il se remit à songer aux dernières missives arrivées la veille. Quatre nouvelles enveloppes, contenant chacune un caractère, C-H-U, et un point d'interrogation. C-H-U ?, ou U-C-H ? ou... Il se rappela le déroulement de l'arrivée des précédentes lettres. Toujours ces numéros. Cette fois 6/15, 7/15, 8/15, 9/15. Nemours chercha diverses combinaisons avec les dix caractères précédemment reçus, Q-U-I-E-S-T-U-C-H ?

« Qui es-tu ? »; pour le CH, il supposa que la suite viendrait en son temps...

Il alla dénicher son courrier tout chaud au fond de la boîte aux lettres et trouva une fois de plus une lettre étrange mais différente des précédentes. Elle était écrite cette fois en majuscule, avec un corps de police peu usité, peut-être un blair médium ou un copperplate bold. On pouvait lire : « Rendez-vous aujourd'hui, à 13 h 30, au cimetière de Bray-Dunes devant la quatorzième tombe, de la troisième ran-

gée, puis retournez-vous. » « Quelle blague encore ? » pensa
Nemours. Et ce vouvoiement inhabituel, surprenant après le
« qui es-tu » ? S'agissait-il d'un autre joyeux luron ?

Bray-Dunes n'était qu'à une dizaine de kilomètres de
Dunkerque et le cimetière à quelques centaines de mètres
de la frontière belge. Il en profiterait pour faire le plein
d'essence, le prix du litre étant moins cher qu'en France.
Comme tous les frontaliers.
Bien sûr qu'il serait à ce rendez-vous. Enfin il en saurait
plus sur ces mystérieuses missives. Peut-être...
Dehors, dans la ville, se poursuivaient toujours les trois
Joyeuses. On en était au troisième jour. La Bande s'égaille-
rait aujourd'hui à Rosendaël. Il la rejoindrait ensuite.
Nemours se sentait d'attaque pour le rendez-vous. Pour tous
les rendez-vous.

Il s'engagea, à l'heure dite, dans la rue principale de Bray-
Dunes, près de la mer, au milieu des dunes justement. Il
remarqua au bout de quelques petites allées transversales
d'anciennes et charmantes maisons de pêcheurs, minus-
cules, plantées parmi le sable et les herbes courtes.
Puis face à la mairie, il franchit la modeste grille de fer
forgé du petit cimetière, ornée de coquilles Saint-Jacques
et de phares. Il passa l'allée, bordée de noisetiers, de thuyas
et autres peupliers trembles, jusqu'au rectangle de graviers
sur lequel semblaient posées une centaine de tombes. Dans
la troisième rangée, un peu sur le côté, devant la quatorzième tombe, en ciment sale, était planté un homme jeune.
Priait-il ?
Plus Nemours s'approchait et plus il était troublé. Cet
homme qui se tourna vers lui, c'était lui, en un peu plus
vieux, un peu plus grand, un peu plus blond, et peut-être
moins, disons, « pénétrant » – cela se percevait dans son
regard. Un regard coupant que l'inconnu lui ficha dans les
yeux. Un regard froid, mais inquisiteur.
— J'ai rendez-vous avec vous. Raphaël Nemours.

L'homme prit la main que lui tendait Nemours.

— Philippe Blondeel.

— Aaaah! Celui à qui je ressemble!

L'homme sourit. Un grand sourire glacé.

— Je le constate aussi. C'est vous qui m'avez envoyé cette lettre me fixant rendez-vous?

Le ton était peu amène.

— Mais pas du tout! C'est vous qui...

— Regardez, j'ai reçu ça.

L'homme lui tendit une feuille sortie de sa poche.

— Effectivement...

— Qui a bien pu nous faire cela?

Nemours posa les yeux sur la tombe à ses pieds, la tombe 14. Deux noms y étaient gravés : Charles Blondeel, 1903-1938, et un autre, qui le stupéfia. Il n'en croyait pas ses yeux : Marie Van der Hagen, 1899-1977. Était-ce possible? Qu'est-ce que c'était que ce nom? Si commun qu'il s'en trouvait semé partout sous ses pas? Où qu'il avance, un nouveau ou une nouvelle Van der Hagen émergeait de l'anonymat!

Philippe Blondeel suivit le regard de Nemours. Perçut-il sa stupeur?

— Je ne comprends pas pourquoi on a choisi la tombe de mes grands-parents comme lieu de rendez-vous, commenta-t-il.

Nemours se retourna alors vers la tombe d'en face, comme le demandait le message. Une autre surprise l'attendait : elle n'avait pas de nom. Ou plutôt les inscriptions en étaient presque totalement effacées.

La tombe devait être ancienne car elle était très noire, très salie par les intempéries et le temps. Peut-être un siècle, peut-être plus...

Les deux hommes ne comprenaient pas ce qui avait poussé à les réunir là sous un ciel gris et froid.

— Je pense que c'est une plaisanterie des Noirs, avança Philippe Blondeel. Cela leur ressemble bien, et ajouta-t-il en souriant, ils testent beaucoup.

— Oui, c'est une hypothèse, sinon on ne voit pas à quoi ça rime... À moins que quelqu'un ait voulu notre rencontre ?

— Ce n'est pas exclu... Mais ne restons pas là, il commence à pleuvoir. Si vous avez le temps et si vous voulez...

Nemours l'interrompit :

— Si tu veux...

— Si tu veux, je vous emmène boire un pot dans un bistrot typique à quelques kilomètres d'ici. À Oostduinkerke. En pays flamand. Tu le connais peut-être ?

— Non, je ne suis pas d'ici. Je découvre.

— À deux, on réussira peut-être à élucider le mystère.

Philippe proposa de ne prendre qu'une voiture, la sienne. Après quelques kilomètres de route, ils se dirigèrent vers le centre d'un village et entrèrent dans un estaminet d'antan : comme fixé dans son jus de 1880. Un plancher de bois brut, à larges planches, recouvert de sciure de bois, des peintures jaunies par la fumée et l'âge, des affiches et des annonces de festivités de l'époque. On servait des crevettes grises avec de la bière blanche. Le patron expliqua à Nemours que les crevettes étaient pêchées « à l'ancienne », avec une épuisette géante tirée par un percheron monumental, mené par un petit pêcheur en hautes bottes et en ciré, comme l'attestait une photo en noir et blanc.

Devant trois galopins de bières différentes, brune, blanche et blonde, bloqués dans une planchette trouée, ils examinèrent leurs deux lettres. En tous points semblables. Taisant ses scrupules, Nemours se décida aussi à parler des autres missives. Il fallait bien avancer dans la recherche. Même à découvert.

— Je n'y suis pour rien, je vous l'affirme. Il doit sûrement y avoir des indices, commenta Philippe pensif.

— Le quinze peut-être, pour une phrase de quinze lettres, mais laquelle ?

— Quinze ? Comme les Noirs !

— Oui, marrant.

Philippe devenu muet, Nemours se leva après un coup d'œil sur sa montre.

— Bien, excuse-moi mais il faut que je parte. Je dois me préparer pour la bande de Rosendaël. Tu la fais ?

— Ah ! J'aurais bien voulu mais je ne peux pas. Les Noirs me l'avaient proposé mais bon...Tiens, au fait, je vais postuler pour entrer chez eux.

Nemours pensa que l'homme se serait exprimé de la même façon pour parler des francs-maçons ou d'un ordre de religieux. L'homme poursuivit :

— Le numéro 12 part s'installer en Australie. Ils vont le remplacer. Je corresponds bien à ce qu'ils demandent. Un : Dunkerquois depuis des générations, deux : la cooptation, qui ne devrait pas me poser de problème et, troisième règle, un objet rare ayant un rapport avec Jean Bart. Je l'ai déjà trouvé. Une étiquette d'une bière *Jean Bart* polonaise !

— Bravo, Nemours ne put réprimer une pointe de sarcasme. Que des Dunkerquois ? Vraiment ? Pas de place pour les autres « nationalités » ?

— Même pas en rêve. Toi, tu es parisien, je crois.

— En tout état de cause, il y a peu de Parisiens de pure lignée. Je suis bourguignon et basque, du côté de ma grand-mère, et de l'autre côté, effectivement je suis parisien mais sur une génération. Plus haut je ne sais pas. Tu es le seul postulant ?

— Je n'en sais rien, mais la concurrence ne me fait pas peur.

Il eut un rire un peu fat qui déplut à Nemours.

Nemours réfléchissait, tout en cheminant de conserve vers la Clio rouge de Philippe. Ce type lui déplaisait, le rebutait même. D'ailleurs lui ressemblait-il physiquement tant que cela ? Quelque chose dans le bas du visage d'un peu mou, d'un peu veule même, l'inquiétait, par contrecoup, sur lui-même.

En voiture Philippe passa par la digue de Bray-Dunes. La marée basse avait dégagé une large zone de beau sable beige.

Nemours fut saisi par le calme et la grandeur de ce paysage. Étaient-ce les couleurs ou le ciel ?

— La vraie mer, c'est celle-là ! Pas la Méditerranée, trop bleue, trop salée. Non ?

Nemours pensa qu'il poussait peut-être un peu loin l'amour du pays.

L'homme le déposa devant sa voiture.

Il profita de la proximité de la Belgique pour faire le plein d'essence, juste après le poste frontière dit *Le perroquet*. Le patron avait apposé au-dessus des pompes un panneau hilarant aux yeux des Français : « 1. Prenez le pistolet. 2. Appuyez sur la gâchette. 3. Ce n'est pas dangereux. 4. Cela s'arrête automatiquement quand c'est plein. » Il en pouffait encore en redémarrant.

Sur la route du retour, Nemours se demanda si, à la réflexion, il y avait un intérêt à en savoir plus sur la tombe inconnue. Tout cet effort pour il ne savait quoi. Une perte de temps. C'était un canular et voilà tout. Il eut la tentation de renoncer à comprendre. Mais cette intrigue le poursuivait : qui le menait comme ça et vers quoi ou qui ? Cela finissait par l'agacer et piquer durablement sa curiosité.

De sa voiture il appela sa mère. Il fallait en avoir le cœur net. La question se reposait de façon impérieuse. Avait-il un lien avec ces Blondeel ?

— Mon chéri, je ne vois pas. Vraiment.

Son père s'appelait Jean Delacroix. Elle ne l'avait pratiquement pas connu : il était mort quand elle avait deux ans. C'est son beau-père qui lui avait servi de père.

— Sais-tu où et quand est né Jean Delacroix ?

— Pour la date de naissance, je pense que c'est en mai 1930 et pour le lieu, je te rappelle.

Nemours rentra chez lui, déterminé à poursuivre l'enquête. Il enfila ses frusques de Ma tante, dans lesquelles à présent il se sentait à l'aise. Il repartit pour Rosendaël et se mit à la recherche de la Bande qui avait pris son envol depuis une heure.

Il retrouva de loin le Géant vert, de près La Dkoise. Et le Cô. Ce n'était pas Cô Schlock. Le tambour-major préposé à cette Bande était un clone, costumé aussi de l'uniforme de grognard. Cô Pinte II ?

Nemours identifiait de mieux en mieux les paroles du répertoire.

Décidément, il appréciait toujours plus cette atmosphère de liesse... Il comprenait ce qu'Antoine avait voulu dire. Une contagion de joie, une épidémie de bonheur. Cela ne s'expliquait pas vraiment. Quelque chose toujours échapperait à la raison.

En attendant d'y réfléchir Nemours était entré dans la mêlée, entre deux Noirs, braillant à gorge déployée « Donne un zô / À ton oncle Cô / Qui r'vient d'Islan-an-de / De son wamme / T'auras un morceau / Si t'es bien ten-en-dre. » Ils enchaînèrent sur le sempiternel : « Elle a de belles fesses, Ma tante Agnès / Elle a de belles cuisses / Ma tante Alice. » La première fois qu'il avait entendu cet air, il l'avait cru de Gershwin et l'avait retrouvé, caché, dans *Un Américain à Paris*. Il avait envisagé l'hypothèse d'un Gershwin copiant un chant du carnaval, mais c'est Antoine, moqueur, qui, bien sûr, détenait la vérité. Cet air, c'était la *matchiche* que le compositeur, en visite à Paris dans les années vingt, avait entendue : « La danse qui vous aguiche, c'est la matchiche. »

Il repéra la Dkoise dans le chahut à un rang de lui. La fanfare entamait « la musique à papa fait plaisir à maman », quand il saisit sa chance et se faufila tout contre elle.

Ils restèrent collés l'un à l'autre, mélangeant leur sueur jusqu'à l'hymne à Jean Bart. Puis leurs lèvres, leur salive, leurs langues. Ils ne se lâchaient plus.

Ils prirent sa voiture et se dirigèrent vers la plage, la longue plage de Bray-Dunes. Ils se garèrent dans un endroit dissimulé à la vue des maisons, caché par les dunes. Leurs baisers empêchaient tout autre progression. Il attendait qu'elle prenne l'initiative, quand elle serait prête ou disposée. « Viens », et elle sortit de la voiture. Elle connaissait un endroit sauvegardé, encore très sauvage, accessible par un chemin à travers les érables et les petits oyats.

Dans une exultation commune et une sensualité animale, ils s'étreignirent couchés sur le sable, entourés de vent et d'herbes folles, protégés par deux buttes et cachés par la nuit. La marée était haute et le bruit de vagues d'une mer formée leur parvenait distinctement. Ils étaient peu déshabillés. Le froid, l'obscurité et les circonstances… mais les quelques centimètres carrés auxquels sa main avait accès, qu'il pouvait caresser et doucement pétrir, l'embrasèrent. Il atteignit les seins fermes et doux qu'il prit à pleine main. Elle aimait manifestement et avec naturel ce qu'ils faisaient. Elle était si consentante qu'à la grande surprise de Nemours, son sexe se retrouva « capoté ». Sans avoir eu le temps de l'envisager. Ils prirent le temps, bien le temps. Ils atteignirent l'orgasme presque ensemble, elle d'abord puis lui, en un bel accord. Tout parut à Nemours exaltation, mystère et suavité.

Il avait lu à propos de cette plage de Bray-Dunes, quelque part, peut-être dans les archives de son journal, un poème sublime d'un inconnu. Il le lui chuchota à l'oreille sans être bien certain qu'elle apprécie : *Lisse et beige la grève / Et la mer lisse et grise au loin. / Dans la solitude lumineuse, tout bruit s'isole / En un irréel prolongement du silence. / Le murmure perceptible à peine / Du léger rouleau de beau temps sur la grève / Est, si l'on ferme les yeux, comme l'horizon du silence.*

Ce récitatif avait permis une pause et la partie chantée put reprendre. Jusqu'au plaisir qui les envahit à nouveau, puissant et facile, comme si l'habitude leur en venait déjà. Et le processus semblait enclenché pour durer.

Seul le froid finit par écourter l'exercice.

Le lendemain matin, seul dans son lit, seul dans l'appartement, il se sentit bien avec ses pensées. C'était la première fois avec une fille qu'il connaissait à peine, la première fois à « l'air libre », la première fois qu'il ne connaissait pas le prénom de sa partenaire, et il n'avait même pas envie de le lui demander. La Dkoise suffisait. C'était plus sport.

21.

Nemours prit le temps de se rendre une deuxième fois à la mairie de Bray-Dunes. Il voulait connaître les noms de ceux qui étaient enterrés dans la tombe d'en face. Il croyait vraiment et sans véritable raison qu'il se passerait quelque chose, mais il fut déçu. La préposée lut sur une liste que les occupants des quatre cercueils étaient de la famille Braems. Nom dont Antoine lui confirma qu'il était typique du village de Bray-Dunes, qu'au XXe siècle, un capitaine Braems avait gagné grande réputation à la pêche à la morue, et rien d'autre.

Ce mercredi des Cendres, il n'avait plus les jambes pour repartir au bal enfantin. Mais on lui avait tant répété qu'il ne pouvait pas rater cela, que son envie de tout vivre, de tout voir sans attendre l'année suivante, le poussa à repartir vers le Kursaal pour tout l'après-midi. Il avait de plus un alibi professionnel : ses articles pour le journal.

Des Noirs, qui ne s'étaient couchés que quelques heures sur les soixante-douze dernières, étaient là avec leurs enfants. Ils avaient poussé la beauté des choses à déguiser leurs petits garçons exactement comme eux. Des enfants écossais et leur papa écossais aussi, « Fabriqués à la ferme ! », glosait l'un en désignant son propre kilt.

Le carnaval des vents d'Islande

Virevoltaient également une multitude de petites fées en robe de satin rose, bleu ou en mini-princesses hilares qui jouaient frénétiquement avec leur baguette magique. Et des coccinelles, des fraises, des elfes. Tous ces petits « masques » jetaient des confettis ou des tortillons de papier puis, avides de sensations nouvelles, plongeaient au sol, dans ce magma, et, en transe, les relançaient en l'air par poignées.

Les plus âgés, les neuf-treize ans, participaient aux cha-huts, à l'exemple des adultes qui tournaient, poussaient, chantaient comme les jours d'avant mais cette fois, dans un esprit didactique. Des grands-parents, debout près de l'arène ou assis sur les estrades, portaient sur les leurs des regards d'infinie tendresse.

Des petits Ma tante à chapeaux fleuris s'exerçaient avec détermination à pousser de la bonne manière, dans le bon sens, dans l'ordre voulu. Tous pratiquaient le pas dunkerquois. Une certaine manière de marcher en dansant et marquant le rythme avec les pieds, d'une façon traînante et un peu lourde, un une-deux particulier d'où sourdait un bruit spécial, un fri-fri reconnaissable. Une fois saisi, on le tenait pour la vie.

Une jeune mère portait devant elle, à bout de bras, un tout petit bébé de quelques mois à qui elle disait : « Regarde, gâmin, not' ca'naval ! C'est beau, hein ! » C'est peut-être ce que Nemours avait vu de plus extravagant, depuis le début.

On reconnaissait le défilé des chants des autres bals mais il s'agissait d'une version expurgée, tout en gardant un peu de grivoiserie ce qui faisait toujours plaisir aux enfants. Un petit Charlot en costume trois pièces et chapeau melon chan-tait en articulant avec gravité : « Qu'est-ce qui darre, c'est Jean Bâârt, parce qu'il a pas pu descendre pour pisser, ohé, ohé. »

Entre deux chahuts, on entendait au micro de la salle-buvette d'à côté des appels pour une petite pomme ou un pierrot perdus. Cela inquiétait Nemours, mais la recherche se passait dans le calme, et la pomme ou le pierrot étaient finalement retrouvés.

Tout à coup il la vit. La Dkoise était là parmi la foule. Habillée comme à l'accoutumée, la seule tenue qu'il lui connaissait, veste, kilt, chapeau arbre de Noël et maquillage vert et rouge. Mais derrière elle, contre son dos, maintenue dans un siège de toile et d'aluminium, une toute petite fille costumée et maquillée comme elle. Nemours était si surpris qu'il n'eut ni l'envie, ni le réflexe de la rejoindre. Il l'observait, c'est tout. Elle riait avec l'un, l'autre, se baladait dans la mêlée, était prise en photo avec l'adorable bambine, se retournait pour la regarder, lui caresser les cheveux.

C'est curieux, il en avait éprouvé un choc. Il ne s'attendait à rien pourtant. Mais voir ainsi La Dkoise en mère de famille !

Elle ne le vit pas. Le cherchait-elle même ?

Il n'avait plus envie de rien. Il rentra chez lui.

Le « client » braque d'Agathe était une fois de plus devant sa porte ! Il demanda comme à l'habitude si Agathe était là, s'excusa et chargea à nouveau Nemours de la remercier. Cela devenait lassant.

Agathe rentra de Paris le vendredi. Elle boitillait encore un peu.

Elle avait invité depuis longtemps pour le samedi un groupe d'amis parisiens et tenait à honorer son invitation. Nemours fut mis à contribution. Liste en main, il avait fait scrupuleusement les courses. Rien de bien compliqué à préparer.

Ensuite, tous se préparèrent pour le bal, dans l'euphorie et les éclats de rire propres à ces métamorphoses.

Un petit gros ridicule en justaucorps violet, collant chair, jupette mauve, perruque à fils d'or, hésitait à ajouter à sa tenue le tutu de tulle confectionné par sa sœur. Il y renonça finalement parce que « Ça ferait trop habillé ».

Des Dunkerquois les avaient rejoints. Suivant le principe qu'un Dunkerquois, et au moins un, est indispensable à l'authenticité de la fête.

Tous s'exerçaient en même temps au répertoire grâce à une vidéo « karaoké ». Les chants étaient repris en chœur dans une ambiance champagnisée et déjà exaltée. Puis ce fut l'heure de partir.

La Poudrière, la salle des fêtes de Leffrinckoucke, apportait un autre décor donc une ambiance différente. Il y avait moins de monde et l'atmosphère était moins « mélangée » qu'au Kursaal. Ce qui en faisait aussi l'intérêt. Qui était là ? Le Cô. Qui aussi ? Cinq ou six Noirs. Et encore quatre, cinq clownes Blanches. Qui encore ? Quelque trois mille masquelours.

La Dkoise se cogna à Nemours. Elle l'embrassa en lui posant spontanément un baiser sur les lèvres puis s'éloigna et la foule les séparant ne lui permit pas de se demander s'il allait la suivre ou non. Finalement il s'écarta.

Nemours ne reconnut pas Claire parmi les clownes Blanches. Lors du premier intermède après le chahut de minuit, il se renseigna et apprit, d'une autre clowne, qu'elle était restée à Paris.

Celle qui l'avait renseigné lui parut pleine de charme, pour autant qu'il pût en distinguer les traits sous les couches de blanc, les sourcils modifiés et la bouche si rouge.

Il lui sembla que l'ensemble front, nez, bouche charnue était, malgré le déguisement, d'une grande pureté de lignes. On aurait dit une korê. Curieusement elle resta à son côté jusqu'au tout petit matin. Sa voix forte et juste chanta énergiquement tous les refrains.

Les Noirs avaient totalement adopté Nemours, et c'est dans un bistrot de la digue, avec un reste de clique dézingué, qu'ils achevèrent la nuit, la petite Clowne alentie à son bras.

Elle disparut comme par enchantement avant qu'il lui propose de la raccompagner. Il ne savait rien d'elle. On verrait bien.

Peut-être n'était-il intéressé par cette inconnue que parce que la Dkoise le décevait ?

Son lot de lettres spéciales arriva le matin, cette fois au journal, par mail. Cinq envois d'une lettre chacun. Sur fond blanc, une seule lettre. La case « objet » vide, une adresse, un acronyme à ses initiales R. N., l'immuable arobase et un banal wanadoo, pratiquement anonyme, puisque, après recherche, à peine née déjà disparue. Si le système général au journal n'avait pas installé un anti-virus général, il n'aurait pas ouvert le message. Il s'agissait d'un virus personnalisé. Deux E, un R, un C et un H, de mêmes caractéristiques. Combiner et recombiner les quinze lettres devenaient simplissime, l'ordre des dix premiers numéros lui facilitant la tâche. Voici ce qu'il obtint de plus probable : au « Qui es-tu ? », déjà trouvé et qui ne changeait pas, s'ajoutait « Cherche ».

Quel drôle de conseil ! Qui tenait à le lui prodiguer ? Il se résolut à en parler à Agathe.

Une fois le premier étonnement passé, elle réfléchit et, avant même qu'il lui pose la question, par prolepse, elle l'assura qu'elle n'y était pour rien (« Et pourquoi pas ma mère en bleu de travail à l'Académie française ? »).

— Tu es sûre ? Vraiment sûre ?

Nemours prit un air dubitatif.

— Sûre, sûre, sûre.

Devant une telle insistance, Nemours changea de ton.

Tout cela ne voulait rien dire, ne signifiait rien. Qui pouvait s'amuser à ces bêtises ?

Il se prépara un petit déjeuner.

— Dis donc ! Une nouvelle surprenante ! Ségolène Royal se présente aux élections pour le P.S. en 2012 !

— Impossible, voyons !

— Je t'assure ! C'est écrit là en toutes lettres.

Il lui montra la page du journal.

Agathe éclata d'un rire inextinguible.

— Regarde la date, imbécile ! C'que t'es bête !

Elle ricana encore et encore.

La tranche de l'hebdomadaire indiquait *7 au 14 janvier 2007*.

— J'ai toujours aimé faire rire les dames, répliqua-t-il, mortifié et impassible.

Avec agacement, Nemours rejeta la revue sur les vieux journaux qui traînaient dans un panier.

Depuis le temps qu'il avait l'air du grand sachem et Agathe de la pauvre idiote... Cette bévue rétablissait un peu l'équilibre.

Soudain, un coup de sonnette comminatoire, et singulier d'aussi bonne heure, asphyxia son rire. Proche de la porte, boitant bas, aidée de cannes, elle alla ouvrir. C'était son protégé, le « faux-fou », aux anges de la rencontrer enfin.

Il venait en apparence la remercier mais surtout lui parler de la nécessité de poursuivre l'action c'est-à-dire de faire connaître par voie de presse, via Agathe et le truchement de *La Voix de la Flandre*, les turpitudes et les menées du chef de service de l'hôpital psychiatrique, le laxisme du procureur de la République, les lois iniques qui l'avaient tant maltraité... Il fallait qu'elle attaque, qu'elle dénonce, que l'ami avocat intervienne, que...

Agathe était accablée. Tout cela était bien trop lourd pour elle. Elle évaluait enfin toute l'étendue de son erreur. Il insistait, insistait. Elle ne savait plus comment s'en débarrasser. Nemours entendait de loin l'affaire s'embourber.

« Vite, vite, tu as vu l'heure ? », intervint-il, et il empoigna Agathe vers le refuge de l'appartement, après avoir poliment repoussé l'importun qui poursuivait toujours son idée et ses propos vengeurs. La porte se referma sur ses plaintes solitaires.

« My God ! » s'exclama Agathe en s'affalant sur le canapé.

Elle aurait beau en appeler à Dieu et compagnie, elle était dans de sales draps.

C'est à cet instant que le téléphone de Nemours sonna. Sylvia, son informatrice, l'appelait enfin pour lui fixer rendez-vous. Ils seraient deux pour lui parler. L'accompagnerait un ancien élu. Il faudrait qu'il ne le cite jamais. En aucun cas. Il s'y engagea. Parfait ! Les affaires reprenaient.

Au journal, il mit la dernière main aux articles sur les problèmes de pollution atmosphérique. Il proposerait des solutions. Il n'aimait pas ne faire que dénigrer et tenait à conclure sur une réflexion positive. Question de principes. L'application de la législation comme l'arrosage des monticules de poussières, le respect de leur hauteur à neuf mètres et non aux dix-huit mètres actuels, en infraction, l'installation d'aspirateurs à COV, etc. D'autres solutions en gestation existaient. Ainsi il avait rencontré un Dunkerquois installé en Islande dont l'enthousiasme avait été communicatif et qui étudiait une méthode de capture et du recyclage des rejets de CO^2 des usines polluantes. Ces essais financés par lui et quelques autres financiers mécènes, voilà ce dont son article parlerait :

Dans cette Islande du haut du monde, férocement enfoncée dans la nuit de son hiver polaire et économique, il est des hommes d'énergie et d'imagination. Ceux d'où peut arriver le printemps du redressement, les descendants de ceux-là mêmes qui, en un siècle, sortirent l'île de sa misère. L'énergie géothermique, les riches zones de pêche, la touristique beauté de l'île, autant de moyens de se relever mais pas seulement. Une étonnante initiative et une raison d'espérer pourraient bien venir d'un Dunkerquois installé en Islande depuis trente ans. Pas n'importe lequel, un descendant de pêcheurs à la morue, ceux que l'on appelait « Les Islandais ».

Il a imaginé récupérer des fumées qu'exhalent ces terres volcaniques et des usines, surtout d'aluminium, le dioxyde de carbone, nocif et polluant, et le transformer en méthanol. Ce méthanol qui pourrait remplacer progressivement l'essence. L'investissement est énorme. Si ce système fonctionne, la monstrueuse pollution des usines côtières, par exemple entre Gravelines et Dunkerque, trouverait là une part de sa difficile résolution.

Le lendemain, à la suite de l'article, son rédacteur le félicita : le journal avait reçu des messages encourageants. Mais aussi des « remarques négatives », selon le mot d'Arnaud Luyce. Cela ne plaisait pas à tout le monde, apparemment…

Le rédacteur le rassura : pas question de se laisser intimider, n'est-ce pas ?

Le soir même, Nemours se rendit, place Jean Bart, au rendez-vous de Sylvia. Elle l'embarqua dans sa voiture pour se rendre chez C. La rencontre s'annonçait intense. Sylvia profita du trajet pour le renseigner plus amplement.

— Notre homme sait beaucoup de secrets et de plus détient des documents essentiels. Il est un des rares à y avoir eu accès. C'est un élu. C'est pourquoi il ne faut pas que quiconque puisse remonter jusqu'à lui. Ses opposants mettent la pression sur lui.

— C'est-à-dire ?

— Des brimades, des coups de fil anonymes menaçants.

— Je vois.

— Je ne sais pas si tu vois vraiment. Des injustices flagrantes. À tous les niveaux. Mais la méthode est connue dans la région. Copiner, adhérer au parti ou périr. Du balayeur aux artistes. Du petit au grand. Je t'explique : un balayeur trouve un emploi dans un organisme public. Le lendemain on lui demande s'il a la carte du parti. Il ne l'a pas. Il doit la prendre sinon on ne le garde pas. Il ne la prend pas. On trouve qu'il ne fait pas l'affaire... Tu peux multiplier, décliner, conjuguer sans fin. Autre histoire : un sculpteur participe à un concours de la mairie pour une importante commande. Une sculpture monumentale à l'entrée du port. Il investit une mise de départ de plusieurs milliers d'euros pour sa maquette. Ils sont trois concurrents, lui seul Dunkerquois. Le jury composé de membres choisis parmi le conseil municipal et par le maire votent. Son projet plaît. Il récolte onze voix sur seize. Pourtant le projet ne se réalisera pas. Politiquement il n'est pas du « bon bord » ! Pire, c'est un rebelle qui n'hésite pas à critiquer le maire. Encore ? Deux chaudronniers dans le même village, l'un a sa carte au parti, l'autre pas. L'un a toutes les commandes municipales, l'autre aucune. L'usine du premier compte aujourd'hui une centaine d'ouvriers, l'autre est resté avec sa petite affaire de trois ouvriers. J'en rajoute ?

— Non, ça va, j'ai compris. Et les autres, de l'autre camp, ils ne font pas pareil, dès qu'ils sont au pouvoir ?

— Un, les opposants n'y sont pas depuis des décennies. Deux, cela se joue sur la durée. Quand un parti est longtemps dominant, les hommes se mettent en place comme aux échecs, les noirs remplacent les blancs et envahissent tout l'échiquier. Pour arrêter ça, il faut que la partie se rejoue. Ici dans la région, depuis la nuit de nos temps, c'est la même partie. Sans jeu de mot. Trois, la démocratie, c'est l'alternance. Une règle d'or. Souvenons-nous d'Athènes.

— C'est ça la solution ? L'alternance ?

— Eh oui ! Ici, c'est un régime féodal, le puissant seigneur, les barons serviles et les serfs qui courbent l'échine, et les résistants, mal lotis et victimes idéales.

— Vraiment ?

— OK, je caricature un peu. Le nombre de règles de tolérance bafouées, de coups bas et tordus et toute cette énergie perdue à garder le pouvoir au détriment de débats sains, de propositions constructives. Tu trouves normal, par exemple, qu'un visage soit gommé au montage dans une photo de groupe, pour que l'opposant principal n'apparaisse pas dans le journal local ? Que son intervention soit supprimée lors de la retransmission radio ou télé du Conseil municipal ? D'autres exemples par centaines. Cela n'existe pas la durée d'un pouvoir dans une démocratie. Le changement en est le garant. Saddam Hussein a duré trente ans, Bush constitutionnellement huit. Tu saisis la différence ! Sans la limitation de mandats, pas d'Obama.

Nemours percevait à la fois souffrance et détermination chez Sylvia, ce qui lui plaisait.

— Et toi, ils te font quoi ?

— C'est varié. Pas de commande pour mon imprimerie. Tout pour mon concurrent. On casse mes contrats privés par nuisance indirecte. Médisance, calomnie ou, plus efficace, prix cassés par le concurrent. C'est dur financièrement et moralement. Mais ne t'y trompe pas, tous sont victimes du système. Il n'y a peut-être pas de bon système et certes il en est de pire... Le nôtre est en place depuis si longtemps...

Nemours et Sylvia étaient arrivés devant une maisonnette entourée de champs et de peupliers. Une ferme de poupée, briques rouges à foison, même au sol et à chant devant la façade.

— Bienvenue chez moi.

L'accueil sympathique et la poignée de main en étau lui firent bonne impression. C. avait le regard à la fois bon et acéré, un visage au couteau et les traits accusés. La soixantaine. On sentait que sa façon d'être était de serrer les mâchoires.

À l'intérieur tout brillait, « briqué », se dit Nemours. Cela sentait bon le café, le chocolat et l'encaustique. Plus un fond léger et âcre, comme un fumet de paille et de terre mouillée. Sans doute l'enclos contigu. Des chevaux, des vaches ?

— Nous n'avons pas beaucoup de temps. Ma femme est chez une amie jusqu'à 10 heures. Je ne veux pas la mêler à tout ça. Je la laisse en dehors. Elle en a trop souffert. Mais elle sait que je vous vois.

— Vas-y, tu peux faire confiance à ce jeune homme, lui confirma Sylvia.

Puis elle se tourna vers Nemours quêtant son assentiment.

— Bien entendu, confirma Nemours. Je ne suis impliqué dans rien et je ne supporte ni le copinage, ni la corruption, ni les abus de biens sociaux.

Il se surprit lui-même. Sortir si facilement toutes ces formules, il se dit que cela devait venir du plus profond de lui. Il s'était découvert une rage d'agir. Il s'était impliqué dans la guerre à l'arbitraire de la sixième à la terminale, en tant que délégué de classe. Tout cela remontait en lui à cet instant.

— Voilà, je vous ai fait venir parce que, dans ma ville, il se passe des choses insupportables. L'adjoint à l'urbanisme abuse de ses pouvoirs avec la complicité du maire. Je ne supporte plus ce qu'ils font.

— Expliquez-moi.

— Allons-y. Voilà : ce personnage s'empare, par exemple, d'une maison en vente dont le jardin est voisin d'un terrain juridiquement gelé par les règles d'urbanisme, parce qu'il est un îlot de verdure qui appartient à notre collectivité, le poumon vert de la ville. Quelques mois plus tard, le terrain est « dégelé », vendu à ce beau monsieur, puis les cantonniers de la ville coupent et arrachent les chênes centenaires sur le terrain, le tout aux frais du contribuable. Par la suite quatre maisons sont construites. Deux sont revendues, deux sont louées. Vous voulez la suite ? Toujours par le même homme peu scrupuleux : un petit bâtiment obturant une belle vue sur la rivière est acheté par lui à vil prix. La mairie aurait dû protéger l'endroit, le préempter et poursuivre l'aménagement des rives. L'adjoint le fait abattre. Seulement, d'après les règles du Plan d'Occupation des Sols, le POS, le terrain n'est pas constructible. Quelque temps après, il y construit une maison. Le terrain a été libéré par l'opération du saint esprit municipal... D'autres cas ?

— Non, c'est bon.

Nemours était atterré.

— Trafic d'influence et détournement de bien public. Classique quand des élus ne sont pas moralement à la hauteur.

— Mais moi dans tout ça ? Vous attendez quoi ?

— Je suis grillé. Tout le monde me connaît. Je ne peux plus bouger une oreille. Or il faut des preuves tangibles. Vous, vous n'êtes pas repéré. Je peux vous donner beaucoup d'éléments, les règles d'urbanisme, les délibérés déterminants du conseil municipal, d'autres preuves de leurs exactions, mais ce n'est pas suffisant. Il faut vérifier aux impôts.

Nemours sortit de chez C. avec une feuille de route. Il se rendit compte qu'il lui fallait se déterminer. Choisir le journalisme d'investigation, c'était renoncer à sa légèreté protectrice. Serait-il à la hauteur de ce type d'enquête, et d'engagement ? Voulait-il en assumer la responsabilité et le risque ?

Il sentit une angoisse le tenailler. Sylvia le perçut à son silence, une fois revenu dans la voiture et roulant vers Dunkerque.

— Tu hésites ? Tu as peur ?

— Peur ? Non, cela ne le mérite pas. Je me demandais juste si j'en serais capable. Cela m'a l'air compliqué... Après avoir trouvé ce qu'on cherche, quoi ?

— Le dénoncer est un devoir, non ?

Allait-il en parler à Luyce ?

Nemours le chercha mais il n'était pas dans son bureau. En revanche, il rencontra Françoise Évrard, la descendante de Louis et Maurice, qui l'aimait bien.

— Si vous avez le temps, Françoise, je vous raconte la suite de l'histoire de votre oncle, en tout cas ce que j'ai trouvé à son propos.

— Oh ! J'ai tout le temps pour ça. Venez, on va prendre le café dans mon bureau.

Il lui conta par le menu ce qu'il avait découvert dans les pages de *L'Écho du Nord* et lu entre les lignes. Ce récapitulatif l'aidait lui-même à mieux comprendre l'origine de ce drame de famille et l'enroulement des faits.

— Nemours, vous savez à quoi je pense ?

— Aucune idée. Que vous êtes désolée de ce qui est arrivé, la fin affreuse de votre oncle assassiné dans la rue par un cinglé juste avant de vivre son histoire d'amour...

— Oui, aussi. Non, à tout autre chose. Depuis le temps que je travaille, quarante ans, j'ai vu la mixité dans le travail évoluer. Plus de femmes dans tous les métiers, plus d'égalité. Hommes et femmes ensemble et non plus les femmes subordonnées aux hommes. Eh bien, aujourd'hui, les hommes sont devenus moins cons et les femmes moins sottes. Je tenais à vous en faire part : c'est une observation que seuls ceux qui ont du recul peuvent constater. Je vous le dis parce qu'Agathe est une merveilleuse compagne de taf et vous, Nemours, une bonne recrue. Voilà, c'est dit. Et nous pouvons faire une bonne équipe.

La merveilleuse compagne de taf et colocataire revint à la maison plutôt en méforme.

226

— Je sors de chez le dentiste : en vrac! Remarque j'ai eu autant de mal à y entrer qu'à en sortir. Une dent de sagesse en moins. Le risque d'être un peu moins sage...

— Alors le pire est encore à venir.

— L'artiste, c'est un masquelour avec qui j'ai fait un bout de Bande, tu te rappelles à Bergues? Il est drôle, ce comique. Il m'a tout de suite tutoyée. Je le savais marié. Je l'ai trouvé un peu raide quand je suis entrée. Il avait même l'air de souffrir. Tu vois, une sorte de rictus. « Mal aux dents? » Ça, c'était persifleur. « Ça va? » Il me répond : « Pas très. J'ai rencontré une jeune dame. » Je me suis dit qu'il était en train de vivre un bouleversement dans sa vie et s'en trouvait désorienté, ce qui expliquait son attitude accablée.

— Marri?

— Ah! T'es drôle, toi. « Une jeune Jaune, une belle Black? » lui ai-je demandé. « Non, une Blanche. Elle était en voiture et moi à vélo. Elle m'est rentrée dedans. Elle ne m'a pas vu! J'ai un hématome à la hanche mais ne t'inquiète pas, cela ne gêne ni ma vie sexuelle, ni mon Ârt. » Puis il s'est penché sur mon triste cas. En fait, un orfèvre, le mec.

Cette nouvelle galéjade leva à Nemours un sourire et toute la déprime accumulée.

22.

Février 2011

« Si un grizzly vous touche, roulez-vous en boule et faites le mort. »

C'est sur ces bons conseils d'une émission animalière que Nemours s'apprêtait à sortir.

Agathe fit son entrée. Il avait besoin de se confier à quelqu'un et Agathe était la seule au courant de sa recherche auprès du service des impôts au sujet de l'adjoint indélicat.

Il n'avait rien dit à son rédacteur. Après tout, il ne savait pas ce qu'il découvrirait et ne voulait pas le mettre dans l'embarras pour rien.

— Je peux te parler ?

— Nonobstant le fait que je comptais filer d'urgence sous la douche, vas-y !

— J'ai trouvé des éléments de preuves. Il a effectivement trafiqué les règles d'urbanisme sur les terrains non constructibles devenant pour lui – ou pour eux ? – constructibles, avec l'assentiment, peut-être la complicité, du maire. Je l'ignore encore. Et puis ils se sont mis à acheter terrains et maisons... Et d'autres coups encore. Acheter pour la ville une maison à prix surévalué au profit du propriétaire, sans doute un de leurs potes ? Comparses ? Généreux donateurs du parti ?

On doit encore me donner confirmation. Et il me faut des preuves écrites. Qui vont bientôt m'arriver.

— Comment as-tu réussi si vite ?

— Une dame qui bosse aux impôts. Il se trouve que c'est la fille d'une amie d'Antoine Verdoy. Je lui ai juste demandé s'il connaissait quelqu'un au service du cadastre. On dirait qu'il connaît tout le monde. Ils ont fait à cette fille un coup bien moche.

— Qui, « ils » ?

— Précisément, je n'ai pas de noms. Peu importe. Le groupe au pouvoir. Donc elle avait monté une boîte d'aide et de réparation informatique. La mairie a employé, au SMIC bien sûr, deux jeunes pour qu'ils fassent la même chose, exactement. Et gratuitement : service de la mairie aux contribuables ! Deux obligés captifs. Leur famille aussi. Clientélisme. Et concurrence déloyale. Ce qui a coulé la société de cette fille.

— Le problème avec elle ?

— Elle n'est pas de leur bord. C'est même une ardente opposante, d'autant plus aujourd'hui, tu l'imagines !

— Tu vas en faire quoi ? Les dénoncer ? Épingler leurs forfaits ?

— Réfléchir, soupeser et en parler à Luyce. Je m'aperçois que tout est sous leur contrôle, tout est noyauté.

— Ailleurs aussi, non ?

— Non, la droite travaille à larges mailles, la gauche à petites mailles.

— C'est-à-dire ?

— Simple, non seulement le clientélisme, les obligés, le système d'assistanat appauvrit la population, la rend craintive et dépendante, mais aussi le biais de nombre d'associations. L'assoce des pêcheurs de gardons ou des mères cyclistes et chrétiennes ou n'importe quoi. Les choix de grands projets sont des pompes à subventions, mais aussi des gouffres à fric. Une énième salle des fêtes ou de sports, un puits sans fond pour le contribuable. Le prestige pour l'élu, croit-il, et des dettes pour le fonctionnement de tout cela. Abyssales pour les générations futures. Mais surtout la contrepartie de la pollution.

— On paye pour que les gens s'écrasent ?

— Je n'en sais rien. Je me le demande. Je le crains ! Est-ce par manque de pragmatisme ? Ces élus, ces seigneurs de la guerre des élections, sont-ils hypocrites ou idiots ? Je n'ai pas tranché.

— Tu es inquiet ?

— Écœuré plutôt ! Et je continue les recherches. J'y vais, j'ai du taf.

— Ça va peut-être péter. Fais tes valoches pour être prêt à rentrer. Et n'oublie pas ta collection de slips !

Il avait rendez-vous ce soir et pour la dernière fois avec Antoine, car s'achevaient la lecture et la publication dans *La Voix de la Flandre* des textes de Fursy Verdoy. Il les avait introduits, commentés. En parallèle de sa chronique sur le carnaval, « Un tourelour[1] chez les masquelours », titre trouvé par son rédacteur.

Cet après-midi, il repartait alimenter ses articles. Il se remit à sillonner les alentours. En effet, pour compléter ses connaissances, il avait décidé de photographier, méthodiquement, les anciennes maisons des pêcheurs et des capitaines à la pêche en Islande. Il avait récupéré dans les archives notariales des adresses, de Bray-Dunes à Malo-les-bains en passant par Rosendaël ou Gravelines.

D'abord il se perdit presque volontairement dans le village de Mardyck. Il descendit demander sa route et « écluser » une bière dans un bistrot proche de la mairie. Il fit deux découvertes. Les odeurs et les pluies étranges. Certaines rues puaient. Il lui sembla que leur odeur leur donnait une couleur mentale distincte. Des rues vert dioxyde de carbone, d'autres jaune soufre ou orange sulfure. Une pluie d'escarbilles noires s'abattit sur lui.

---

1. Timbré, insensé.

Le carnaval des vents d'Islande

Il entra dans une boulangerie. La boulangère, accablée, hocha tristement la tête.

— Regardez cette poussière ! Parfois je crois qu'il pleut alors qu'il n'y a aucun nuage, que le ciel est bleu. Cette pluie argentée, c'est les retombées des fumées des usines d'à côté, vous vous rendez compte !

Il poursuivit en voiture jusqu'au-delà de la frontière belge, en profita pour acheter, comme d'habitude, essence et chocolats, des « pralines » qu'il adorait, puis visita le petit musée de la pêche d'Oostduinkerke, où avait été reconstituée une maison de pêcheur typique.

Cette modeste construction, plus maquette que maison, lui plaisait infiniment. Il ressentait une envie forte d'y loger, comme devant une tente ou un mobil home bien aménagés dans un camping pimpant. Un sentiment de confort. Il imaginait une vie chaleureuse d'une famille avec deux enfants, blottis les uns contre les autres. Une image d'Épinal bien agréable.

Avant qu'il ne fasse nuit, il devait repartir photographier les grandes maisons dunkerquoises des capitaines. Il prit la route qui longe le canal de Furnes, appelée logiquement « route de Furnes ».

Sa voiture roulait à une vitesse normale, même un peu en dessous de la vitesse autorisée, sur cette route étroite à deux voies, lorsque qu'une voiture, une Clio rouge, se mit à le doubler, alors même qu'une autre arrivait en sens inverse. La chose se déroula si vite, qu'il ne put que réagir par réflexe. La voiture délinquante se rabattit brutalement sur lui, en queue de poisson, ce qui le contraignit à braquer sèchement à droite sans pouvoir éviter le choc de son avant gauche sur l'arrière droit de l'autre.

Il allait basculer dans l'effrayant canal, ses deux roues externes déjà sur la pente du talus, quand une miraculeuse zone de stationnement rétablit à temps l'équilibre de sa voiture, le sauvant sinon de la noyade, du moins de la chute dans l'eau noire. Cet accident lui glaça les sangs. Il n'était pas naturel. La voiture avait braqué trop violemment pour

231

que ce ne soit que de la maladresse. Un conducteur bourré ? À 19 heures un jour de semaine ? Il devenait paranoïaque. Quand même, c'était bizarre.

La voiture avait filé, démontrant, s'il était nécessaire, une volonté de nuire. Ou un degré d'alcoolémie élevé ? Non, il y avait de la précision dans cet angle de braquage.

Son cœur qui battait sérieusement la breloque, la voiture stoppée, se calma peu à peu. Il l'avait échappé belle. Sans en avoir de preuve formelle, il pensa que la voiture avait tenté de l'éliminer.

Il avait eu tout juste le temps d'apercevoir une partie du numéro d'immatriculation, les lettres NSL, mais rien des chiffres.

Nemours redémarra vers Malo et Rosendaël, où il avait prévu de repérer trois maisons. L'une d'entre elles le fascina particulièrement : elle était à l'abandon. Il était difficile de dire depuis quand. Le désordre ajoutait au charme de cette bâtisse flanquée d'une tourelle et d'une véranda à l'anglaise. Plantée au milieu d'un jardin, elle détonnait dans la rue Aristide Briand parmi les autres, toutes mitoyennes.

Il oublia totalement son récent accident en sautant par-dessus la grille. Il gravit les marches jusqu'au perron. La porte était fermée. Il se glissa par derrière. La porte vitrée de la cuisine lui permit de découvrir de l'extérieur la magie des lieux, dans une dernière échappée de lumière avant la tombée du jour. La véranda avait dû être bien agréable en été.

L'idée lui vint, incongrue, sur la route du retour, de chercher l'adresse de Philippe Blondeel. Après un appel aux renseignements, il repartit vers Bray-Dunes, repéra la rue du Casino, le 55, et n'en crut pas ses yeux. Stupéfait de découvrir si facilement la Clio rouge, 938 NSL 59, un léger choc à l'arrière sur le pare-choc et un autre sur l'aile droite... Ce Philippe Blondeel était bien stupide. Allait-il se rendre au commissariat de police et déposer plainte ? Il songea qu'il n'avait pas assez de preuves pour accuser un ami des Noirs. Après tout, lui n'avait qu'un ramponneau sur un pare-choc et une aile, par ailleurs déjà suppliciés, et surtout une accusation de tentative de meurtre le ferait passer pour un aliéné ou un diffamateur.

Avant d'entrer chez Antoine, comme il avait un peu d'avance et pour se détendre, il passa devant les étals de poisson, sur le Minck. En touriste. Au retour de leur pêche, les marins-pêcheurs y vendaient leurs prises. De petites soles sautaient dans des caissettes. Beaucoup de clients les auraient préférées estourbies.

Il acheta aussi des fleurs. Iris et tulipes jaunes. Elles étaient pour Antoine. Il se rendait chez lui non seulement pour leur lecture hebdomadaire mais aussi parce qu'Antoine l'avait invité à « prendre l'apéritif ». Il avait cru comprendre qu'ils ne seraient pas seuls.

Antoine, toujours aussi affable, l'accueillit avec un plaisir manifeste. Son aimable urbanité faisait de cet homme un hôte délicieux. Après qu'il eut remercié puis arrangé les fleurs dans un joli vase en faïence de Delft, ils se mirent à la lecture de la suite des écrits du père. Nemours ne jugeait pas utile pour le moment de lui parler de son accident.

— Ma fille Claire a marqué de papiers de couleur les passages qui peuvent vous intéresser. Mais poursuivez, Nemours, je vous en prie.

Nemours se mit docilement à lire :

Avec la guerre de 1939, les bateaux immobilisés, nos stocks de morue s'étaient écoulés et le réapprovisionnement était devenu impossible. Je songeais à me livrer au négoce du sel. Il restait quatre-vingt-cinq tonnes à l'entrepôt des douanes, ensevelies dans des cases, recouvertes par les débris de la toiture effondrée au cours des combats de juin 1940.

Lorsqu'un matin de janvier 1941, on vint me prévenir que la plage de Petit-Fort-Philippe était jonchée de harengs qui s'y étaient échoués durant la nuit. Jamais pareil événement ne s'était produit chez nous. De mémoire d'homme.

Il fallait d'abord trouver du matériel roulant – qui ne pouvait qu'être hippomobile –, dégager un coin des décombres afin de pouvoir prélever du sel de l'entrepôt bombardé et rameuter du personnel. J'avais fait transporter des bascules sur la place du Petit-Fort et demandé au garde champêtre d'aviser la population du village que le hareng ramassé et livré sur la place serait payé comptant. La banque Scalbert acceptait d'avancer les fonds. Sitôt après l'annonce, une nuée de volontaires se livra au ramassage du hareng pour l'amener à notre station de pesage, dans des paniers, des sacs, des lessiveuses, des seaux, etc. Il fallait faire vite avant la marée qui n'allait pas tarder à recouvrir la plage. En quelques heures quarante-cinq mille kilos de harengs avaient été pesés, payés et rentrés au magasin. Le tout après nettoyage fut salé et stocké en citerneaux.

— Quelle chance! s'exclama Nemours.
— D'autant plus que le phénomène ne s'est plus jamais reproduit depuis! Curieux, non? Une banquise en 1986, mais pas de harengs.

Le ravitaillement était organisé par les services municipaux qui s'efforçaient de pallier la pénurie grandissante. Le dirigisme est sans doute nocif ou inutile en période d'équilibre ou d'euphorie, mais en pleine disette, comme c'était le cas, cette « manne poissonnière » aurait été accaparée à des prix hors de portée des bourses modestes. Finalement notre hareng fut vendu à un prix bas puisque la loi de l'offre et de la demande ne joua pas.

Cet arrivage inespéré permit à une tonnellerie de Boulogne-sur-Mer de reprendre une activité. Elle me fournit deux mille tonnelets de vingt kilos, qui permirent de livrer du hareng salé dans les règles de l'art.

La marée suivante nettoya la plage. Ce fait fut cependant le détonateur d'une remise en route de la pêche. En effet il restait huit ou neuf bateaux en état de servir. Plusieurs avaient contribué à l'évacuation des soldats encerclés dans la poche de Dunkerque, d'autres étaient partis en Normandie, d'autres en Angleterre. Cependant à l'appel du hareng, une flottille hétéroclite de pêche artisanale allait se reconstituer, en prévision de la campagne suivante.

Bientôt, près de quatre-vingt-dix bateaux, de Dunkerque, Gravelines, Boulogne, Fécamp, Le Tréport, Étaples et Dieppe, pêchèrent le hareng. En raison de l'abondance des bancs, qui permettaient des pêches fructueuses en quelques traits de chalut, ce fut une période bénéfique.

Ces bateaux rassemblés au Bassin de la Marine à Dunkerque sortaient chaque matin et rentraient le soir. En mer la surveillance (si l'on peut dire) était assurée, plutôt mal que bien, par un ou deux soldats allemands, embarqués. Sans doute devaient-ils veiller à ce qu'il n'y ait pas de contact avec des vedettes que les Anglais auraient pu glisser dans la flottille pour échanger des agents. Le plus souvent ces « sentinelles » dormaient dans le poste et ne servaient pas à grand-chose.

Certains soirs il fallut décharger cinq cents à six cents tonnes, et même une forte marée à neuf cent cinquante tonnes et sept cent cinquante tonnes le lendemain! Ce travail exigeait une main-d'œuvre abondante et un matériel assez important. Les difficultés étaient affolantes en fonction surtout des conditions de travail. Il fallait respecter le black-out en raison du harcèlement des bombardiers anglais. Nos camions rafistolés et l'essence rationnée ne nous facilitaient pas non plus les choses.

Pour le sel, seuls les Salins du Midi, en zone libre, pouvaient nous fournir, mais nous étions en zone réservée ou interdite, et entre les deux, il y avait la zone occupée. Ce fut le problème le plus ardu. Finalement je pus miraculeusement obtenir le passage de péniches de sel par le Canal du Midi puis transbordé à Lyon dans d'autres péniches adaptées aux canaux et aux écluses jusqu'au Nord.

À l'arrivée il n'était pas rare de constater un « trou » dans le sel et d'y voir encore la pelle qui avait servi au marinier pour en vendre en cours de route. Il était illusoire de tenter de sévir et nous établissions notre prix de vente en tenant compte de cela.

En considération des risques encourus à la pêche, il n'y eut pas trop d'accidents. *Un chalutier de Dunkerque sauta sur une mine et on ne put ramener que le corps très abîmé du mousse. Un autre bateau subit le même sort. Son sympathique patron, Fournier dit « le baigneur », s'en tira en nageant jusqu'à ce qu'on le secoure. À l'hôpital il fallut l'amputer d'une jambe déchiquetée. Il y eut plusieurs victimes parmi son équipage.*

Le Comptoir de Dunkerque, que je dirigeais, était devenu le plus gros producteur. À partir de 1942, plus de quatre cents bateaux, dont des Belges, participaient à ces campagnes de hareng guai, pendant l'Occupation. Ce qui peut paraître extraordinaire quarante ans après, c'est que ne pouvant pêcher que quelques heures par jour, les bateaux rentraient le soir chargés à couler et ce d'octobre à fin mars/ début avril.

À cette époque, le délégué de la préfecture, M. Vanders, nous transmettait les ordres de réquisition que les services de la Préfecture lui remettaient, après quoi c'était à nous de jouer. Les Allemands s'étaient organisés et il y avait maintenant une grande guérite sur le quai du Bassin de la Marine où s'abritaient chaque soir un officier et deux soldats casqués et armés. J'avais observé que l'officier du quai semblait n'être là que pour pointer les numéros des wagons et le tonnage. Il collait lui-même l'étiquette de destination et nous délivrait une attestation, validant la quantité de hareng livré.

J'avais constaté qu'il ne demandait pas à la Reichbahn les wagons nécessaires; c'est nous qui réclamions chaque jour au bureau français de la gare les quelque cinquante wagons et parfois plus qu'il nous fallait pour évacuer les arrivages. J'avais noté également que notre client-contrôleur n'acceptait que des wagons spéciaux munis de freins pneumatiques « Westinghouse » pour être rattachés aux trains allemands, à la frontière. Nous tenions là quelques éléments pour mettre au point notre stratégie qui consistait à éviter le plus possible ces réquisitions, sans éveiller l'attention du « Hauptmann » de service.

Le carnaval des vents d'Islande

J'avais engagé deux braves hommes pour notre bureau du quai, Fernand Verboorne, retraité des chemins de fer, et Alex Dupont-Pauwels. Chaque matin, après le départ de la flottille, le « père » Verboorne allait voir ses camarades cheminots et s'arrangeait avec eux pour que l'on nous passe d'abord les wagons à freins à main, et un ou deux « Westinghouse » en fin de rame ou à la rigueur un au milieu. Ayant en main ses ordres de route portant sur trente, quarante tonnes et plus, notre officier allait et venait sur le quai. Avec une mimique appropriée, nous déplorions avec lui l'absence de wagons à freins pneumatiques : « nicht Westinghaus » et quand « enfin » il en arrivait un ou deux, nous lui donnions l'impression que nous étions particulièrement satisfaits, seulement il ne restait plus que quarante-cinq tonnes à décharger... Ce qui était pour nous incompréhensible, c'était que cet officier, soucieux sans doute de s'en tenir aux consignes données, n'ait jamais pris l'initiative de commander ses wagons à ses « coreligionnaires » de la Reichbahn. Si, dès l'arrivée des bateaux, on nous avait donné une dizaine de wagons Westinghouse, il nous aurait fallu obligatoirement nous exécuter. Heureusement, assez vite, l'officier de quai fut remplacé et avant que son remplaçant ait commencé à se poser des questions, la saison tirait à sa fin. Pour la campagne suivante le personnel allemand avait encore changé, alors que le trio que nous formions avec Verboorne et Dupont était toujours là, bien rodé...

La campagne 1942-1943 se déroula comme la précédente, la production était toujours importante. C'est par vingt, cinquante et même cent tonnes à la fois que nous approvisionnions les principaux centres régionaux. La salaison permettait de prolonger la période des expéditions en hareng frais, lorsque la saison était terminée.

Nous avons cependant risqué d'être sérieusement inquiétés. Le bureau central du ravitaillement à la Kommandantur de Lille, chargé de « pomper » au maximum nos produits alimentaires, avait mis le nez dans le dossier « hareng ».

Pour une production de neuf mille tonnes sur les derniers mois, ils avaient droit à mille huit cents tonnes. J'imaginais leur redoutable réaction en s'apercevant qu'ils n'avaient reçu qu'à peine une centaine de tonnes. Il arriva donc que M. Vanders fût appelé à la Kommandantur de Lille. Il me demanda de l'accompagner.

Nous nous sommes retrouvés devant un impressionnant aréopage d'officiers et de civils allemands, parmi lesquels un intendant nommé Arendts et aussi des Hollandais, bien alignés autour d'une grande table.

Arendts demanda sèchement à M. Vanders pourquoi nous n'avions pas livré les tonnages prévus, conformément à la convention d'Armistice, rappelant que les autorités allemandes avaient accepté de livrer du gasoil pour la pêche, etc. M. Vanders souligna qu'il était seulement délégué auprès des organisations professionnelles et que M. Verdoy étant saleur, il pouvait répondre...

— Ouch! coupa Nemours.

— Eh oui! Heureusement mon père avait de la repartie. Il se laissait rarement démonter. C'est peut-être parce que Vanders le savait, qu'il a tout reporté sur papa.

— Il n'en voulut pas à Vanders?

— Non, il n'était pas rancunier et prenait l'autre pour ce qu'il était : madré et égocentrique. Ils se côtoyaient encore cinquante ans après ces faits. Vous pensez bien, dans le même village... Je me rappelle comme il m'a fait rire en racontant un cocktail en présence de Vanders, notable puissance 10 du coin, à un « verre de bière de vin d'honneur des mères cyclistes » – je le cite. Les uns, les autres l'approchent, un mot par-ci, un mot par-là, et lui opine du chef, ponctue leurs propos d'un « Bon, bon » bienveillant, un peu avec l'onction du prêtre qui trace une croix sur le front de ses petites ouailles. « Ma femme est sortie d'hôpital », « Bon, bon », « Ça y est, grâce à votre intervention, ma fille a trouvé du travail », « Bon, bon », « On a acheté un bateau », « Bon,

bon », « Mon père est mort », « Bon, bon ». Mon père en riait encore toujours des années plus tard.

Nemours reprit sa lecture :

> *J'eus l'esprit de ne pas donner l'éveil en dévoilant cette histoire de wagons Westinghouse et d'un air de scribouillard subalterne, je me bornai à expliquer qu'étant secrétaire du « syndicat des saleurs » je ne manquerais pas de faire mon enquête sitôt rentré à Gravelines, que j'avais pris note des chiffres qui venaient d'être indiqués, que l'on rechercherait les causes de cette carence... Le mot « syndicat » a pu impressionner nos interlocuteurs et nous a, peut-être, évité une réaction violente, toujours à redouter lorsqu'un Allemand réalisait qu'il avait été dupé...*
>
> *Avant de nous inviter à quitter la salle, Arendts s'enquit de mon identité et je demandai à M. Vanders de m'apporter des oranges, si jamais j'étais arrêté... Heureusement rien de fâcheux ne se produisit. Lors de la campagne de pêche suivante, les Allemands piétinaient en Russie et il y eut quelque relâchement dans leurs contrôles administratifs. En septembre 1944, Dunkerque fut encerclée, les Allemands restèrent fixés dans la poche et en attendant la Libération, la pêche fut arrêtée.*

— C'est à cette époque que mon père fut blessé au bras, poursuivit Antoine. Il le raconte d'ailleurs dans ce petit texte à part sur l'histoire de la morue dans la région. Ah! avant d'oublier, je n'ai pas mis de côté votre demande sur le vendeur des terrains du terminal méthanier, mais la résolution de l'énigme est plus difficile que je ne pensais. D'autant que s'y ajoute un autre problème. On m'a alerté sur le fait qu'un promoteur achète des rues entières de quartiers un peu moches et que la rumeur et certains propriétaires soupçonnent le maire de toucher des commissions occultes à chaque vente. Je me demande si tout cela n'est pas lié. S'il ne s'agit pas du même homme.

— Oh! Tout devient si compliqué. On tient une piste, on part sur une autre. On ne sait plus vers quoi se diriger...
— Vous m'avez l'air soucieux?
Sa discrétion lui interdisait d'être intrusif.
— Oui, vous avez raison. Une drôle d'affaire m'occupe. Drôle, enfin...
Il expliqua les suspicions de malversations sur les terrains changeant de statut au profit de certains.
— Ils ont perdu la tête avant d'être décapités! Comme Danton et Robespierre. Force économique égale pouvoir politique, c'est tout simple. Nemours, vous vous faites des illusions, ainsi que vos amis. Ce n'est pas parce que vous dénoncerez les méthodes de ces gens, que vous ferez bouger l'électorat. Ce sont des distributeurs d'emplois. Ne l'oubliez pas. Même s'il s'agit d'emplois fonctionnaires. Il y a un pourcentage de personnes qui votent pour l'employeur et leur famille avec. C'est un vivier captif. La peur de perdre leur emploi est très forte. Vous rendez-vous compte que les maires sont de gros pourvoyeurs, des sortes de chefs d'entreprise. Sept cent cinquante employés pour douze mille administrés... Et puis, l'âme humaine a des mystères. On en veut souvent à ceux qui dénoncent, c'est ainsi. Prendre les coupables pour des victimes...
— Que faire, alors?
— Ce que vous faites. La recherche de la vérité est essentielle. Méritoire. Donnez-la pour ce qu'elle est. N'en attendez rien de plus. Là est votre boulot. La seule solution, peut-être, pour qu'il y ait effet, serait la conjonction de la révélation du coût de cette gestion dispendieuse par une augmentation insupportable des impôts locaux, d'une lassitude et d'une révolte contagieuse devant les affaires de corruption. Et là vous jouez votre rôle. Restez détendu. Garder son sang-froid sera déterminant.
— « Laisse aller, c'est une valse », me conseillerait Grand-ma.
Antoine sourit. L'humeur de Nemours remontait.

— Continuez, mon vieux. Et n'oubliez pas qu'il y a plus de risque à renoncer à ses convictions, qu'à les fonder.

Il fallait que Nemours réfléchisse à ce conseil qui le laissait perplexe.

C'est le moment que choisit la sonnette pour se manifester bruyamment, interrompant le cours du récit. Les invités arrivaient probablement. Il s'agissait du chef des Noirs, Bernard, et de sa femme.

Claire entra à leur suite. Sa présence était une bonne surprise. Nemours s'attachait décidément à cette famille.

Il était également content de pouvoir faire plus ample connaissance avec Bernard et surtout d'en apprendre un peu plus sur les Noirs.

La conversation roula sur mille sujets, puis s'engagea sur les Noirs.

— Nous allons en « adouber » un nouveau. Le 12 nous quitte pour s'installer en Australie. Nous avons un postulant, Philippe Blondeel. Antoine, tu le connais, non ? Tu peux me donner ton avis.

— Je connais cette famille, Bernard, mais plutôt la génération précédente et pas ce jeune homme. C'est celui qui est employé à la mairie de Bray-Dunes, c'est cela ?

Nemours jugea préférable de ne rien dire sur ce qu'il venait de vivre et plus utile d'apprendre quelque chose sur ce Philippe Blondeel.

— Et vous, Nemours ? (Bernard ponctua cette question d'un rire dans l'œil, presque un clin d'œil, qui déconcerta Nemours.) Vous avez une opinion sur ce futur Noir ?

Nemours, surpris par la question, resta sans voix. Comment Bernard pouvait-il la lui poser à lui qui venait d'arriver dans la ville et qui connaissait si peu de monde ?

— Euh, non.

Nemours n'avait pas l'intention de s'éterniser.

— Voulez-vous vous joindre à nous pour le dîner ?

Il reconnaissait là l'extrême courtoisie d'Antoine. Il se serait bien laissé tenter, mais il lui fallait revoir un article pour le lendemain.

La nuit était tombée depuis longtemps sur toutes les interrogations du jour. Seuls le froid et le vent n'avaient pas baissé la garde.

Une sonnerie stridente le sortit de ses pensées. Sylvia semblait hors d'elle. Elle parlait avec un débit précipité, à la limite du tolérable. Presque intraduisible pour son oreille.

— Ils me font vomir! Ils veulent chasser une famille d'un logement social pour y mettre leurs copains, des employés municipaux.

— Qui ils?

— Ceux de la mairie. Pas de noms au téléphone.

— Mais il faut des raisons.

Elle se calma. Et reprit sur un ton plus audible :

— Cette famille a déménagé du Midi, changé de boulot, il y a quelques années, pour s'installer chez la vieille maman et la soigner. Ils ont été remarquables. Elle est morte le mois dernier. Et on veut les chasser de cet appart. Ils n'ont nulle part où aller. Ils sont légitimés à rester dans ce logement. Leurs bas revenus le justifient sans nul doute. Voilà l'histoire. Encore de l'abus de pouvoir. C'est combine et magouille. Et précisément de l'adjointe au maire.

— Toujours la même mairie?

— Je vous maile les détails demain.

Ses pas avaient conduit Nemours en pilotage automatique devant chez lui.

Le fou y était encore en faction. Ils ne se sortiraient donc jamais de ce type! Il aborda Nemours comme un léopard tombe sur sa proie. Son ton plus menaçant encore.

— Mlle Agathe n'a rien fait! Je veux qu'elle parle aux gens, qu'ils sachent, que tout le monde sache. Prévenez-la. Je n'attendrai pas longtemps. J'ai trouvé un avocat pour les attaquer. Ça s'passera pas comme ça. Ils vont payer.

Il tint à distance l'homme d'un « je lui en ferai part. Au revoir, monsieur ». Il ne s'écartait pas. Nemours ressentit presque physiquement la menace. « Je n'y manquerai pas, mais je veux rentrer chez moi maintenant. » Il se fit plus ferme et donna un coup de coude pour passer vers sa porte. Cette attitude décidée sembla désarçonner l'autre, qui se retourna et disparut dans l'obscurité.

Agathe, devant la télé, semblait l'avoir attendu.

— Je suis stressée ; ce type est malade. Il me harcèle pour que j'écrive un article sur son affaire. Je ne le sens plus, mais plus du tout...

23.

Un groupe débonnaire, grimé et déguisé, sonna à la porte du notaire, voisin d'Antoine Verdoy. Nemours entra à sa suite.

C'était fête chez le notaire, Daniel Nootebaert, avant le *Sporting*. On n'allait pas rater le dernier grand bal du carnaval. Certains disaient qu'il « n'y avait personne » au *Sporting*, d'autres que « c'était snob », sans doute parce qu'il y avait trop d' « étrangers », c'est-à-dire des Lillois, des Boulonnais, des Cambrésiens, peut-être pire ? Mais Nemours se disait que moins de monde qu'aux *Corsaires*, c'était peut-être aussi bien.

Claire se précipita sur Nemours. Il y avait un ou deux Noirs et beaucoup d'autres masques. Deux intrigants, un couple de faux vieux tout ployés, s'adressaient aux uns et aux autres avec une voix de tête :

— Alo' Nemou' ça va la grifouille ? Tu vas êt' gardé au jou'nal, tu crois ? Et ton copain Philippe, i' va bien ? et repartirent, contents de leur bluff.

Un chat apparut, se dirigeant droit sur Claire. Tom ! C'était Tom ! Qu'est-ce qu'il fichait là ? Claire expliqua :

— Il n'a qu'à traverser le jardin. Il saute un mur et vient grignoter entre les repas chez le voisin… Hein, petit !

Le notaire, en Auguste, fendait la foule pour accueillir l'un ou l'autre :

— Attention, levez les bras, je fouille : plan anti-confettis ! Je suis devenu très strict. Pas de confettis ! Après, toute l'année, on en retrouve dans les dossiers de l'étude !

Nemours imaginait un testament laissant échapper, ouvert, des miettes colorées aux pieds d'héritiers supposés en larmes.

— Je n'accepte que les turlututus et les capiaux pointus[1].

— Et la bière ?

— Et la bière ! AAAaaah !

Et, sur l'air d'*Alouette*, ils reprirent en chœur le thème.

La fête se déroulait partout, dans l'habitation et l'étude. Dans la pièce de devant, proche de l'entrée, un groupe tentait de s'agglutiner pour être pris en photo. Un Charlie Chaplin demanda à Nemours, le seul inconnu, exclu comme un touriste japonais chez les autochtones, ou l'inverse, d'appuyer sur le bouton. Nemours, Polaroïd en main, tenta de ne pas faire tomber le petit oiseau alors que le joyeux bloc des carnavaleux oscillait dangereusement vers lui. Il entendit le bruit caractéristique du déclencheur, puis le ronronnement annonciateur de sortie de la photo.

Il sembla à Nemours qu'il y avait un problème. Un cliquetis insolite s'était fait entendre. Il retourna l'appareil. Voilà, il avait identifié l'obstacle : une ancienne photo bloquait le bon déroulement du processus. Nemours accrocha du bout des ongles le carton blanc et tira fermement. La photo précédente expulsée, la suivante pouvait glisser à son tour. Le Charlot lui reprit l'appareil et, quelques minutes plus tard, chacun pouvait s'admirer à plat et en couleur.

L'autre photo, que Nemours avait gardée, avait viré elle aussi, à sa surprise. Il l'avait cru gâchée. Seulement le sujet était difficile à identifier et la difficulté augmentait à mesure

---

1. Faisant référence au *P'tit quinquin*, l'hymne Ch'ti.

que les couleurs apparaissaient. Ahurissant. Un sexe en érection et une main posée à côté qui servait, en quelque sorte, d'échelle! Avant que Nemours n'analyse cette bizarrerie, le Charlot lui avait subtilisé l'objet du délit. Au premier coup d'œil, lui avait compris et s'était mis à rire tout en cachant la photo dans sa main.

— Oh! Oh! L'appareil de Daniel! Mais c'est monsieur Grodard? commenta le Charlot.

Ainsi il s'agissait de l'organe de l'hôte! Du notaire!

Nemours découvrait, encore, toujours ébahi et amusé, ce penchant à la grosse gaudriole de la société dunkerquoise en période de carnaval. Renforçant son côté très « Kermesse héroïque », très flamand, qui contrastait avec le reste de la France par sa légèreté décidée de principe et son décousu sans importance. Se confirmait qu'ici les codes n'étaient plus les mêmes qu'ailleurs, moins pincés, plus indulgents, plus accorts.

L'affaire sembla étouffée dans les profondeurs de la poche du discret Chaplin.

Nemours s'éloigna. Un petit salon au bout de la maison l'attira, plus calme. Y étaient déjà installés de gais carnavaleux et « sa » clowne Blanche. Nemours se cala dans un fauteuil, à l'observer sans qu'elle le voie. Elle riait, charmante, attirante. La petite mouche noire collée près de l'œil, à l' « assassine ». Cela aurait dû l'alerter. Il se leva pour la saluer. Elle eut l'air contente. Et gênée. Sans qu'il puisse en deviner la raison. Il supposa qu'elle était surprise par sa présence au milieu de ses amis.

Tom, qui passait en voisin, refusa, comme d'habitude, de se laisser caresser par Nemours.

— Avez-vous vu Grodard?

— Grodard?

— Oui, Daniel, le notaire. Une photo circule. Tout à son honneur!

Horreur! L'affaire de la photo, loin d'être abandonnée, prenait des proportions qu'en l'occurrence on pouvait qualifier de démesurées.

Soudain un inconnu tout fluet entra :
— Quelqu'un a vu mon appareil photo ? Un Polaroïd que j'avais laissé sur la table du premier salon.

Au *Sporting*, comme au dernier bal, Nemours et la clowne restèrent agglomérés pour tous les chahuts et toutes les danses d'entre-chahuts.

Vers 4 heures, Nemours affalé sur une chaise, le maquillage dégoulinant, se demanda s'il n'allait pas s'effondrer sur la table pour piquer un petit roupillon.

— Ben, gâmin, tu vas à la gââre !

Qu'est-ce que ce masquelour voulait dire ?

— T'as des vâliiises !

— Des cernes sous les yeux ! Un coup de barre, quoi ! traduisit la clowne.

Victime du même coup de fatigue, elle aussi voulut rentrer. Il lui proposa de la ramener chez elle en voiture. Il avait en arrière-pensée qu'elle accepterait peut-être un « dernier verre ».

Il avait laissé son manteau au vestiaire. Au moment de le récupérer dissimulé parmi des milliers d'autres, plus moyen de remettre la main sur son ticket, un bout de carton rose avec un numéro. Le 133. Ou était-ce le 235 ou le 336 ? Le 3 du milieu était sûr mais le reste ! Nemours retourna fébrilement et à plusieurs reprises ses poches. En vain. Il fallait renoncer.

— Vous n'avez qu'à revenir à 6 heures, à la fermetu', lui suggéra la dame vestiaire. Il restera un manteau, j'esp' que ce sera le vôt'.

D'accord ! D'accord ! Il avait compris !

Cela leur avait redonné un coup de fouet. La clowne Blanche lui proposa de l'emmener faire chapelle dans un appartement, sur la digue en face de la mer.

Pourquoi pas ? Et avec elle, sûrement oui. C'était gentil de se sacrifier pour lui.

Ceux qui, dans l'appartement, faisaient le spectacle et le vacarme, étaient un groupe d'heureux lascars qui avaient décidé de s'initier à la musique du carnaval. L'un d'eux, un tambour, montrait les rythmes, et chacun s'y essayait tour à tour avec plus ou moins de bonheur. D'autres tiraient des fifres d'approximatifs sifflets. Cela prenait forme petit à petit puis les maîtres s'emparaient de nouveau de leurs instruments, trompettes comprises, pour une démonstration explosive.

Plus tard Nemours et la clowne décidèrent de se balader sur la plage, en contrebas de la digue. Ils préféraient le ciel étoilé plutôt qu'un chapiteau. La somptuosité de son costume blanc à paillettes, plus scintillant que jamais sous les réverbères, détonnait en cet endroit. Dans un calme relatif, avec en arrière-fond le fracas des cliques dispersées dans les troquets encore ouverts, et celui des vagues, ils admirèrent la lune toute ronde et toute dorée. Elle incitait au romantisme. Et plus fort encore que la nuit marine et la lune, leur plaisir d'être à deux, cachés par la nuit.

Nemours allait-il l'embrasser ? Tout ce maquillage – qu'elle prenait soin de restaurer à intervalles réguliers –, ce drôle de sourcil en l'air et l'autre bas, ses lèvres très rouges, la mouche en « arrogante » sur la pommette droite, son chapeau pointu, un peu à la limite de l'équilibre, qui cachait complètement ses cheveux, les mains gantées de blanc... il n'aurait pas su par quel bout prendre l'affaire si elle n'avait pas pris, elle, l'initiative. Le goût de ses lèvres était un peu trop cosmétiqué mais sa langue « emportait l'adhésion ». Il aurait voulu que cela dure indéfiniment mais un cri coupa leur élan.

Un masque se précipitait sur eux, un énorme bâton à la main sur le point de les frapper. Dans un demi-tour, Nemours comme l'éclair lança son pied sur la batte, jeta le plat de sa main contre une épaule, propulsa le bord de l'autre contre le cou, puis plaqua le deuxième pied sur la poitrine. « Avec l'agilité du singe et la vitesse du cobra » comme aurait conseillé son prof de karaté. L'homme, la figure dans le sable, se releva et s'enfuit dans un rétablissement d'une étonnante rapidité. Un masque de caoutchouc de vieillard grimaçant lui englobait la tête.

Pourquoi s'était-on attaqué à eux ? À lui plutôt ! Nemours en était sûr. Il chercha autour d'eux dans le sable un indice, quelque chose qui serait tombé dans la bagarre. Rien. La clowne Blanche n'était pas si secouée. Elle remettait de l'ordre dans son costume. Si ses chaussettes étaient un peu tombées, son couvre-chef n'était même pas de travers.

— Tu n'as pas eu peur ?

— De quoi ? Tu t'es très bien débrouillé, non ? De la viande soûle, c'est tout.

Nemours n'était pas d'accord. L'homme ne titubait pas. Au contraire, son bras était ferme. Ce sont ses quinze ans de sport de combat qui avaient fait la différence. Pour la première fois qu'il se servait de ses aptitudes, c'était un coup de maître ! pensa-t-il. Oui, on l'avait visé. Il en était sûr. Une attaque de Philippe Blondeel ! Et ce costume si efficace, jusqu'aux gants cachant les mains.

Ils entrèrent à nouveau dans le Kursaal qui, malgré le tohu-bohu, leur parut un havre. Le chahut final et le traditionnel hymne à Jean Bart les lavèrent de tous soucis et de tous souvenirs. 6 heures. Le service de sécurité évacuait la salle.

Son imperméable trônait seul et digne. La vestiaire accepta bien volontiers de le lui rendre, avec un sourire double et un « Ben, il a retrouvé sa bonne capote anglaise, hein, gâmin ! ».

Ils repartirent tous deux.

Dans la voiture Nemours lui prit la main, tentant en vain de lui enlever son gant de coton blanc. Apparemment, elle ne voulait pas montrer un centimètre carré de peau. Garés devant chez lui (elle avait déclaré : « Laisse-moi là, j'habite tout près, à cent mètres, rue des Seychelles ») ils s'embrassèrent à nouveau. Les yeux dans les yeux. Nemours supposait poursuivre ce qu'il avait commencé et plus « puisque affinités ». Mais elle s'écarta et sortit de la voiture.

Il la rejoignit un peu désenchanté.

Se dirigeant main dans la main vers l'auvent de sa porte d'entrée, Nemours reconnut la forme fantomatique. En poste, dans l'encoignure, tel un *guard* anglais devant Buckingham palace, l' « Agathe fan club » attendait.

— Le malade ! Bon sang ! Qu'est-c' qu'il fout là ? Merde !

— Ce type est le plus grand harceleur que je connaisse. Il ne faut pas qu'il nous repère.

Avant de dire ouf et après un bref salut, elle avait disparu, happée par la nuit et la bruine. Il marcha pratiquement sur les pieds du guetteur pour filer vers sa porte, embouquant le plus vite possible sa clef dans la serrure, croyant échapper ainsi aux difficultés. Mais l'autre troua le silence de la nuit de vociférations : « Vous ne voulez rien faire ! Vous aussi vous êtes de mèche ! » Le paranoïaque devenait dangereux. Nemours referma derrière lui sa porte, soulagé. Elle ne claqua pas comme il s'y attendait. Un pied amortissait le bruit. L'homme était là, derrière lui. Il le repoussa avec une efficace brusquerie.

« Quand je broie du noir, je bois du blanc », la citation, tirée des dictons rigolos d'Hadrien Delmas, lui revint et il avala un grand verre d'eau.

Il repensa à ce qu'il avait lu sur le sujet, « Un délirant paranoïaque finit par tuer son médecin ». On y était.

Quand même il avait récupéré un indice ! Ainsi Clownette habitait rue des Seychelles, pratiquement à toucher la rue du Pouy. Intéressant... On avançait.

Juste avant de chavirer dans le sommeil, il se rappela ses yeux, qu'il connaissait bien maintenant. Des yeux d'encre.

8 heures du matin. On sonna.

Des policiers voulaient parler à Agathe. Comme elle était absente, c'est à lui qu'ils annoncèrent que le malade en crise venait d'être arrêté après avoir tiré à la carabine, à l'aveugle, dans le couloir de son immeuble.

Les policiers avaient trouvé dans son agenda le numéro d'Agathe, signalé par une flèche, précédée du terme « amie intime ». Cela amusa Nemours. Il lui téléphona la nouvelle.

Ce dénouement souleva son hilarité, la galvanisa : enfin débarrassés de ce fou furieux !

La généreuse légèreté d'Agathe était une terrible leçon pour tous les psychiatres amateurs dans son genre. « Une minable psychiatre de poche », voilà ce qu'elle était !

Nemours consulta ses messages sur le répondeur. L'un en particulier l'affola et le ramena brutalement à une autre réalité : sa grand-mère était entrée d'urgence à l'hôpital. Il appela tout de suite sa mère : il s'agissait d'une embolie pulmonaire. Elle était sauvée pour l'instant, mais restait en réanimation. Il fallait attendre avant de lui rendre visite.

Nemours était assommé par la nouvelle : la vie – ou plutôt la mort – l'avait jusqu'à présent épargné. Son angoisse fut aussi incommensurable qu'absurde : après tout, sa douce « Grand-ma » était sauve.

Agathe devait rentrer ce soir de Paris par le train et il dut s'avouer que sa présence allégerait sa peine et son angoisse.

Elle arriva enfin, le soulageant de lui-même.

Avec la présence de la belle, l'atmosphère changea du tout au tout subitement. Ingambe et enjouée, elle virevoltait dans tout l'appartement, rangeant son sac, regroupant des revues éparpillées, raccrochant des vestes aux patères.

Nemours, retrouvant lui aussi son allant, se décida à poursuivre son enquête sur les maisons de pêcheurs. Il bouclerait son article sur les revenus de la pêche à la morue aux différentes périodes et tenterait d'élucider le mystère de la maison sans maître. Une aussi belle maison à l'abandon. Vraisemblablement une succession en déshérence.

Il retourna rue Aristide-Briand, à la recherche d'informations. Se renseigna auprès des voisins, de l'épicier, du bistrot du coin. Rien, personne ne savait rien, pas même le nom d'un ancien propriétaire.

Il lui fallait au moins ce nom. Il téléphona à Antoine pour qu'il en parle à son ami notaire. Ils raccrochèrent en se promettant de faire ensemble, le lendemain dimanche, la Bande de Bergues, la dernière du carnaval. Ils prirent rendez-vous pour déjeuner dans une vieille auberge flamande, à l'orée de la ville. Claire et Agathe se joindraient à eux.

Sous les portes de la ville de Bergues, après les ponts-levis, s'engouffrait une foule bariolée et bon enfant. Quelques femmes à la taille fine, habillées semblablement de tulle léger et bouffant, rouge, rose, jaune et orange, avançaient de conserve, sémillantes et émoustillées.

C'était déconcertant, voire anachronique, tous ces carnavaleux déambulant dans ce village médiéval, parmi ces rues émaillées de mascarons de pierre grimaçants et pertinemment carnavalesques.

Le groupe, Nemours en femme, Antoine en frac, Agathe de plus en plus fringante, toujours « carménisée », et Claire, en clowne blanche, était joyeux et affamé. L'air frais mais ensoleillé de mars, la perspective d'une journée de carnaval et l'allégresse des participants les enflammaient.

Attablés à l'auberge *Le Breughel*, ils achevaient leur repas. Il avait passé comme l'éclair, le succulent bœuf à la bière déjà oublié, le Maroilles, peut-être encore un peu trop « gamin », avalé, et la tarte à la vergeoise, savourée. On en était au café, servi avec un Spéculoos[1] – « C'est bon, c'est belge ! » pouvait-on lire sur l'emballage.

— Je suis repue ! Je mange trop, commenta **Claire** en se tâtant le bourrelet du ventre. On dirait un petit pneu.

— C'est vrai que tu prospères ces temps-ci, commenta son père.

— Le médecin m'a annoncé en décembre dernier que j'avais le foie gras ! Le foie gras !

— C'est de saison ! ajouta Nemours

— Mange de l'eau, conseilla Agathe. Je t'assure que ça marche !

Claire sourit jaune.

— Moins de lipides et moins de tout, et cela ira bien, compléta son père.

— Mais toi, tu es comme un fétu. J'aurais besoin d'un coupe-faim.

— Manger est le meilleur coupe-faim, répliqua Agathe, encore au dessert, plantant sa fourchette dans sa tarte.

---

1. Biscuit belge.

— Nemours, j'ai l'info que vous cherchiez, toujours par mon ami notaire. Le propriétaire de la maison abandonnée appartenait à un certain capitaine Pierre Blondeel.

Décidément! Y avait-il un rapport entre ce Blondeel et les autres, ceux du cimetière?

Ils arpentèrent tous quatre les rues de Bergues – personne ne lâchait Antoine – et retrouvèrent les premiers rangs, l'orchestre de fifres, de trompettes et de tambours, le Cô. Le Géant vert était là aussi, tout comme les Noirs. Les plus fervents, ceux qui se refusaient à croire que le carnaval allait déjà finir.

À 17 heures, du balcon de la mairie, fut lancé du fromage de Bergues, mais parce qu'on était en Flandres – on ne gaspille pas, on ne salit pas –, il était en tranche et sous cellophane. De pseudo-excités, comprimés comme des anchois, se déchaînaient pour les attraper, comme si leur survie en dépendait.

Pendant l'entracte d'avant le rigodon, on se dispersa dans les cafés. Ils étaient si bondés que pour les urgences « naturelles », une organisation parallèle s'était spontanément mise en place à certains endroits. Des Ma tante soulevaient leurs jupes et se soulageaient discrètement, mais dignement – croyaient-ils –, contre le chevet de l'église du XIVe siècle, en partie dissimulé par les contreforts transformés en vespasienne sacrilège.

La foule était dense. Nemours cherchait sans la trouver sa clowne. Son absence l'inquiétait. Il l'avait tant espérée, sûr de la revoir à cette occasion. Comme si ce rendez-vous était implicite. Il était 18 heures et toujours rien. Il avait l'impression de n'être qu'un regard laser. Mais non, rien.

Tandis que Claire et Antoine s'étaient réfugiés au chaud, dans une sympathique gargote, grouillante de monde et de frénésie, avec Agathe, Nemours se balada dans les rues, allant de groupe en groupe. Des gens parlaient, blaguaient. Il entendit, à cinquante centimètres de son oreille, avec le bon gros accent du carnaval – si reconnaissable qu'on pouvait « ronfler avec l'accent de Dunkerque » – un homme demander à un autre : « T'as des capotes pou' moi, gâmin ? », « Non, j'en ai plus que deux », et la montrant du doigt : « Et ton épouse, elle en a plus ? » « Non, il lui en reste une pou' elle, c'est tout. » On ne savait pas trop si c'était du sérieux ou de la rigolade. Nemours repéra soudain, au bout de l'index de l'homme, « sa » Dkoise au costume si spécifique. Argh ! C'était elle, l'épouse ! Il fut un peu sonné.

La Dkoise, le reconnaissant au même instant, marcha tranquillement vers lui. Le mari se tourna vers Nemours en souriant. Le troisième, de dos, se retourna à son tour : Philippe Blondeel.

Il avait un drôle de sourire, un peu sarcastique.

— Tiens ! Tu connais ma cousine, Colette Van der Hagen ? demanda Blondeel à Nemours.

C'était donc cela. Il fixa les yeux de Philippe : « Pourquoi ? » « À toi de trouver », lui glissa-t-il à l'oreille avant de s'éloigner, hilare, vers un groupe de carnavaleux.

Se collant à lui, la Dkoise l'embrassa. Surpris, il se résigna à son frotti-frotta, puis s'éloigna. Il était de marbre. Plus du tout dans le même état d'esprit que la nuit de la bande de Rosendaël…

Son mari s'approchant d'Agathe la héla :

— Alo' ! On dit plus bonjou' aux copains !

Agathe, les yeux agrandis, puis plissés, s'esclaffa après un temps d'arrêt :

— Ah ! C'est toi ? Ben, kessa dit ?

Il l'embrassa comme de la brioche.

— Tu le connais ?

— Tu parles, c'est Van der Hagen, l'ex-directeur administratif du journal, maintenant il est au siège, je crois.

Nemours était perturbé par cette confusion des genres. Des sentiments bien emmêlés. Cela lui fit, sans qu'il comprenne tout à fait pourquoi, un drôle d'effet qu'Agathe connaisse le mari de la Dkoise. C'était dérangeant. Et aussi que ce Van der Hagen ait un rapport avec son journal.

Un peu mélancolique, un peu étranger sans sa clowne, il s'éloigna, Agathe à son bras, et se lança avec l'énergie d'un récent désespoir dans le tout dernier chahut de l'année. Il s'époumona sur son dernier « Jean Bart ».

Le final emporta l'ensemble avec furie.

Ils se séparèrent. Nemours préféra rentrer se coucher, tandis qu'Agathe tenterait de combler dans une chapelle son déficit de carnaval.

24.

Mars 2011

« ALERTE ROUGE. » C'était écrit en rouge, bien sûr, et en gros caractères sur les panneaux publicitaires des stations de métro. Plus précisément, et tout devenait clair alors : « Pour rester toute la journée en ALERTE rien ne vaut le ROUGE de l'Antilla. » Une pub pour un jus d'oranges sanguines.

Nemours passait ce week-end à Paris, chez ses parents, rentrés de Dubaï où son père travaillait. Sa mère l'y rejoignait par période. Aussi pour embrasser sa grand-mère.

À l'occasion de ces retrouvailles sporadiques, il avait constaté que ses proches en particulier et les gens en général vieillissaient par à-coups. Certains ne bougeaient pas d'une ride, d'un cheveu ou d'un kilo pendant des années, puis un beau jour, ils se prenaient dix ans ferme sans sursis. C'est ce qu'il pensa en revoyant sa grand-mère et son père. Lui était sorti indemne du dernier passage des jours. Pas elle. Un effondrement infime mais catégorique du visage. Pourtant elle avait gardé son énergie bienfaisante.

— Je te lis, mon cœur ! Je suis très contente pour toi. Et fière.

— Comment ça, tu me lis ? Le journal n'a aucune chance d'arriver jusqu'ici. Ni même gare du Nord.

— Eh ballot, tu as entendu parler des abonnements et de La Poste ?

— Ne me dis pas que tu t'es abonnée à cette feuille de chou.

— Un, ce n'est pas une feuille de chou, puisque tu y écris. Deuxio, oui, je me suis abonnée. Enfin, tu en doutais ! Tu me demandais l'origine de nos ancêtres. Pourquoi ne chercherais-tu pas sur Internet, on m'a parlé d'un site : *Geneanet*. Tu devrais trouver.

Elle l'étonnerait toujours. Qui avait bien pu lui parler d'un site qu'il ne connaissait pas ? Cela dit, il n'avait pas cherché.

— Tu ne dois pas avoir beaucoup de temps pour ce genre de recherche. Si tu veux, je m'en occupe.

Encore plus surprenant.

— Parle-moi d'Antoine. Tu n'imagines pas comme je suis contente que vous vous soyez trouvés. Quel délicieux ami c'était. Il était beaucoup plus jeune que moi. Quand je te dis beaucoup, c'est trois, quatre ans. Devenus adultes, c'est risible. On s'est perdus de vue dès que j'ai quitté la maison pour suivre mes études supérieures puis le travail puis... tu connais la suite.

Après une heure passée avec elle, ils se séparèrent avec tendresse.

Il se rappela une réplique de Fernandel en bossu dans un film de Pagnol : « Une grand-mère, c'est fragile comme du mimosa. »

Agathe avait réussi à lui soutirer une soirée où ils retrouveraient des amis.

Redescendre dans ce brave vieux métro lui fit plaisir. Dont il reconnaissait d'ailleurs de moins en moins, d'année en année, cette bonne odeur de chocolat brûlé, remplacée, avec les progrès de filtrage de la climatisation, par des odeurs *sui generis* ou, à certains endroits, de puissantes fragrances de cabinet chic. Il avait lu que ce parfum « spécial métro » s'appelait « Madeleine ». Fallait-il en préciser les raisons ?

Il arriva en retard chez Agathe.

Impossible d'aller dîner chez *Chartier* puis de se rendre à la soirée. Il fallait oublier le restaurant :

— D'ailleurs ma grand-mère me l'a déconseillé, ironisa Nemours. Après y être allés, son mari et elle ont été tous les deux malades dans la nuit ! « En quelle année ? » « En 1937 ! » J'aurais voulu savoir si *Chartier* avait changé de chef !

La mère d'Agathe entra en trombe :

— Ah ! Raphaël ! Comment allez-vous ? Content à Dunkerque ?

Agathe annonça à Nemours que la soirée était déguisée. Ce qui l'agaça. Le carton d'invitation annonçait : *Venez à la soirée déguisée à la façon de Palavas-les-Flots*, etc. Cela le fatiguait d'avance. À Dunkerque, oui, ici, non. Elle fut suffisamment persuasive – leur ami Henri les y attendait, leurs hôtes seraient déçus, etc. –, si bien qu'avant de se dire « Finalement, pourquoi pas ! », il se retrouva en bermuda blanc exprès trop serré, en tee-shirt blanc exprès trop court et en sandales moches exprès avec chaussettes. « Le comble du chic beauf », se dit-il.

Il se demanda comment Isabella, l'hôtesse, cette fille si blonde, si fine, si élégante, si prétentieuse avait pu imaginer ce thème Palavas-les-Flots où elle n'avait jamais dû poser un orteil ? Et son compagnon, pas du tout du genre à se mettre un nez rouge le dimanche pour faire rire ! C'était vraiment étonnant de leur part. Comme quoi on pouvait se tromper sur les gens...

Décidément ce tee-shirt était immonde : dans un miroir, il découvrit sur ses pectoraux deux crocodiles posés l'un sur l'autre, et dessous l'inscription « j'accoste ». Qui touchait au sublime dans le salace. Un vrai blaireau, un stupide vacancier bas de gamme !

Agathe, comme au théâtre, le maquilla, nez en coup de soleil avec du rose à joue, cheveux gras à la crème de nuit et peau brillante à l'huile solaire. Pour parachever l'œuvre, quelques accessoires : une serviette de bain négligemment drapée en étole, ornée d'une femme nue, et une ceinture

258

banane, ouverte sur des tubes de crème solaire. Accessoires qui, par surcroît de précaution, permettraient de retoucher l'éclat du maquillage en cours de soirée. Le résultat était réussi, c'est-à-dire affreux et vulgaire. Il se regarda avec horreur et râla. « Tu veux vraiment que j'y aille comme ça ? » Elle leva les yeux au ciel. La question ne se posait même pas. Avec un rire dans le nez, elle se déguisa à son tour.

Rien n'avait été laissé au hasard. Elle enfila une robe-tablier sans manche à grosses fleurs de couleurs criardes, dont elle remonta la fermeture éclair en chantonnant « Ah ! Ah ! Louise / Elle a dans sa chemise / une jolie boîte à prise. » Non, cela n'avait pas été si facile de trouver cette affreuse chose. Elle avait dû courir les supermarchés avant de dénicher la merveille à Barbès. Pour les chaussures, elle avait hésité entre les socques du docteur Schmoll et des claquettes en plastique. Les tongs, plus économiques, l'emportèrent. Puis elle s'enroula des mèches de cheveux autour de bigoudis et enveloppa le tout dans du tulle fuchsia. Elle enduisit toute la peau qui dépassait de crème rouge imitation coup de soleil à la limite de l'insolation, redoutant le moment où elle devrait se démaquiller. Elle rutilait au sens propre. Elle chaussa de vieilles lunettes « Sécu », puis s'accrocha au bras un sac de plage qu'elle emplit de cannettes de bières vides (« moins lourdes à porter ! »), d'un râteau fluo, d'une pelle rose et, belle preuve d'imagination, d'un vieux tricot en cours, avec ses aiguilles à tricoter encore fichées dans l'« ouvrâache ». « Mais où diable l'a-t-elle déniché ? » se demanda Nemours.

Grâce au ciel, elle réalisa juste devant sa porte qu'elle avait oublié une dernière touche indispensable – chacun sachant que c'est dans le détail qu'on juge la perfection. Elle courut jusqu'à sa chambre s'accrocher d'horribles pendeloques.

Nemours ronchonnait, lui qui n'avait pas derrière lui une longue tradition de carnavaleux : « Quelle importance ces boucles, ça frise le ridicule » (son jeu de mot le fit sourire quand même) et « N'oublie rien, ma grosse. Tu oublies toujours quelque chose ! » qui les mit tout de suite dans le rôle de leur déguisement : vulgaire.

Nemours n'était pas à l'aise dans cette rue parisienne en bermuda et blouson trop petits, accompagné d'une folle en tablier nylon et doudoune. Mais la joie enfantine d'Agathe était contagieuse. L'avenue Henri-Martin n'avait de sa vie jamais vu de gens pareillement accoutrés, entonnant un : « Hop ! Hop ! p'tit Louis ! » et « Roule ta bosse ton père est bossu / sans l'fai' exprès j'ai tapé sur son... / Roule ta bosse... », un peu trop bruyants pour les habitudes des lieux.

C'est tout guillerets qu'ils passèrent un beau petit jardin, franchirent la porte d'entrée monumentale, grimpèrent les deux étages d'un escalier cossu. Renaissance italienne par l'escalier de bois sculpté, et XIXe siècle par l'épais tapis rouge. Chic, chic, chic.

Tant de chic aurait dû les alerter et mieux, leur faire faire demi-tour.

Ils sonnèrent, allègres. La maîtresse des lieux leur ouvrit. Isabella était, ô combien, ravissante dans un body décolleté façon panthère, peu vêtue d'un minuscule short blanc, moulant de petites fesses rondes jamais autant mises en valeur à Paris. Un bronzage parfait des mers du Sud soulignait sa blondeur suédoise et ses ravissantes oreilles brillaient de tous les feux de deux petits diamants. Elle « pimpait » dans sa tenue de vacancière tropézienne – et non de Palavas-les-Flots, la traîtresse. Elle leur jeta de bas en haut un regard étonné voire hostile, pimenté d'une touche de mépris. Agathe perçut clairement son dédain, mais elle se dit qu'il fallait se garder de toute interprétation.

Ils pénétrèrent dans la gigantesque entrée. Une chape de malaise leur tomba sur les épaules. Des invités ne se dégageaient pas une excitation effrénée mais une gaîté feutrée. Alors qu'Agathe et Nemours suivaient la maîtresse de maison, traversant l'immense living vers le buffet, ils mesurèrent l'étendue du désastre. Chacun semblait avoir endossé sa tenue de vacances préférée. Ici un retour des Seychelles, des Antilles ou des Maldives, là juillet à « Ré » ou Provençales à la Mistral, ailleurs des régatiers, des officiers de marine immaculés.

D'un ton condescendant, Isabella, la « blonde extrême », les présenta à quelques amis alentour. Puis les laissa choir et jouir de leur triste sort.

Ils s'approchèrent de quelques-uns qu'ils reconnaissaient. Mais le contact ne se fit pas. Nemours était si comprimé dans son polo et dans son bermuda qu'il respirait avec peine. Agathe eut un soupir de découragement au frôlement d'une fille sublime en collant et body chair, cachant en le dévoilant, mieux en l'objectivant, un corps de sirène, artistement drapé dans un filet de pêche irisé. Tiens ! Oui, dans le genre ridicule, pourquoi Agathe n'avait-elle pas songé à se déguiser en plateau de fruits de mer et fragrance huître et bulot assortie ! Cela n'aurait pas été pire.

Échappé d'on ne sait quel Paris-Roubaix, un cycliste 1920 tenant à la main juste un guidon de petite reine, un pneu tournicoté en huit autour des épaules, équipé de chaussures à crampons qui lui infligeait une démarche de batracien, d'un short et d'un maillot moulants noir et jaune, aux couleurs d'une huile bien connue. Ce qui fit remonter jusqu'au nez d'Agathe – circonscrite à son nez seul ? – sa propre odeur d'huile bronzante qu'elle crut devenue rance. Ce n'était après tout pas impossible : la vieille crème retrouvée dans un tiroir de salle de bains devait bien avoir dix ans. Aurait-elle dû regarder la date de péremption et y avait-il même une date ?

Cette puanteur, c'était l'odeur même de l'ostracisme dont elle se sentait victime. Personne ne l'invitait à danser, pas même Nemours, alors que s'amplifiait à travers tout l'appartement une musique effrénée d'irrésistible zouk.

Les Antilles endiablées n'eurent pas le pouvoir de les sortir de leur isolement. Agathe se sentait minable, à faire tapisserie, posée de biais sur une chaise raide, qu'elle hésitait, dans un reste de dignité – déplacée –, en s'asseyant plus confortablement, à graisser et à rougir. De plus ses faux coups de soleil commençaient à la faire souffrir ; elle songea mais trop tard qu'elle aurait dû se passer une base de crème adoucissante avant d'étaler tout ce rouge. Sa peau la grattait de plus en plus et ses fausses varices lui faisaient mal. Elle se sentait des jambes de cent ans et cent kilos. « Hop ! Hop ! P'tit Louis ! »

Nemours faisait franchement la gueule.

— Va danser, toi ! lui suggéra Agathe.

— Comment veux-tu ? Tu te fous de moi ! Dans cet accoutrement et avec toute cette crème, personne ne voudra se faire graisser le chemisier de soie !

On leur jeta quelques regards mi-amusés mi-moqueurs. Peut-être, et ils se le demandèrent encore une fois, s'agissait-il de leur part d'une erreur ? Le thème avait-il changé au dernier moment ? De là à penser qu'on leur avait monté un canular...

Nemours isolé remuait sans grande conviction son arrière-train au rythme d'une samba effrénée.

La belle Isabella s'avisa, en passant par hasard près d'eux, de leur confirmer l'absence, excusée d'ailleurs, de leur ami Henri. Agathe n'osait plus regarder Nemours. Il leur fallait filer au plus vite... C'est alors que le maître de maison, en navigateur des mers du Sud, s'approcha des malheureux exclus. Il rit aux éclats et tapa sur l'épaule de Nemours : « Gagné ! S'il y avait un concours, vous auriez gagné ! Vous êtes superbes ! » « Gagné ! » pensa Agathe désabusée. Il leur tendit deux assiettes de dessert. Nemours se força à sourire toutes dents dehors. Agathe respira un grand coup : « Tu vois ! J'avais raison, c'est nous qui sommes dans le vrai ! » Puis baissa les yeux sur sa charlotte aux fraises et coulis de framboise dont l'aspect rouge violent et « guilant », aussi luisant et crémeux qu'eux, ne lui inspira que dégoût.

Ils s'enfuirent en marmonnant. « Ah ! C'qu'elle est courue la pêche à la morue / Ah ! c'qu'elle est courue / Y en a qui r'viendront plus ! »

Le carnaval des vents d'Islande

Nemours déposa chez elle une Agathe brisée et, après être rentré quelques minutes chez lui se changer et se démaquiller avec hargne, il filocha rejoindre ses potes, qui l'attendaient dans une boîte, oublier le récent fiasco. Alors qu'il n'était même pas enjoué, ses potes étaient déjà éméchés quand il but avec eux un dernier verre. Toute conversation était impossible sous les assauts d'un record de décibels. Une fille habillée – ou déshabillée – « en jeune fille qui attend toute la nuit sur le trottoir un bus improbable » –, un panier de rotin retenu par le cou, au lieu de bramer « chocolats, bonbons, esquimaux », proposait des bouchons d'oreille à la place. L'idée n'était pas sans fondement. Saouls de sons de bombardiers, ils s'expulsèrent d'eux-mêmes.

C'est alors qu'ils se firent attaquer. Quelques loubards allumés et envieux de leurs breloques, portables, montres et autres bimbeloteries, tentèrent leur chance et les menacèrent. Des noms d'oiseaux volèrent dans la charmante ruelle, rebondirent sur les immeubles encaissés, quelques coups s'échangèrent et tout bascula, surtout Nemours, qui glissa, pénalisé par ses chaussures neuves aux semelles de cuir bien lisses, aussi glissantes que des algues vertes. Le plus violent se jeta sur lui, pratiquement au sol. Dans un sursaut miraculeux sur ses jambes, il évita le poing, et se carapata *in extremis*, le vent du boulet passé à quelques centimètres de sa mâchoire. Son ami Thomas arrêta sa course pour le couvrir et le furieux se retourna contre lui. Nemours fit volte-face et lança un coup droit sur la face du barjot. Il entendit un crac et le nez éclata sous son poing fermé qui y avait gardé son briquet. Le sang gicla comme une fontaine et le zig et le zag qu'il présentait l'effrayèrent. Thomas reprit sa course effrénée suivi par Nemours en permanent déséquilibre. Foutues chaussures…

Nemours était choqué de son geste. Il rentra avec une gueule de bois plus mentale qu'éthylique. Jamais lui, excellent en boxe française, et qui respectait la règle du sport de combat de ne pas se servir de sa force, ne se serait cru capable de transgresser. Il était même terrifié de sa force, de sa capacité de nuisance. Une réplique si excessive. Le lendemain, il s'en confia à sa grand-mère.

— Légitime défense. N'y pense plus. Je m'inquiétais de ta capacité à te défendre et, là, tu as courageusement protégé ton ami. Alors, c'est bien. Évite de traîner à ces heures de mauvais coups...

« Ah! C'qu'elle est courue la pêche, la pêche... »

25.

La situation au journal prenait une drôle de tournure. Un nouvel arrivant fut annoncé la veille par Luyce. Un certain Poulic. Les propriétaires de *La Voix de la Flandre* venaient de nommer un directeur administratif et financier. À la manière de prévenir le personnel – ou de ne pas le prévenir *in extenso* –, Nemours et ses collègues perçurent une certaine réticence. Réticence étant un euphémisme. Ce non-dit, cette sobriété, cette concision brutale ne présageaient rien de bon. Pourquoi un administratif dans ce journal qui se débrouillait bien sans depuis le départ du précédent ? Poulic se pointa ce matin-là flanqué d'une assistante, Arlette. Une acolyte ?

Les commentaires allèrent bon train après leur départ – plus fuite ou esquive – au dernier étage devenu désormais leur antre.

— Tu as vu cette mâchoire carnassière ? Et son regard fourbe ? disait l'une.

— C'est elle, la pute belge ? demanda l'autre.

Cette Arlette était décidément précédée d'une épouvantable réputation.

— C'est quoi cette histoire ? interrogea Nemours.

Agathe en avait la clé apparemment.

— Tout le bureau est édifié ! Mon pote dessinateur qui, par parenthèse, a la chance de travailler essentiellement chez lui, les a beaucoup amusés hier. Tu n'étais pas là. Il connaît cette femme. Il raconte que c'est une arriviste totale. Elle avance d'une manière...
— Que la morale réprouve.
— Ouais, à son actif une collection d'amants « marche-pieds ». Un de ses ex a raconté qu'elle lui avait demandé de l' « aide », mais après « coup ». C'est ballot. Donc une pute, mais belge.
— Marrant. Elle n'a pas l'air très maligne, elle ferait passer Marilyn Monroe pour un prix Nobel de physique.
— Remarque qu'elle a bien intégré l'art du maquillage. Il y a plus grave. On m'a montré un drôle de jugement de tribunal. « Drôle », tu m'entends. Tu le liras toi-même. Elle s'est pris six mois avec sursis pour malversation, faux, usage de faux, prise illégale d'intérêt et *tutti quanti*. Je t'explique : elle a monté une association pour aider des femmes au chômage. Plus de quatre-vingts se sont inscrites. Elle a touché à leur place le financement de leur formation. Pis, ces femmes ne savaient pas que cette formation avait été demandée. C'est sa secrétaire qui a imité leur signature d'après leur fiche ! Il paraît qu'elle était plus douée qu'elle pour le dessin ! Ah ! Ah ! Ah ! Seules cinq avaient vraiment signé. Elle a expliqué au juge qui lui demandait pourquoi même celles-là n'avaient pas suivi de stage. « Elles étaient trop bêtes », c'est son mot, et elle leur a fait faire du repassage et le ménage chez elle. Pour leur apprendre. Tu n'as qu'à lire toi-même.
Nemours se plongea dans cette édifiante lecture. Effectivement, c'était déplorable et saisissant. Mais qu'est-ce que cette femme fichait ici, chez eux, dans leur journal ?
Luyce les interrompit.
— Il faut que je vous parle.
Il était sombre. Nemours le suivit.
— Je me suis déjà entretenu avec la plupart, mais pour vous, et quelques autres, c'est un peu plus compliqué. Pernicieux, même. Je résume. Vous avez écrit des articles qui

font grincer les dents de la nouvelle direction, sur la pollution, sur les abus de pouvoir des mairies, etc. Votre enquête
sur l'opportunité d'un terminal méthanier aux portes de la
centrale nucléaire a filtré et surtout que vous vous apprê-
tiez à dénoncer le manque de pertinence de l'implantation.
À juste titre. Nous sommes bien d'accord. Le journal est le
seul sur ce coup contre tous. Il y a en parallèle la future
expropriation douteuse de ce terrain et d'autres affaires
de corruptions. Il faut les sortir. À partir de maintenant,
nous allons devoir faire très attention. Prudence. Il y a des
pressions qui viennent de partout. Les nouveaux proprios
veulent notre peau. Nous remuons trop de miasmes et de
boue, d'après eux. Ils craignent, prétendent-ils, que les lecteurs s'éloignent ! Je ne crois pas à ce genre d'argument. Prétexte ! Je me suis débrouillé pour que votre période d'essai
soit transformée tout de suite en CDI. C'est fait. C'est risqué,
mais la justice et la vérité me tentent toujours. Pour vous,
comme pour moi. Je vais avoir besoin de vous. Mais il y a un
risque pour vous.
　Luyce, besoin de lui si novice ? De sa force ? Cela le flattait
et l'encourageait.
　— Et pour vous !
　— Et pour moi.
　— Cela vous semble mal parti ?
　— Faire le gros dos, dans un premier temps. On va nous
censurer et nous calomnier. Attendre des jours meilleurs.
Dans un deuxième temps, il y a possibilité de répliquer. C'est
ma botte secrète. Ces proprios n'ont qu'une courte majorité.
Une partie des actionnaires s'oppose à eux. Je ne vous en
dirai pas plus. Rien n'est fait. J'ai quelques idées pour que
nous sortions vos papiers. Il le faut. C'est l'honneur de ce
canard. D'autant plus maintenant que nous voici attaqués
de l'intérieur !
　— Merci ! Et cette Arlette ?
　— Rien. Scories. Elle n'a pas d'emploi officiel. Pas de
feuille de paie. Son assistante perso, sa relation publique
« privée » et bénévole… Au boulot, si la bagarre vous tente.

Bien sûr qu'il irait et même cela se corsait d'une intéressante façon. Nemours se sentit ragaillardi par la volonté musclée de Luyce, par ses propos toniques.

Le réveil fut rude. La mère de Nemours l'appela aux aurores pour lui donner des nouvelles de Grand-ma hospitalisée et lui raconter son dernier coup de génie. Au milieu de la nuit, souffrant trop et après avoir sonné en vain longuement une infirmière, elle avait appelé les pompiers.

— Tu réalises ?

Sa mère s'en amusait encore. Sa belle-mère l'avait toujours divertie.

— Et qu'ont-ils fait ?

— Ils sont venus jusque dans sa chambre ! Et maintenant une enquête est ouverte. Ses initiatives m'épouvantent et m'ont toujours épouvantée.

Cela rassurait plutôt Nemours de voir que Grand-ma allait assez bien pour perpétrer ce genre de mutinerie. Journaliste de talent, c'était sans doute elle qui avait donné à Nemours le goût de ce métier.

Elle n'avait cessé d'inventer pour amuser la galerie. Elle imaginait des annonces d'accueil délirantes sur son répondeur téléphonique : « Bonjour, je suis en week-end avec Robert Redford, rappelez lundi. » La semaine suivante, c'était Paul Newman.

Aujourd'hui Nemours s'attendrissait, gâteux de sa grand-mère ; tant de gens n'en avaient pas et si peu une comme elle. Elle s'efforçait toujours de faire plaisir. Elle avait des attentions spéciales pour lui. Lors d'un passage chez lui, elle collait en douce, par exemple, un post-it sur son ordinateur : « J'ai inventé le mouvement perpétuel », une flèche en bas indiquait « Tournez, SVP » et sur le verso, était écrit la même chose. Il se rappelait ces riens avec douleur. Nemours pleura. L'éventualité de sa mort était une souffrance.

Il composa le numéro de sa chambre d'hôpital. Au bout du fil, une voix inconnue, d'outre-tombe, lui répondit. Ce ne pouvait pas être sa grand-mère ! La maladie l'avait-elle tant modifiée? Métamorphosée? Non, une voisine de lit qui, dans un souffle – presque un râle –, l'informa que sa grand-mère était sortie subir des examens. La pauvre femme s'excusa elle-même d'être si peu audible, « étant mourante »... Nemours tout pâle réalisa qu'effectivement le téléphone faisait partie de la vie, donc de la mort, et la mort en direct. Il attendit un peu avant de rappeler. Son téléphone sonna alors : c'était sa grand-mère qui tenait à le rassurer. Elle fit diversion en lui rappelant leurs grands secrets de famille :

— N'oublie jamais! Ton père colle dans sa penderie la date d'achat et de pressing de ses costumes et, deuxième secret : à dix-huit ans, en vacances, il mettait des embauchoirs dans ses espadrilles! Jusqu'à ce que je sévisse.

Elle en riait de concert avec Nemours. Allons, elle n'allait pas si mal. Il n'y avait pas de raison qu'il rentre à Paris à l'instant; il la verrait le week-end prochain.

On était lundi. Agathe était déjà partie au journal. Il fallait qu'il se lève et s'active. Mais il avait un peu de temps ce matin. Tout en se préparant tranquillement, il pensa qu'il n'avait pas retrouvé sa clowne Blanche. Qu'il pourrait ne plus jamais la revoir, ni même la reconnaître, puisqu'il ne savait rien de son corps réel, de son apparence, disons, dans le civil. Même ses mains toujours gantées. Mais ses yeux si noirs! D'un noir japonais où l'iris et la pupille se confondent. Et puis aussi sa rue. Mais sans le numéro?

Il se secoua. Sa journée ne démarrerait qu'en passant la porte. Les jours de la semaine allaient s'enfiler comme sur des rails, de traverse en traverse, jusqu'au vendredi, où il était prévu qu'il rentre à Paris.

Au moment de partir, un coup de téléphone de sa mère le foudroya. On venait de trouver sa grand-mère morte dans son lit, probablement terrassée par un deuxième infarctus. À n'y rien comprendre. Nemours n'imaginait pas qu'on puisse mourir à l'hôpital par accident, comme chez soi. Une heure après avoir parlé et ri! Le chagrin s'abattit sur lui; il se sentit vieux comme si les quatre-vingts ans de sa grand-mère s'étaient infusés en lui. Il pleura dans la rue, dans le train, par à-coups.

Sa grand-mère serait enterrée suivant le rite catholique. Elle se disait athée mais athée « d'origine catholique ».

Les jours qui suivirent l'enterrement furent pour lui comme des ombres d'heures, de celles qu'on pousse lourdement devant soi. Un voile gris recouvrait tous ses actes...

Agathe, qui faisait tout pour le distraire, l'incita à poursuivre la résolution de l'énigme des lettres.

Il appela donc, dès le lendemain, Bernard le Noir, pour lui demander son opinion au sujet des quinze lettres et du rendez-vous au cimetière avec Philippe Blondeel.

— Bingo! Tu brûles. Mais je n'ai pas le temps de t'expliquer. Rendez-vous demain, 17 heures, à l'entrée de la digue du Break, je t'expliquerai. Tu sais où cela se trouve?

Nemours commençait à échafauder des hypothèses. L'une se faisait jour dans son esprit. Chacun des quinze Noirs avait pu glisser, dans un ordre et à un rythme choisis, les missives qui combinaient un unique message. « Qui es-tu? Cherche. » Effectivement, qui était-il? Que savait-il de ses origines, de son mystérieux grand-père?

Une idée lui vint et, pour en avoir l'assurance avant de rencontrer Bernard, il se rendit à la mairie de Bray-Dunes cette fois pour vérifier la généalogie des Blondeel. Eurêka! Il y trouva un certain Charles Blondeel, fils de Pierre, et un Jean, fils de Charles, né le 24 mai 1930. Né de Charles, certes mais, et là, sa respiration se coupa : de Jeanne Delacroix. Delacroix! Comme sa propre mère à lui.

Il imagina le désespoir qui avait dû s'emparer de chaque membre de cette famille quand, soupçonné de meurtre par procuration, le docteur Blondeel, Charles donc, fut emprisonné. Ou la probable culpabilité de Jeanne, adultère, et aussi son chagrin à la mort de son amant et à l'inculpation de son mari. Sur fond de secret de famille, une chape de plomb était tombée sur eux, sur tout ce groupe.

Bien sûr qu'il descendait de Charles Blondeel. Il aurait dû le comprendre plus vite. Mais alors?

Il se rendit à nouveau au cimetière, comme aimanté. Sous un ciel de traîne pesant, il chercha il ne savait quoi. Et trouva. Une tombe, à côté de la tombe aux noms effacés, sur laquelle était gravée « famille Braems ». Se pouvait-il qu'il y ait deux tombes appartenant à la famille Braems, comme la mairie l'affirmait ?

Intrigué, il repartit vers Dunkerque, pour rejoindre la digue du Break et son rendez-vous.

Naturellement, il connaissait cette digue, promenade pour initiés, et prisée par Agathe. Comment cet endroit, haut lieu du paysage dunkerquois, aurait pu lui échapper ! Une longue digue artificielle, créée dans les années 1980, à l'ouest du port, formée d'un talus recouvert d'asphalte, protégé de l'assaut des vagues par des cubes et des tripodes de béton, et du côté du port, des monticules de matériaux aux couleurs telluriques et de vastes entremêlements de canalisations et de tubulures. La mer et le port, le plus « naturel » d'un côté et le plus fabriqué de l'autre. Ce site était impressionnant, surtout quand la mer était déchaînée.

La digue, lui avait raconté Antoine, avait fait l'objet de moqueries parce qu'au début de son édification de nombreux trous s'étaient formés. Des centaines en moins d'un an. Le fondement était comme aspiré par les flots et les mouvements de la mer et des marées passaient sous le talus. Ces affouillements risquaient de déstabiliser l'ensemble. Depuis elle avait été confortée.

Il était interdit de descendre jusqu'aux cubes de béton, tant ils étaient glissants, verdis d'algues savonneuses. Un panneau le rappelait, que les étrangers ne respectaient pas, s'imaginant affranchis de toute contravention, grâce aux frontières, même virtuelles. En effet pour eux, Belges ou Hollandais, le risque de glissade mortelle n'était rien car le jeu en valait la chandelle : d'énormes homards nichaient dans ce sanctuaire naturel.

Nemours sortit de sa voiture, accueilli par le sourire de Bernard :

— Je retiens ta candidature?
Annonce que le malin ponctua d'un rire ambigu et Nemours d'une constatation :
— Certes, mais je ne suis pas dunkerquois.
— En passe de l'être! Au moins d'adoption.
C'est vrai qu'il ne se sentait plus tout à fait de Paris, mais de là à être de Dunkerque.
— Et je n'ai rien demandé...
— Je te devine mûr pour la chose, Noir n° 12.
— Et que fais-tu de Philippe Blondeel, un vrai lui?
— En fait nous ne nous sommes pas déterminés. Leur opinion n'est pas arrêtée. La mienne, oui.
— Je croyais que c'était entendu pour Philippe Blondeel. Juste une question de formalité!
— Tu sais qu'il faut trouver un objet ayant un rapport avec Jean Bart. Nous attendons encore celui de l'impétrant. Pour Blondeel, cela ne devrait pas tarder. Il nous a promis une surprise.
Nemours se demanda quelle attitude adopter. Ce « maniganceur » de Philippe Blondeel devait-il être dénoncé? Nemours dévia la conversation :
— Et les lettres? Les quinze lettres?
— Bien sûr que c'est nous. Tu t'en doutais, non?
— Et le rendez-vous avec Philippe Blondeel?
— À ton avis? C'était intéressant, non?
Intéressant n'était peut-être pas le meilleur qualificatif pour cette rencontre, plutôt instructif, songea Nemours. Bernard poursuivit :
— J'ai appris que tu descendais d'une famille de Dunkerquois. Un jour, qui sait? à condition que tu nous trouves une relique de Jean Bart, « tu seras un Noir, mon fils » !
Tout en arpentant la digue, Bernard expliqua à Nemours comment il était remonté jusqu'à son grand-père, Jean Blondeel, grâce à un mystérieux indic dont il tenait, tout aussi mystérieusement, à taire le nom.
Nemours était stupéfait de cette découverte. En quoi son ascendance intéressait-elle quiconque? Sur quelle branche

de son arbre était assis ce mystérieux généalogiste et pourquoi ? Fumeux !
— Tout autre chose. Il faut que je te mette en garde. Tu
t'occupes en ce moment d'une affaire de malversations sur
des terrains, n'est-ce pas ?
D'où tenait-il ces renseignements ?
Bernard poursuivit :
— Le sujet est extrêmement épineux. Politiquement et
financièrement. J'ai des amis partout, tu sais. Et ça sent mau-
vais. Méfie-toi de tous puisqu'on ne sait pas à l'heure actuelle
d'où vient le danger.
Ils se quittèrent sur cette recommandation ambiguë.
Cela signifiait quoi, ce démarchage à domicile ?
Nemours aurait peut-être dû parler, poser des questions.
Sidéré, il n'en eut ni l'envie, ni le réflexe et même son instinct
lui commandait de se taire.
Pour l'heure, il était au-delà de tout. Il pensait à sa grand-
mère. Et cette pensée l'accaparait, l'entraînait vers un fond
nauséeux.
La fille des impôts le rappela, comme promis. Elle avait les
preuves absolues et précises à propos des terrains. Trois d'entre
eux avaient effectivement été achetés « réputés » inconstructibles par le fameux adjoint au maire à l'urbanisme, puis
en l'espace de quelques mois rendus constructibles, donc
x fois revalorisés. Enfin il avait construit quatre maisons,
deux revendues depuis et les deux autres louées. D'autres
terrains encore, rachetés non pour la collectivité mais pour
le profit de quelques privilégiés. Certaines maisons avaient
été vendues à la mairie à un prix exorbitant, surévalué pour
les copains...
Il tenta de joindre Sylvia, en vain.
Il courut chez Antoine, après l'avoir prévenu de sa visite.
Ne plus penser, ne plus souffrir de sa grand-mère. Juste
souffler. Entraîné dans la vie d'un autre.
— C'est un plaisir de vous voir, Nemours. Je vous l'ai dit,
venez quand vous le voulez. J'ai été touché par la mort de
ma vieille amie, plus que vous ne pouvez l'imaginer. Vivre

le moins malheureux possible est plus que jamais obligatoire.

— Parlez-moi de votre père. De sa guerre.

Antoine tendit à Nemours de nouveaux feuillets.

— J'aime beaucoup cette histoire. Elle se situe à la fin de la guerre dans la région, à la suite de l'arrêt de toute activité en 1944.

Nemours but une gorgée de porto et reprit le cours de l'histoire de Fursy :

Nous voilà partis sur un petit chemin au bout duquel se trouvait une ferme. Nous sommes surpris par un tir d'armes automatiques. Les balles qui ricochaient sur la route semblaient venir de la ferme. Nous décidons de progresser dans le fossé. Nous apercevons des casques anglais derrière une petite haie. Rassurés, nous continuons de cheminer. Bien nous en prend, les tirs devenaient plus précis et des balles ricochaient très près de nous. Nous avons alors pensé que « ces c... d'Anglais nous prenaient pour des Fritz et que nous allions nous faire descendre bêtement ». Après concertation nous décidons de nous faire connaître et nous voici debout sur la route brandissant nos coiffures au bout des fusils en hurlant « French » à répétition. Les tirs s'arrêtent. Un Anglais avançant dans le fossé en se faisant le plus petit possible nous crie d'un air terrifié « Restez cachés, mes amis », avec un bon accent canadien, et repart vers la ferme, toujours plié en deux. Nous arrivons enfin près de nos Anglais que je me permets d'engueuler : « Mais qu'est-ce que vous avez foutu ? Vous deviez bien voir que nous étions des civils ! – Mais ce n'est pas moi, me répond l'officier, c'est les Boches. Ils sont derrière la ferme. » À vingt mètres se trouvait le servant d'un fusil-mitrailleur, caché entre deux meules de paille. Soucieux de rester hors de vue, il ne disposait que d'un angle de visée assez étroit. Heureusement ! Ces Anglais, en réalité des Canadiens, nous ont accueillis comme des miraculés farfelus et nous avons vite fraternisé. L'officier nous donne des empla-

cements de tir le long de la ferme, côté nord, vers Dunkerque. La nuit venue, les Allemands apportent un mortier qu'ils mettent en batterie entre les meules. Un premier projectile tombe au bout du jardin, un deuxième et un troisième plus près de la maison. Les Canadiens courent s'abriter à l'intérieur de la ferme, aussi je rameute mes quatre camarades pour que nous en fassions autant. Au moment où je pousse le dernier dans l'entrée un projectile éclate à quelques mètres derrière moi. Je suis sérieusement abasourdi, puis je vois ma main droite se recroqueviller et lâcher le fusil. Je ne puis dire si je souffre mais le sang coule de mon poignet droit et, plus haut, de l'épaule. Par la fenêtre nous voyons une lueur rougeoyante du côté des meules. Sans doute avec des balles traçantes, les Canadiens ont réussi à y mettre le feu. Un de ceux qui sont allongés avec nous s'approche et me prenant par les épaules, comme on le fait pour donner le biberon à un enfant, me fait avaler un alcool fort. Je fais la grimace. Ce n'est ni du cognac, ni du calva, ni du genièvre, que je connais bien, mais quelque chose d'inhabituel, probablement du whisky. Nous sommes là, immobiles, dans l'attente d'autres projectiles. Je tente de parler avec mon soigneur pour le remercier et, pour bien lui montrer que je connais l'anglais, je hasarde cette évidence I am blessed ce qui le fait sourire « Béni, oui ! ». C'est vrai ! J'aurais dû dire « wounded » et non « blessed », ce bon vieux faux-ami ! Certes, j'étais blessé mais surtout béni ! L'éclat qui a pénétré dans le poignet a frôlé l'os et est passé sous l'artère.

Plus tard, avec ma femme, nous sommes allés revoir l'endroit. L'éclat qui m'avait traversé le bras était resté fiché dans la porte, et l'autre dans mon humérus. Autour de cette porte, soixante-douze éclats comme autour d'une silhouette.

C'est le professeur Delannoy, à Lille, qui m'enleva cet éclat. Je l'entends encore dire à la religieuse qui venait de décoller les pansements, qu'il n'a pas le temps d'insensibiliser. Il commence alors à ouvrir avec un bistouri qu'il repousse aussitôt, en reprochant à l'infirmière de lui don-

*ner « un couteau qui ne coupe pas ! » Je commençais pour-
tant à être d'un avis contraire ! Enfin mieux armé, il trouva
l'éclat, après avoir farfouillé avec une espèce de pince. À
l'expérience il est moins désagréable de recevoir un éclat que
de le restituer.*

Antoine et Nemours se regardèrent, un même sourire
complice dans les yeux.
— Reprenons la suite de la pêche, si vous le voulez, bien
sûr. Il ne faut pas que cela vous casse les pieds.

*À la Libération, je repris la direction du comptoir de
Dunkerque auquel vint s'ajouter la gestion administrative
du comptoir de Newport. Bientôt des contingents de morue
salée allaient nous être attribués en provenance de Norvège.
L'auto-approvisionnement était terminé, avec la disparition
totale de nos armements locaux. Comme la plupart de nos
collègues de Bordeaux et de Fécamp, nous aurions maintenant à nous approvisionner auprès des armements industriels, qui déjà reconstituaient leur flotte. Nous envisagions
aussi l'importation qui pourrait nous fournir les complé-
ments nécessaires. L'avenir s'ouvrait grand à nouveau.*

Sylvia le joignit sur la route du retour. Il lui parla des
preuves qu'il avait rassemblées grâce à la fille des impôts.
L'audace avait payé.
— Qu'allez-vous faire maintenant ? s'enquit Nemours.
— Faites-moi parvenir les documents. Nous allons nous
organiser. Nous nous groupons avec les plus déterminés,
pas nombreux, et nous les attaquerons ensemble. Officiellement. Nous déposerons plainte au tribunal administratif. Il
faut que ces ripoux soient invalidés. Les électeurs ne seront
peut-être plus dupes et surtout ils ne pourront plus être pié-
gés demain.
Une attaque administrative ? Oui, pourquoi pas. Tout s'accé-
lérait. Lui, qu'allait-il en faire de ces informations ? Il fallait
décidément mettre Luyce dans le coup, une fois de plus.

Agathe le harponna d'un :
— Poulic est un horrible poisson froid !
— Des preuves.
Nemours se remplit un verre d'une Stella, fraîche et mousseuse.
— À aucun moment tu n'as envie de t'approcher de ce mec. Une poignée de main, tu risques un rhume, un baiser sur la joue, la pneumonie. Il m'a invitée à boire une bière au bistrot du coin. Une conversation indigente. Il m'a raconté ses chasses au faisan en Angleterre ! Il ne prononce pas « faisan », « feu-san », mais « fé-san ». Tu m'entends ! « Fésan ! » Pathétique !
— Tu ne lui as pas répondu « Fais-en toi-même ! ».
— Très fin. Ce « faisan » est un faiseur nuisible. J'analyse l'homme. Nous en aurons peut-être besoin un jour. Après son récit de chasse, il a eu l'air de me congédier du regard. Il ne s'intéressait plus ni à moi, ni à notre conversation. À sa conversation ! Minutes de péremption dépassées. Quand on méprise sans connaître, on pense bassement. C'est de moi. Il ne manquait plus qu'un revers de main dédaigneux. Tu sais comme un petit marquis avec un valet de chambre.
— Sa soubrette plutôt.
— Oui, il me prend pour une femme, en plus !
— Ne joue pas contre ton camp, s'il te plaît. Comme une femme vue par un macho. Et sa commère la pute ?
— On ne dit plus la pute, mais la Bip ! Politesse oblige !

Le téléphone sonna presque aussitôt. Cette fois Sylvia avait un ton enjoué.
— Voilà, on vient de manifester devant la mairie pour protester contre l'expulsion des locataires du logement social, ceux dont je vous ai déjà parlé, vous vous rappelez ? Une manifestation spontanée d'urgence. Eh bien, la police a verbalisé les manifestants sur des conneries, une plaque d'immatriculation déformée, un papillon d'assurance pas signé, rien, tout, n'importe quoi. Puis on a appris que le procureur avait joint le commissaire. Ordre immédiat d'arrêter l'expulsion

programmée pour le lendemain et calmer les flics chauffés par la mairie. Génial, non ? Vous voyez, ce n'était pas légal, carrément abusif même. Bon, je vous laisse. À la prochaine fois, de toute façon !

Nemours fit à Agathe un récit détaillé.

— Épouvantable ! Il faut dénoncer tout cela.

— Je ne te le fais pas dire !

Puis ils se servirent comme un mets quatre étoiles du Brel, entonnant avec hargne et nostalgie, « Le soleil qui se lève et caresse les toits / et c'est Paris le jour ».

26.

Luyce déposa sur le bureau de Nemours la morasse du journal qui s'imprimerait dans quelques heures. Celui-ci découvrit, avec stupéfaction et horreur, les modifications opérées dans son article sur le terminal méthanier. Il devait être placé à la une et se retrouvait à l'intérieur, banalisé en page *Économie*. Le titre « Quinzième danger Seveso ? » avait été changé pour « Un terminal méthanier ? ». Au-dessus de l'article un chapeau avait été ajouté.

Agathe, qui passait, s'approcha pour lire par-dessus son épaule.

Le rajout vandale focalisait le problème sur un chômage endémique supérieur à la moyenne française. Donc tout devait être mis en œuvre pour l'emploi, même un terminal méthanier, devait penser le lecteur.

— L'emploi, mais pas n'importe quoi !

Elle bondissait d'indignation.

Suivait une tirade sur le courage des élus qui s'y employaient, et bla-bla. L'article de Nemours avait dès l'introduction pris du plomb dans l'aile. Son texte rappelait l'accident grave de 2004 sur le terminal algérien de Skikda, vingt-trois morts et soixante-quatorze blessés. Et aussi un autre accident sur un gazoduc en Belgique, dix-huit morts et cent vingt blessés. Et « de triste mémoire », l'explosion AZF à Toulouse. Non seulement ce nouveau site serait classé Seveso « seuil haut », mais il empêcherait l'implantation de sept éoliennes. Il en concluait que rien ne pouvait justifier un tel risque. « L'emploi à n'importe quel prix, alors qu'existent d'autres solutions ? »

Seulement une autre conclusion s'y ajoutait et prenait d'assaut l'opinion du lecteur, tentant d'avoir le dernier mot. La dernière balle – supposée mortelle – expliquait que chaque initiative engendre des risques, que les emplacements appropriés sont difficiles à trouver dans les ports français, que l'opportunité est à saisir malgré les « inconvénients », à moins que l'on ne veuille que d'autres ports concurrents bénéficient de ces emplois. Dunkerque devait « crocher » sa chance.

La page leur tomba des mains.

— Et Pouiiic ! conclut Agathe.

La contradiction des propos et la rupture de style étaient évidentes. N'importe quel lecteur verrait l'intervention de deux plumes. Nemours était accablé par tant de turpitudes.

Agathe était offusquée des agissements de la direction. Elle se tourna vers Luyce qui les avait laissés lire en silence, sans intervenir.

— La nouvelle « ligne éditoriale », si on peut appeler ça comme ça, devient claire : l'imbécillité et la peur de faire tomber des poids lourds politiques.

— Mi-lourds, corrigea Luyce.

— Bon, des poids embarrassés par les révélations de Nemours. Et cela va s'aggraver. La censure s'installe. Je ne voudrais pas paraître grandiloquente mais la presse est muselée, la liberté bafouée. Au xxiᵉ siècle, c'est possible ça ?

Nemours se tourna vers Luyce et parvint à articuler :

— Alors ?

— Voilà où nous en sommes, Nemours. Pouic et sa comparse ont agi sur ordre. (Il ne l'appelait pas la Bip, tentant de garder une distance en n'adoptant pas les us des collègues.) L'un échafaude, l'autre imagine. Deux vrais cons ! Mais nous n'y pouvons rien.

— C'est possible, ça! Un tel culot! Ils ont le droit!
— Directeur administratif ET financier.
— Mais tu es le rédacteur en chef!
— Ah! Ah! Ah! Nemours...
Il égrena un rire de théâtre, plat.
— Comment allons-nous faire?
— Les laisser trafiquer et bidouiller cet article et d'autres avec. Les laisser se répandre, se disperser, se faire les dents.
— Leur tomber dessus et les tuer, conclut Agathe.
Luyce soupira.
— Pas si simple. C'est notre espoir... Ce que je sais, c'est qu'ils ont peur d'aller trop loin. Ils nous craignent.
— Nous? Toi! le reprit Nemours.
— C'est pareil. La preuve, ils n'ont pas osé toucher au corps de ton texte. C'est d'ailleurs idiot, c'est si visible. Ils veulent m'écraser. Ils imaginent me faire démissionner.
— Mais et les lecteurs? Ils vont nous croire fous!
— Nemours, ne les prends pas, eux, pour des imbéciles. Ils vont juste se poser des questions. Et pourquoi pas! Peut-être est-ce mieux ainsi. Pour un court laps de temps. Trop long, on les perdra...
Nemours réfléchit et se remémora tous les articles encore vifs dans sa mémoire et vraisemblablement bousillés par ces tordus dès leur sortie du bois, avant publication. Son œil s'alluma. Il tenait une solution. La même que celle de Luyce?
— *Quand la vie emmure, l'intelligence trouve une issue.* Proust.
Il s'était piqué au jeu des citations de Luyce. Cela avait certes l'avantage de dédramatiser.
— OK. Compris! On les enfume. On balance les infos en entrefilets. Banalisées. Chiens crevés, chats perdus. On mine en disséminant.
— Bravo! Pas mieux. J'en suis arrivé à la même solution. Dans l'immédiat...
Cette réponse de joueur de poker convenait à la menace et à la difficulté. Ils se topèrent la main. Nemours sortit du journal réconforté.

Le carnaval des vents d'Islande

Un petit garçon espiègle et joueur sautait en marchant, à cheval entre ruisseau et trottoir, puis glissa devant Nemours, tombant lourdement sur les fesses. Sa mère le releva par le bras d'un mouvement vif avec un « Ben, comment t'as fait ton compte ? », qui sonna « d'min coin » pour Nemours.

Il croisa un autre quidam, un portable vissé à l'oreille : « J'te rappelle et j'te dis qwo. »

Nemours appréciait tous ces idiotismes. Il commençait même à pouvoir parler un peu ch'ti et dunkerquois – ce qui n'était pas du tout la même chose. Les uns parlaient picard, les autres un sabir à eux mêlé de flamand. Le « kessa' dit ? » par exemple. Ce « Comment ça va ? » n'appartenait qu'à Dunkerque et plus précisément aux carnavaleux.

Tout à ses pensées, il était arrivé chez Antoine Verdoy.

Normalement, c'était leur dernière rencontre. Ils étaient censés avoir fait le tour du sujet. Antoine l'avait invité à dîner. Il allait rencontrer sa petite-fille Manon. Nemours s'en réjouissait. Antoine en était si fier.

— Vous savez, Nemours, votre visite est comme un rendez-vous avec mon père, avec son passé et je vous dois ce plaisir, un des derniers qu'il m'est encore possible de connaître...

Il arriva, peu après la Libération, que je reçus une lettre sous timbre de l'hôtel Scribe de Paris, d'un ambassadeur itinérant d'Islande, M. Magnusson, me demandant un rendez-vous à Paris. Ma raison sociale, « La Morue islandaise », et sans doute aussi les renseignements qu'il avait recueillis au ministère du Ravitaillement sur notre activité, l'avaient incité à me contacter. Il représentait la fédération des Coopératives islandaises. Un chalutier islandais de colin frais n'avait pas été autorisé à livrer en Angleterre pour je ne sais quelle raison et, persuadé que la France avait faim, il n'avait pas hésité à envoyer « à ordre » vers la France le chalutier en question. Il me demanda alors de le prendre en charge et j'acceptai. Boulogne n'était pas encore en activité, contrairement à Gravelines et Dunkerque, où la pêche s'était poursuivie toute la guerre. On était capable de décharger, de conditionner rapidement, d'expédier et de commercialiser normalement une cargaison de deux cents tonnes de colin (ou lieu noir). Déjà la bureaucratie reprenait ses droits et je fus informé que, sans licence, je ne pouvais pas décharger la cargaison. J'eus beau plaider qu'il s'agissait d'une cargaison de poisson frais éminemment périssable, qui avait déjà six jours de cale et qu'il fallait faire vite. Rien n'y fit.

Je sautai à nouveau à Paris et me présentai au ministère du Ravitaillement où trônait alors M. Farge. C'était la veille de la Toussaint et il était 17 heures, ce qui ne facilitait pas les choses pour discuter posément et décrocher l'autorisation indispensable. Cependant m'arc-boutant et argumentant sans désemparer, M. Farge lui-même signa une autorisation exceptionnelle qui devait être transmise à la filière douanière : soit aux Finances à Paris, puis à la douane de Dunkerque et enfin à Gravelines. C'était une demi-catastrophe. À nouveau je repris véhémentement mon argumentation. Finalement avec une mimique agacée et impatiente M. Farge consentit à ce que j'emporte cette licence dûment signée, qui devait permettre de décharger le colin à Gravelines.

Cette première affaire incita la fédération islandaise à me confier exclusivement les importations de leur excellent filet de cabillaud congelé. L'Islande, pendant les quatre années de guerre, avait pu pêcher sur ses côtes sous protection américaine. Une évidente prospérité avait permis de procéder à des investissements, plus particulièrement dans la congélation. Ils avaient pu s'équiper pour la fabrication automatisée du filet de cabillaud sans peau et sans arêtes, livré en plaques et congelé à cœur, suivant la méthode « quick freezing ». Pendant un certain temps, je fus le seul importateur en France de ces filets congelés.

Un coup dur devait être encore asséné à nos métiers de saleurs, lorsque la direction des Pêches décida de procéder à la reconversion de la flotte de Grande Pêche. Partant du principe que l'exportation du poisson salé nécessitait des aides de l'État, et que, d'autre part, on importait du poisson congelé, il fut décidé d'accorder une subvention au chalutier congélateur à construire, à condition de désarmer deux chalutiers saleurs. En quelques années la flotte des saleurs allait disparaître pour faire place aux congélateurs.

Curieux retour de bâton, après avoir vu disparaître la flottille des ligneurs en faveur des chalutiers, on vit disparaître à son tour celle des chalutiers-saleurs, remplacée par celle des congélateurs qui eux aussi naviguaient vers de sombres horizons.

L'avenir pour cette industrie se noircit cependant année après année, surtout pour le poisson d'exportation : la suite des revendications de mai 1968 entraîna des hausses de salaires qui augmentèrent les charges et les prix de revient, inconvénients plus graves à l'exportation que sur le marché intérieur. En 1970, des primes furent accordées à l'exportation vers les pays pauvres. La sécherie de Boulogne exportait mille deux cents tonnes de colin séché par an, c'est-à-dire trois mille tonnes de poisson frais. Soudain, ces aides de la CEE, dites de Restitution, furent suspendues.

Notre sécherie de Boulogne, ne trouvant plus de stock, s'approvisionna auprès de la Norvège, à des prix plus élevés. De plus malheureusement cette année 1973, le colin se fit rare, donc cher. La sécherie patienta le plus longtemps possible, espérant des jours meilleurs, puis, à bout, dut fermer ses portes, licencier son personnel, régler les charges, entraînant la chute de la salaison et de la sécherie de Gravelines... Quelque temps après la fermeture de la sécherie de Boulogne, fut annoncé un important arrivage de colin que les armateurs ne purent acheter en totalité et dont plusieurs centaines de tonnes furent bradées à 0,05 franc à l'usine de traitements des déchets au lieu du 1,05 franc payé par la sécherie ! L'année suivante les aides à la Restitution furent rétablies...

L'idée m'était venue, après la guerre, d'un biscuit diététique dans un premier temps de complément nutritif – commercialisé sous le nom de « Sandix » – et, vingt ans plus tard, amaigrissant – cette fois sous le nom de « florish ». Ce biscuit apporta longtemps quelques subsides bien utiles mais qui ne purent sauver cette industrie.

Le carnaval des vents d'Islande

« *La Morue islandaise* » *créée en 1930 trouva une mort violente, après quarante-six ans d'efforts, d'investissements, de réussites et de déconvenues. Les locaux de la sécherie de Boulogne-sur-Mer furent vendus. Ceux de Gravelines, expropriés par la ville. C'était la fin.*

Dunkerque, Gravelines, derniers bastions du Grand métier, restent hantés par les fantômes de cette épopée. Il appartient aux hommes de bonne volonté de ne pas laisser oublier ce qu'étaient ces marins de la Grande Pêche, toujours vivants chez ceux qui les ont bien connus et dont les fils sauront défendre la mémoire prestigieuse.

Souhaitons qu'un jour la Belle-Poule *et l'*Étoile *des cadets de Brest auront gagné leurs* « *Invalides* » ; *ces* sister-ships *de nos Islandais gravelinois viendront dans un coin du Bassin Vauban, à Gravelines, comme témoins toujours vivants, honorer la mémoire de cette belle phalange des Islandais.*

Nemours referma le recueil de textes. Mélancolique.

C'était singulier, comme chaque fois que l'on finit un livre apprécié ou que l'on voit une personne aimée s'éloigner. Cela laisse un goût amer.

Antoine rompit le silence.

— Je me rappelle, non sans nostalgie et même tristesse, la sécherie, les magasins de salaison, tous ces lieux vidés, abandonnés. En fait ce fut terrible pour nous, pour les ouvrières et les ouvriers, surtout les anciens, bien sûr.

Une ombre de chagrin passa dans son regard. Il n'arbora pas sa peine.

Il se reprit.

— Si vous le voulez bien, nous allons passer à table. Ma petite-fille Manon nous a préparé le dîner. Claire est restée à Paris, mari oblige...

Ils s'installèrent autour de la table, dans une somptueuse pièce entièrement lambrissée de chêne du xviie siècle, travaillé de petites roses en relief et de panneaux aux coins arrondis cachant des placards. Par quel miracle cette maison avait-elle échappé à la destruction de Dunkerque en 1940 ?

— Proche de l'église Saint-Éloi, elle a été un peu épargnée puis restaurée et mais rien n'est d'origine à l'intérieur. Ce sont des lambris anciens, datés de 1715, chinés dans la région. Ma femme avait beaucoup de goût. Elle s'était installée comme antiquaire pendant plusieurs années.

— Tout s'explique.

— Nous n'allons pas nous revoir avant quelque temps. Nous partons le mois prochain avec ma fille pour Rome puis Venise. Manon va nous y rejoindre. Elle doit s'y installer en septembre pour étudier à l'école d'architecture. Vous savez, dans le cadre des échanges Erasmus.

C'est alors que la jeune fille fit son entrée. Éblouissante. Grande, de longs cheveux châtains, à boucles serrées, des yeux très clairs, d'un bleu d'eau, un sourire carré. Une vierge de la Renaissance. Nemours en eut le souffle coupé mais bien sûr n'en montra rien.

Manon lui serra vigoureusement la main. Ils s'installèrent autour de la table, superbement dressée. Belles assiettes de porcelaine de Limoges, blanches, bordées de marine et d'argent, verres en cristal taillé, couverts, porte-couteaux en argent sur une nappe blanche de coton fin ajouré. Au centre, un bouquet de renoncules fraîches, une carafe à eau sobrement scandinave et une autre, verre taillé et col d'argent, où décantait du vin rouge. Cette sophistication luxueuse l'honorait.

Antoine se mettait en quatre pour animer la conversation mais Manon restait muette. Et Nemours hésitait à s'adresser à elle. Il raconta beaucoup ses carnavals. Nemours et Manon semblaient pendus aux lèvres d'Antoine.

Le chat Tom vint interrompre la conversation. La jeune fille s'en empara, manifestement contre son gré, le tripota, lui tritura les oreilles et lui posa un bisou sur le museau avant de l'expédier par terre.

— Pauvre chat ! Tu le maltraites à chaque fois que tu le caresses. Il doit aimer ça...

Manon leva les yeux au ciel et grimaça drôlement. Cela rappela quelque chose à Nemours.

Tandis qu'Antoine parlait, parlait, « Vous savez, les
Dunkerquois n'aiment pas tous cette période de carnaval ! », Nemours porta son verre à ses lèvres. Il sentit sous
sa bouche un papier plaqué à la paroi. Il le décolla et découvrit que c'était un petit carton rose, portant avec un gros
numéro noir : 133. Manon s'était levée pour remplir la cor-
beille de pain. 133 ? Il se fit un vide méditatif dans sa tête,
alors qu'Antoine, qui n'avait rien vu, poursuivait :

— Il y en a même qui quittent la ville pour partir aux
sports d'hiver ou ailleurs. Ils ont une répugnance à tout,
aux chansons, aux bruits, à l'allégresse même. C'est un peu
comme une aversion pour les chats.

— Ils ont un balai dans le fondement, oui, jouta Manon.

Curieux dans une bouche si distinguée.

— Alo', gâmin, tu m'remets ?

Cette voix ! Ce ticket ! Égaré la nuit du Sporting ! C'était
ça ! Manon, sa clowne blanche ? Il n'en revenait pas, sans
être pour autant surpris. Il comprenait enfin son malaise.
On l'avait joué. Manon intervint immédiatement, rompant
son embarras :

— Excuse-moi. C'était irrésistible. Tu ne m'en veux pas ?

Cette fois elle reprenait un français classique et sans
accent.

Non, puisqu'il l'avait retrouvée. Mais ces yeux si clairs
maintenant ?

— Des lentilles !

— Et le ticket de vestiaire ?

— C'est affreux. Je l'ai retrouvé dans la poche de mon blouson en rentrant chez moi. C'est moi qui l'avais. *Scusi !*

Elle s'amusait manifestement.

— Et ta taille ?

Debout près de lui, elle lui montra ses hauts talons. Elle
saisit derrière elle, sur un petit guéridon, un chapeau pointu
blanc pailleté, bien connu de Nemours, et tortilla un peu
laborieusement ses cheveux à l'intérieur.

Bien sûr, c'était elle. Quel choc ! Quel imbécile il avait
été !

Antoine était un peu mal à l'aise et hésitait encore à s'exprimer, attendant la réaction de son invité. Lorsqu'il vit un grand sourire découvrir largement ses dents, Antoine intervint :

— Impossible d'arrêter mes deux folles. Manon et sa mère passent leur temps à berner leur monde. Un amusement familial traditionnel. Je n'avais pas le droit de révéler quoi que ce soit, s'excusa-t-il. J'espère que vous ne nous en voudrez pas ?

— Ce n'est pas grave. Au contraire, c'est si gai, le rassura Nemours.

C'est vrai qu'il trouvait les façons de ces deux femmes imaginatives... Il fallait juste qu'il se fasse au « nouveau » physique de sa clowne, et à son prénom, qui lui plaisait.

— Et tu remarqueras que je n'ai pas de mouche collée ni à la « friponne » ou à la « baiseuse », sur les lèvres ou au coin de la bouche, ou à l' « effrontée » sur le nez. J'évite le front, la « majestueuse » ne me convient pas.

Il songea que la « majestueuse » pourtant lui conviendrait, malgré ses efforts de badinage.

Le dessert, carpaccio d'ananas, glace à la mangue et feuilles de menthe, acheva de le persuader des qualités en général, et en particulier culinaires, de Manon et de sa prévenance à son égard. Ils étaient tous deux maintenant un peu embarrassés.

— C'était délicieux, vraiment, complimenta Nemours avec sincérité.

— Eh ouais. Des riens, une petite salade, une petite sauce légère, des petites tranches de saumon, une petite brunoise, puis des petites carottes, des petits oignons, une petite macreuse et un petit dessert... Vous n'avez jamais remarqué l'abus du mot « petit » chez les cuisiniers professionnels, quand ils commentent leurs recettes ?

Elle se leva dans une pirouette pour aller préparer le café.

— Où en êtes-vous de votre contrat au journal ?

— Un contrat durable. J'aime ce que je fais, j'aime notre journal et Arnaud Luyce.

— Un bon ami. Et un homme courageux. Ce qui ne gâche rien. Donc, vous restez ?

— Pour le moment, je reste.

— Bien, bien… Vous connaissez sans doute maintenant cet adage, « À Dunkerque, on pleure deux fois, une fois quand on arrive, une fois quand on en part ».

Plus tard Antoine souhaita à Nemours une bonne nuit.

C'est sûr qu'ils allaient se revoir et au fond il n'attendait que ça, être lié peu ou prou – seul l'avenir le dira – à cette famille.

Sur le seuil de la maison, c'est à son baiser langoureux qu'il conclut assurément que la clowne et Manon ne faisaient qu'un. Elle se détourna sur un « À bientôt » prometteur (il pouvait lui faire confiance pour les retrouvailles).

27.

Un volumineux paquet arriva le lendemain par la poste. Il venait de la mère de Nemours, repartie pour Dubaï et si désolée de le laisser seul et endeuillé.

« *Très chéri,*
J'ai trouvé dans les affaires de maman de vieilles lettres qui pourraient t'intéresser. Elles proviennent de gens que je ne connais pas et qui sont originaires de Bray-Dunes, ce village au-dessus de Dunkerque, à la frontière belge. Tu le connais peut-être aujourd'hui ? Ont-ils un rapport avec nous, je ne sais. Et aussi une lettre d'elle pour toi.
                    Papa et moi t'embrassons tendrement.

Il lut d'abord la missive de sa bien-aimée grand-mère :
La lettre n'était pas datée.

Mon très chéri,
Si un jour je meurs, je te demande de ne pas laisser ma mort devenir une trop grande affaire dans ta vie. Je veux vivre heureuse dans la partie heureuse de ta mémoire. Rappelle-toi le plaisir que nous avons eu d'être ensemble. J'ai été si

Le carnaval des vents d'Islande

contente et si fière de t'avoir pour petit-fils, mon petit-fils. Et pour te rappeler nos cours d'anglais, un extrait de ce sonnet de Shakespeare, mon préféré :

> No longer mourn for me when I am dead
> that you shall hear the surly sullen bell
> give warning to the world that I am fled
> from this vile world with vilest worms to dwell.
> Nay, if you read this line, remember not
> The hand that writ it, for I love you so
> That I in your sweets thoughts would be forgot
> If thinking on me then should make you woe.

La traduction peut être discutable : elle est de moi.

> Ne pleure pas plus longtemps pour moi quand je mourrai
> Que tant que tu entendras la cloche qui sonne,
> Sonner pour annoncer que j'ai quitté
> Ce vil monde grouillant de vils vers.
> Non, si tu lis ces lignes, ne te rappelle pas
> La main qui l'écrivit, parce que je t'aime tant
> Que je préfère être oubliée dans tes douces pensées,
> Si penser à moi doit te rendre malheureux.

Il ne pouvait plus lire. L'âme déchirée, il pleurait.
Il se ressaisit et poursuivit :

P.S. : Tu te rappelles ton étonnement que le « je » anglais soit toujours en majuscule dans la phrase ? Mon « i » n'est plus rien, mais ton « I » est tout.
Nous nous aimerons toujours. Alors oublie-moi vite. Un peu.
Et surtout, ne rate pas l'amour, c'est la grande affaire de la vie. Tu le mérites, petit chien.

TM for ever.
Grand-ma

Le carnaval des vents d'Islande

Il pensa qu'il ne se rendrait plus chez elle, en famille, au déjeuner dominical, rue du Cherche-Midi. Ils ne feraient plus ensemble de gros calembours, des plaisanteries imbéciles bien à eux. Il pleura encore puis se releva, pour elle, pour lui et pour respecter sa volonté.

Et se redressa à son message sur « l'amour, la grande affaire de la vie » qui aujourd'hui, coïncidence ou suite logique, trouvait un écho immédiat en lui.

Il allait mieux et se décida à lire les lettres suivantes.

Il se cala confortablement dans un fauteuil du salon. Il avait tout le temps, aujourd'hui samedi, de se plonger dans le passé. Plus d'un siècle en arrière, puisque la première missive, sur gros papier jauni, datait de1898.

Islande, Faskrudfjordur, le 25 octobre 1898

Mon cher père, ma chère sœur, mes chers frères,
Pour faire suite à ma précédente lettre, je suis bien heureux, ici, en Islande. Bien que vous me manquiez. Je vous espère en bonne santé et pas trop tristes sans notre chère mère et moi si loin.
J'ai terminé mon travail auprès de l'abbé français installé à Faskrudfjord. Ma tâche a consisté à fermer les bâtiments des Œuvres de mer pour l'hiver. J'ai réparé tout ce qui menaçait d'être arraché par les vents ou d'entraîner des fuites d'eau, avant les pluies et les grands froids. L'abbé est reparti pour la France. Maintenant je loge dans une ferme et j'aide le fermier, M. Jorgenson, contre le logis et la nourriture et une rémunération, petite mais avantageuse. Je compte amasser un pécule, même modeste. Papa, cette expérience ne sera pas inutile. Ce changement de vie m'était nécessaire.
La vie avec ces gens est agréable. Ils sont très aimables. Soyez rassurés sur mon sort.
Je ne sais pas si je vais rester toute ma vie en Islande. Cela dépendra aussi du travail que je trouverai, mais ici il n'en manque pas. Après avoir rentré les moutons pour l'hiver, les

quelques vaches et petits chevaux qu'ils possèdent, préparé le fourrage pour des mois, il reste à peindre, réparer et entretenir la maison, les remises et les hangars. Heureusement que j'aime le travail du bois et que je connais la menuiserie. Je crois que M. Jorgenson m'apprécie et c'est réciproque. Envoyez-moi de vos nouvelles en écrivant à mon nom au consulat à Reykjavik. M. Jorgenson s'y rend plusieurs fois l'année pour y vendre des œufs ou de la viande.

Le capitaine du bateau breton vous a-t-il écrit? L'armateur vous a-t-il envoyé mon salaire? Cet argent, c'est pour vous, pour votre confort. J'ai pêché trois mille cinquante-six morues, on me doit donc, à la queue, environ cinq mille cinq cents francs et un peu plus, puisque j'ai été engagé après mon naufrage comme second sur la Louise.

La mort de mes compagnons de la Louise-et-Gabrielle *m'affecte encore beaucoup. Surtout celle de notre cousin Joseph. Elle m'obsède souvent la nuit. Avec celle de maman. Mais je m'en sors et cela ira bien et de mieux en mieux, j'espère. Grâce aux Jorgenson surtout et peut-être aussi au fait que je doive m'adapter à un autre pays, à une autre vie, ce qui m'empêche de penser trop.*

Vous me manquez et je vous embrasse tous comme je vous aime.

Pierre

Accompagnant la lettre, d'une autre écriture – celle de Soley? –, un poème et sa traduction :

Adieu, marin français
Ofan tek ég i audmykt,
J osjalfratt beygi kné.
Angelus alengdar hljomar.
J'écoute. L'heure est bonne.
Tout humble, je sens la paix.
C'est l'angélus qu'on sonne.

Le carnaval des vents d'Islande

C'est la dernière strophe d'un beau poème de Gudmundur Gudmundson, dédié à tous les marins morts, avait ajouté Pierre de sa main.

Il y avait une enveloppe avec une adresse : « Famille Blondeel, rue des pêcheurs, Bray-Dunes, Nord, France » et celle de l'expéditeur : « Pierre Blondeel, Consulat de France, Reykjavik. Islande ».
Pas de doute, c'était le Pierre de la maison de Rosendaël, le capitaine. Mais que faisaient ces lettres dans le grenier de Grand-mère ?
Tout cela finissait par captiver la curiosité de Nemours et l'exciter.
Il fut enchanté de découvrir que les trois documents suivants étaient signés de Pierre Blondeel. Il allait en savoir un peu plus sur lui.

Faskrudfjordur, le 15 décembre 1898

Chère famille,
Le pays me plaît beaucoup. Il est extrêmement sauvage. Soley et son père me le font visiter par morceaux. Soley a vingt-deux ans. Son père est veuf. Elle est fille unique.
Nous partons parfois pour des grandes promenades à pieds, parfois des jours à cheval dans ces contrées désolées, ô combien... Il n'y a pas d'arbre. On voit des montagnes au loin. Le pays est aride. Il n'y a pratiquement pas d'herbe. Le sol est noir comme du charbon. Le paysage est volcanique. Le manque de luminosité empêche souvent de voir de loin les montagnes. On n'est pas de plain-pied avec la mer. Il n'y a pas de route qui longe la mer donc il n'y a pas de plage comme à Dunkerque et à Bray-Dunes. Je pense à nos immenses étendues beiges et cette longue ligne d'horizon.
Le pays n'est pas riche. On n'est pas en Flandre. Il ne semble pas domestiqué. Du reste il n'y a pas de domestiques. Les gens qui servent sont des égaux. Ce sont des hommes

libres. Il n'y a pas de grandes ou de petites tâches, simplement des tâches d'intérêt général ou particulier à accomplir. Des travaux, c'est tout.

Il paraît que ce pays avait en l'an 930 instauré une assemblée, l'Althing, la première au monde (après les Grecs). Aujourd'hui il est sous domination danoise. Ici il n'y a pas de mot pour bonheur ou malheur, il y a juste « heur » à chacun de construire son préfixe.

Les gens sont d'une grande courtoisie mais peu communicatifs. Pas forcément avenants, plutôt d'un abord rébarbatif, renfrognés, bourrus, surtout les hommes. Exception faite des Jorgenson bien entendu. Les Islandais sont très casaniers, sans doute peu stimulés par l'extérieur ; les longs jours d'été suffisent-ils à compenser les nuits du long hiver ?

Noël se prépare. Ils adorent Jöl. Treize petits lutins, les jólasveinar, y jouent un rôle majeur. Ce sont les fils d'une sorcière qui effraie terriblement les petits enfants, Grýla. Son plat préféré est la viande d'enfants méchants. Les lutins déposent chacun leur tour, treize jours avant Jöl, un cadeau dans les chaussures ou une vieille pomme de terre, s'ils n'ont pas été sages. Le jour de Noël, l'affreuse Grýla enlève les enfants qui ne portent pas de vêtements neufs. Et tous les petits Islandais portent leurs vêtements neufs, ce jour-là. Les lutins ont tous une fonction, Stekkjastaur, celui qui guette les agneaux dans l'enclos, Þvörusleikir[1] celui qui lèche les cuillères, Pottasleikir, qui lèche les marmites, un autre ce sont les bols, un troisième les portes, Skyrgamur, qui mange le skyr, le fromage blanc islandais. Je vous épargne la liste exhaustive de leurs noms imprononçables mais pas de leurs rôles : qui vole les saucisses, qui regarde par la fenêtre, qui renifle aux portes, qui vole la viande, qui quémande des bougies. Cela donne une idée de la vie de ces tout petits villages. Cela va être étonnant de vivre ce Jöl avec eux tous.

---

1. Þ : Th.

Le carnaval des vents d'Islande

Il faut que je vous décrive les fameux geysers. Dans une grande plaine lugubre à cause du sol noir, soudain une grande colonne d'eau chaude s'élève dans un grand souffle puis retombe et après quelques minutes à nouveau l'eau jaillit. Quelquefois cela part devant les pieds; on lance un caillou et là où ça retombe il y a un petit jet d'eau. Il faut éviter certains endroits afin de ne pas se faire ébouillanter.

J'ai aussi vu le grand Geyser qui a donné son nom à tous les geysers de la terre. Un magnifique spectacle.

Le mont Hekla n'est pas très impressionnant; c'est comme une colline flamande, un gros mont Cassel. Les maisons basses en pierres grises ou noires paraissent vides, toujours parce qu'il n'y a que très peu d'habitants autres que des moutons, quelques petits chevaux, plutôt des poneys, qui vivent à l'état sauvage ou presque.

Tous ces moutons dispersés éclaircissent le sol. Ces taches blanches clairsemées, ce sont les fleurs de l'Islande. Parfois on voit un tapis de moutons.

Les cieux sont bretons, tourmentés ou très limpides. Quand ils sont limpides, l'île est grandiose et inattendue. Il n'y rien de riant. J'ai vu aussi le cimetière des marins français. Toutes ces tombes, c'est poignant. On reconnaît des noms de chez nous...

La vie dans ce pays est terriblement dure. Il fait très froid en ce moment. Mais ils savent très bien utiliser les sources d'eau chaude pour en capter la chaleur et chauffer les maisons. C'est un peu étrange de ne pas voir de hautes verdures, d'arbres et de vivre si à part dans ce décor gigantesque. La poésie du pays, c'est sa sauvagerie. De grands ciels et peu d'horizons. Des fermes enchevêtrées dans la nature, parfois encastrées dans les collines, recouvertes de tourbe, de chaume, d'herbe, jusqu'au sol, une façade en bois, un soubassement en pierre de lave, avec de petites ouvertures. Celle de Jorgenson est rare et moderne, en bois, murs et toit. Soley a beaucoup travaillé à récolter dans les nids des canards eider leur duvet pour en faire des édredons : cela lui rapporte beaucoup. Une cueillette très lucrative. J'apprends l'islandais avec elle et elle le français. Il me semble que cette langue, l'islandais, n'est pas éloignée du danois. Soley parle un peu le français; elle me désigne les choses et je les lui nomme en français.

Je vais m'engager sur un bateau de pêche dès le printemps ou peut-être en mai à Faskrud. Nous verrons bien.

Je lis qu'à la maison vous vous arrangez le mieux possible avec la vie.

Pensez que je suis heureux et je vous envoie le plus possible de mon bonheur nouveau.

Pierre qui vous aime

Nemours poursuivit la lecture de la suite des aventures islandaises de Pierre Blondeel. Une vraie saga.

En mer d'Islande, le 16 août 1900
De la Marguerite

Très chers,

La vie court en zigzags. Je n'ai reçu aucune nouvelle de vous depuis deux mois. J'ai l'impression et même la conviction que des lettres se sont perdues des deux côtés. Puisque nous avions convenu d'une lettre par mois au minimum. Je me suis donc marié devant les lois islandaises et les rites de la religion anglicane ce dimanche dernier. Il a fallu nous marier pour pouvoir vivre ensemble. Sa famille est très stricte et Soley ne veut pas les choquer, ni moi, dans le fond.

La cérémonie a été simple dans la petite église de Farskrud. Mais vous manquiez. Ainsi que M. Jorgenson, mort l'année dernière, je vous l'avais écrit. Je pense et j'espère que de retour au pays nous célébrerons une messe catholique dans l'église de Bray-Dunes et organiserons une fête pour les amis et notre famille. Cela me ferait tant plaisir et à Soley aussi.

Pour l'instant, nous sommes installés chez l'oncle de Soley à Reykjavik. Cette ville n'est pas déplaisante, ni vraiment plaisante. Il n'y a pas d'animation urbaine, les gens sont chez eux et pas en ville. On est même surpris par l'absence de chiens. Cette juxtaposition de maisons qui n'ont pas beaucoup de caractère est assez froide. Les maisons sont basses en terre, pierre grise ou en bois coloré. Celles-là apportent de la gaîté. La caractéristique du port est d'être fonctionnel mais pas très pittoresque. C'est surtout la pêche qui anime le port.

Ceux qui me paraissaient froids hier sont beaucoup plus chaleureux aujourd'hui. Je les trouve fraternels et courageux. On est quand même très loin de la culture du Sud et des pays de chaleur. Des Vikings naviguant sur les mers du Nord sur de mauvais bateaux, cela donne de maigres sagas ; mais un Grec du nom d'Homère rêve au bord de la mer sans quitter son île, et cela donne l'Iliade et l'Odyssée !

Je repense souvent à notre naufrage avec Joseph, en 1898, et je me suis rappelé ce que toi, papa, tu m'avais raconté à propos du naufrage de ton père en juin 1862. Je le redis pour les petits et pour que tu me confirmes la véracité de l'histoire. Je ne veux pas la déformer. Alors qu'il était rentré chez lui des mers d'Islande, récupéré in extremis par la goélette Blanche, *ayant perdu tout le profit de sa pêche, il avait marché dans la nuit de Dunkerque à Bray-Dunes. Il était arrivé au petit matin abattu, défait, et tu l'avais entendu pleurer dans les bras de ta mère disant « Ze fiche uit », « Je suis un pêcheur fichu ». Ta mère, émue, après l'avoir consolé, avait ressorti ses filets de pêche à la crevette et s'était tout de suite remise à pêcher et pour lui remonter le moral lui avait assuré qu'il trouverait à s'engager à la pêche côtière. Je me rappelle, le cœur gonflé, ton émotion quand, la gorge serrée, tu m'as raconté cet épisode dramatique.*

Louise me demandait, dans sa dernière lettre, comment sont les Islandais. Petite sœur, ils sont plutôt grands, vraiment blonds, la peau mate, des yeux clairs et dans l'ensemble, ils sont plutôt beaux. Il y a beaucoup de Vikings, très peu d'autres types, bruns ou roux. Je peux d'ailleurs passer pour un Islandais sauf par la taille, j'ai dix centimètres de moins qu'eux. Chez nous je semblais plutôt de belle stature. Je suis passé de moyen-grand à moyen-petit! Je précise que les Islandaises ressemblent bien évidemment aux Islandais, mais j'avoue que je trouve les filles beaucoup plus belles. Elles sont magnifiques. Leur réputation de plus belles filles du monde ne me semble pas usurpée. J'ajouterai la fraîcheur, oui, elles sont fraîches. C'est leur teint clair qui me donne cette impression. Elles ne sont pas aguicheuses. Ma Soley dénote un peu. Moi qui la prenais pour l'Islandaise-islandaise, je m'étais trompé. Elle est exceptionnelle non seulement pour moi, mais aussi dans son pays. Une de ses amies m'a dit dans un français compréhensible (elle a séjourné dans notre pays) que Soley rendait ses proches heureux. Et c'est vrai.

Sa famille est restreinte, mais ils connaissent tout le monde. Et j'ai du mal à m'y retrouver parmi toutes ces nouvelles têtes. On n'a pas l'impression d'un monde qui vit collectivement, mais d'humains juxtaposés. Le carnaval semble inimaginable chez eux.

Nous sommes en pêche sur la Marguerite et je ne reviendrai à Reykjavik qu'en août-septembre, quand la pêche sera terminée.

Tu me dis que Julia est très hargneuse et m'en veut. Que sa famille s'y met aussi. Mais elle était enceinte quand nous nous sommes fréquentés! Je peux jurer que je n'y suis pour rien. Je n'ai pas couché avec elle. Elle ment. Et Joseph était mort depuis plus d'un an! Quel gâchis! Quelle tristesse! Tu me dis qu'il faut que je me méfie d'elle, qu'elle médit de moi à qui veut l'entendre. Seuls les plus lucides de mes amis et les plus fraternels me resteront. Ne t'inquiète pas, papa, la vérité finit toujours par se savoir. À un moment ou à un autre. Je t'entends me répondre que cela peut se faire très tard. Oui, mais qu'y faire? Heureusement je me sens bien dans ma vie et en quelque sorte intouchable.

J'ai plaisir à me retrouver avec les camarades dunkerquois, rencontrés à Faskrud en mai. Verove, Fournier qui furent avec moi à l'école. J'ai même fait mon premier carnaval avec eux, en 1896. Tu te souviens, papa?

*Je leur parle de ma femme. Comme à eux, je veux vous
dire ma chance, mon bonheur d'avoir trouvé ce trésor.*
*Quand la rencontrerez-vous ? Quand pourrai-je lui pré-
senter ma famille qui me manque, n'en doutez pas. Je vous
embrasse affectueusement.*

Votre Pierre

*P.S. : Soley se prononce « soleil » et veut dire « bouton
d'or » en français. C'est beau, non ?*

La lettre suivante était datée de 1903. Il en manquait évidemment. Dommage. Il allait falloir imaginer les blancs.

Faskrudfjord, le 5 décembre 1903

Très chers,
*Notre enfant est né. Il est splendide. D'après Soley il doit res-
sembler à ma famille puisqu'il ne ressemble pas à la sienne,
ni à un Islandais. Je la laisse dire puisque cela semble lui
faire plaisir, mais pour moi il a la blondeur des Blondeel
certes mais aussi celle des Islandais. Sa taille devrait être
haute. C'est un très grand bébé… Une bonne tête sympathique, toujours souriant et de bonne humeur. « Pourvou
que ça doure », je cite maman qui citait Lætitia Bonaparte…
Il s'appelle Charles. Le prénom de notre oncle, ce grand capitaine. J'espère que maman en est contente de là-haut. Un
peu de son frère et d'elle vivra aussi en lui.*
*Le problème des nuits d'hiver, qui sont si longues, est réel
et, pour moi, les quatre mois de lumière presque totale ne
compensent pas cette période.*
*Les Islandais qui m'entourent sont d'une grande gen-
tillesse envers moi. Il a fallu du temps pour nous adopter
les uns les autres, mais c'est fait et c'est bien agréable. Je
n'ai plus du tout le même avis qu'au début. C'est la langue
qui faisait barrière. En fait ils sont très chaleureux et amicaux.*
*Je vais m'embarquer comme d'habitude à la pêche côtière
sur un bateau islandais, pendant que ma gentille femme*

s'occupe de notre fils à la maison. Je rêve de vous les présenter et de vous retrouver dès que cela sera possible.

Pierre qui vous aime

Reykjavik, le 15 janvier 1904

Ma chère famille,
Notre Charles est un merveilleux petit bonhomme. Il gazouille dans les deux langues et roule de drôles de r que moi-même je n'arrive pas à prononcer… Il marche et se dandine drôlement, en titubant encore un peu. « En lui, je salue messieurs les ancêtres de mon mari », m'a dit un jour Soley. Une ancienne pensée islandaise ? Je ne sais. Mais c'est vraiment charmant et gentil pour moi. Soley lit beaucoup, énormément même. La bibliothèque publique est extraordinaire. Il y a des livres du monde entier, danois, français, anglais, russes, bien entendu aussi italiens, japonais même. Les yeux de Charles sont la copie de ceux de sa maman. J'en suis heureux. Ce sont les plus beaux yeux du monde. Un cercle bleu pâle presque blanc et le tour bleu foncé. Tendres aussi. Comme sa maman. Quelle chance j'ai de l'avoir rencontrée. Nous vivons à Reykjavik. L'hiver n'est plus si isolé et dur qu'à Faskrud bien sûr. Il y a la présence des nombreux amis d'enfance, des cousins de Soley qui a l'art de réunir les gens autour d'elle. Je n'en reviens pas. Elle, si mystérieuse, si silencieuse, la voilà ouverte, amicale. Nous recevons tous les dimanches. J'ai l'impression qu'elle veut faire « comme les femmes de mon pays ». Et comme je ne sais pas comment font « les femmes de mon pays »…
Je gagne notre vie en donnant des cours de français, en attendant un embarquement qui ne saurait tarder. J'ai confiance. Soley a hâte de vous rencontrer tous.
Ma femme prépare avec soin nos repas mais, malgré ses efforts, la cuisine islandaise n'est pas très à mon goût, sauf le délicieux steak de baleine, épais et tendre comme une entrecôte, le macareux cuit aussi ou le guillemot cru. On dirait du

canard. Puis bien sûr d'excellents poissons de toutes sortes surtout l'églefin. On mange aussi du renne, du requin salé et séché, que je goûte peu, et de la tête de mouton bouillie, servie intacte avec les yeux, les dents, écœurant. Le malheur est cette graisse de mouton, « issa » en islandais, que l'on met partout à la place de notre beurre. Sur mes conseils Soley s'efforce de « franciser » ses recettes.

Le petit Charles a été victime, il y a peu, de brûlure que nous avons craint grave. Il a levé son bras au moment où Soley me tendait une tasse de lait (le breuvage le plus goûté ici). Le lait très chaud s'est renversé sur son petit bras. En un clin d'œil Soley a enlevé le chandail et trempé le bras dans un broc d'eau froide puis passé une pomme de terre sur la brûlure. Malgré cela la blessure a été importante, sur une peau si fine... mais le bébé a admirablement résisté à la douleur, dès les premiers jours, lors des pansements et des soins à la graisse de phoque. Deux mois plus tard, il reste des marques roses, je pense qu'on n'y verra plus rien l'année prochaine. Soley a trouvé qu'il se comportait « comme un vrai Charles ». J'en ai été touché, comme vous l'imaginez... Maman l'eût été aussi à l'évocation de ce frère tant aimé et si valeureux. Quelle merveilleuse femme j'ai là.

J'essaie de vous imaginer dans notre Nord bien-aimé. Il doit faire froid. Sans doute avez-vous moins de neige qu'ici. Dans tout ce blanc, la réverbération est terrible. Et puis vient la longue nuit mais qui apporte une sorte d'intimité à tous et à nous trois en particulier.

Voilà comment la vie va ici.

Portez-vous bien. Je pense bien à vous. À bientôt, j'en suis sûr.

Pierre qui tient à vous

Plus de lettre.
Une page de journal était jointe, datée de novembre 1905.

Le carnaval des vents d'Islande

*Un de nos concitoyens, M. Pierre Blondeel, ancien élève du collège des Dunes, officier à la pêche d'Islande, est revenu de Thulé, l'île du haut septentrion, connue sous le nom d'Islande, avec sa femme, islandaise, et leur fils Charles, trois ans. Il a fallu dix jours au steamer l'*Amarante, *après une escale à Thorshaven, aux îles Féroé, pour rejoindre Dunkerque. M. Blondeel résidait depuis 1898 en Islande.*

M. Blondeel prend la suite du capitaine Deligny, sur la goélette L'Hirondelle, *après le décès de celui-ci. Mme Blondeel, née Soley Kolbendottir, était la fille unique de M. Jorgenson, mort en 1899 à Reykjavik.*

Après avoir pratiqué la petite pêche en Islande et la pêche hauturière, son expérience de la mer, des bateaux et des zones de pêche en fait un homme précieux pour notre pêche et notre négoce.

Nous souhaitons la bienvenue à notre compatriote et sa famille.

Le journal présentait des photos : la famille, monsieur et madame et leur petit Charles.

Quel choc ! Cet homme, ce Pierre Blondeel, c'était lui ! Le sosie de Philippe Blondeel ! Avec les variations du costume, pas plus, pas moins. Il n'en revenait pas. Il était la réincarnation de cet homme. Il se croyait dans un film. Et Soley ! Quelle belle femme ! Il retrouvait un peu d'elle chez sa belle cousine Maud ! Inouï !

Du sang islandais dans ses veines ? On ne lui en avait rien dit. La tradition familiale avait dû perdre ce pan de son histoire. À cause du secret bien sûr, de ce drame qui avait frappé la famille en 1930, le puzzle était maintenant reconstitué, semblait-il, ou en voie de l'être.

Lui qui se croyait là, à Dunkerque, en touriste. Il ne s'attendait vraiment pas à découvrir une famille oubliée, des ancêtres vivants dans ces lignes, ses parents, à s'étonner de ressemblances et de points communs… Un incroyable, inattendu et involontaire, retour aux sources.

Restait à comprendre pourquoi la maison était abandonnée. Certes Pierre Blondeel était mort très âgé, après son fils

Charles et son petit-fils Jean, mais il restait encore un descendant, cet autre fils de Charles, alors pourquoi personne ne s'occupait de cette maison?

Il pensa aussi à ce nom Blondeel avec deux « e ». Deux « e », c'est particulier, autant qu'un « Ø » barré scandinave, un Mac écossais ou un « O' » irlandais.

Un dernier papier s'échappa du dossier. Une demi-feuille jaunie, une date, 1900, et d'une écriture fine un poème signé Pierre.

Ce poème le toucha aux larmes. C'était celui qu'il avait trouvé dans les archives de *L'Écho du Nord* et appris par cœur tant il le touchait. Ne l'avait-il pas récité cette fameuse nuit à la Dkoise. Il était donc du capitaine Pierre Blondeel, le propriétaire de la maison abandonnée? Et il parlait si bien de la plage de Bray-Dunes qui l'enchantait tant et qui l'avait ensorcelé pour une autre raison que le paysage.

Lisse et beige la grève
Et la mer grise et lisse au loin…

28.

Mars 2011

Luyce et Nemours firent ce qu'ils avaient décidé. Comme un mandala tibétain à quatre mains. Tout en se méfiant d'être trop vite repéré par Pouiiic et la Mip, ils appliquèrent rigoureusement et de la manière convenue la tactique choisie. Éparpillement des infos. En pièces de puzzle. D'abord une rubrique, « les chiffres-clés », bimensuelle, sur les prix moyens au mètre carré pratiqués dans la région des terrains et des constructions, renseignements donnés par les notaires. Puis chaque jour quelques lignes, parfois accompagnées d'une photo « parlante ». En un, par exemple, la photo d'un stand de tir très moche et la précision qu'il allait être exproprié et détruit pour y ménager une vue sur l'Aa. En deux : quelques jours plus tard, l'annonce qu'un particulier a racheté le terrain à tel prix – sans préciser que le prix est bien inférieur à l'usage, puisque l'info a été donnée dans la rubrique de la veille. En trois : l'intention de l'acheteur d'y faire construire une maison. Cette fois son nom est révélé. Seule la décision municipale – discrète – de modifier le POS et de rendre constructible – sans raison – le terrain et de le ravir à la collectivité est éludée, fait qui, ils n'en doutaient pas, n'aurait pas manqué d'être censuré. En quatre :

Nouveaux rappels des prix moyens pratiqués dans la région, dans « les chiffres-clés ». Le tout réparti sur plusieurs jours, plusieurs semaines même, mêlé à d'autres infos du même ordre et permutant souvent. D'un ton neutre et le plus sobre possible, une narration plate. Les brèves ne sont pas signées, leur laconisme ne le justifiant pas. Ils usèrent donc du même truc à chaque info-message. Ainsi pour la maison à vendre près des remparts. Au premier acte, quelques lignes, à côté d'une photo, précisaient que son petit jardin donnait sur une zone boisée, dans les glacis, sur un site protégé et réputé inconstructible. Puis, dans un numéro suivant, qu'une partie de ce bois venait d'être vendue à un particulier. Son nom – il se trouve que le même revenait souvent – était livré par la suite, et en fin de parcours, la semaine suivante, comme un commentaire descriptif, que, sur la zone vendue, des chênes centenaires avaient été abattus par les services de la mairie et, aberration suprême, pour le compte de l' « indélicat ».

De ces articles au compte-gouttes, une attention un peu soutenue permettait à n'importe quel observateur vigilant ou intéressé d'en conclure, par exemple, que l'adjoint à l'urbanisme s'en mettait plein les fouilles. Le même traitement fut appliqué pour des affaires aux causes inverses : encore une maison expropriée, puis, le prix – surélevé – payé par la mairie, et enfin le nom de l'exproprié en coup de grâce. La comparaison avec les prix du marché se faisait d'elle-même, et donc la plus-value encaissée.

Toutes ces lignes mises bout à bout composaient une véritable chronique de la corruption ordinaire...

Il était capital que parallèlement un écran de fumée cache ces menées et ces ruses. Nemours s'attacha particulièrement – et cette fois ses papiers étaient signés – à un problème grave : l'évolution de la pêche régionale et nationale. Initié par Antoine, il n'avait aucun mal à approfondir sa connaissance du sujet et à le développer. Cela le passionnait.

Les ports voyaient mourir leurs pêcheurs et leur pêche, leur nombre divisé par dix, au grand désespoir de tous. Les opinions étaient partagées et les sentiments tiraillés. D'un côté on savait que des grands bancs de poisson étaient décimés, certaines espèces menacées, tel le cabillaud, symbole absolu des mers du Nord, et de l'autre la division par dix en quelques décennies du nombre des bateaux. À pleurer.

— Savez-vous, Nemours, lui avait expliqué Antoine Verdoy, qu'un cabillaud de cinq cents grammes n'est pas en âge de se reproduire? Or la moyenne de pêche est de huit cents grammes au mieux... En comparaison des moyennes de trois kilos de la morue de ligne des prises d'antan... Mon père fulminait de voir que les pêcheurs chalutaient dans les zones et les périodes de frai, c'est comme si on avait trucidé les femmes enceintes, tout en s'étonnant d'une baisse démographique. Il tentait d'alerter tout ce qui comptait dans la profession, avec le sentiment de prêcher dans le désert, ses arguments laminés par le principe de rendement maximum... L'avenir lui donne raison, malheureusement. Mais aussi son espoir d'être entendu est advenu. Les pêcheurs l'ont enfin compris aujourd'hui. Le danger de la surpêche, ils en sont conscients. Et d'eux-mêmes ils en sont venus à respecter des zones de pêche et aussi à dénoncer les navires-usines aveugles et dévastateurs. Vous savez les humains ont trois options : anticiper, agir ou réagir. Le plus souvent, ils réagissent juste avant qu'il ne soit trop tard ou alors qu'il est presque trop tard. Par exemple, pourquoi construire des centrales nucléaires sur des failles sismiques? Pourquoi une mer d'Aral évaporée par l'irrigation de la culture du coton et aucun pipeline pour l'abreuver ou aucun déplacement des canaux? Cela se fera mais au prix fort, n'est-ce pas? Il faut réveiller les consciences.

Nemours gardait à l'esprit ces propos. Il découvrit à son tour point par point toute la complexité du problème. Sa nouvelle science lui vint, à marche forcée, des pêcheurs eux-mêmes et des chercheurs de l'Ifremer, l'Institut français de recherche pour l'exploitation de la mer. Les nécessaires quotas sur la quantité et les espèces à pêcher, imposés par la nécessité et par l'Europe, devenaient le meilleur et le pire. Il découvrit tout d'abord, simplement en regardant et en analysant les chiffres du nombre des bateaux par pays d'Europe et des tonnages de pêche, un nouveau problème. En effet les chiffres parlaient d'eux-mêmes. Il suffit à Nemours de les présenter aux lecteurs tels quels, pour que l'évidence d'une dangereuse industrialisation par les navires-usines apparaisse et donne à réfléchir : un million cinq cent mille tonnes de poissons pêchées par les mille cinq cents bateaux hollandais, et huit cent mille tonnes par les quinze mille bateaux grecs. La France se situait entre les deux. Les petits bateaux plus respectueux étaient écrasés par les gros. Les quotas européens à la fois sauvaient le poisson, tuaient la petite pêche artisanale et jetaient de l'injustice donc de la révolte dans les rangs des pêcheurs, pris entre deux feux.

Il écrivit le dernier article sur le sujet dans une sorte de fièvre.

Et pourtant la surpêche justifie ces règles. Cependant elles sont encore trop grossières, trop brutales. Les quotas, régis de loin, de Bruxelles, par bateaux et non par pays ou kilomètres de côtes et pas non plus par zones. Quotas myopes privilégiant les navires-usines à la pêche aveugle et très destructrice des fonds et des bancs. Plutôt que les petits chaluts ou les filets limités. Les pêcheurs de Dunkerque, Gravelines, Calais, et Boulogne voient leurs voisins belges pêcher à tout va du cabillaud, grâce à des quotas plus favorables à la Belgique – en rapport à leur nombre proportionnellement plus important de bateaux que la France –, tandis qu'eux se retrouvent obligés, la mort dans l'âme, de rejeter le cabillaud piégé dans leur filet... Injustice, révolte et désolation, alors que tous les pêcheurs sont convaincus de l'indispensable régulation. Et même forcés de contrer et de dénoncer les tricheurs. « Notre enfer est pavé des bonnes intentions européennes » était le mot de la fin, donné par un pêcheur.

Tout ce qui, de loin, lui avait paru simple, devenait de près compliqué.

Il s'était attaché à un patron-pêcheur en particulier, Jacques Talleux, et au devenir de son bateau, l'*Adèle*, dernier bateau gravelinois – sur les quarante des années 1980. Il avait raconté son histoire à travers une interview. Le capitaine propriétaire de l'*Adèle* subissait de gros revers. Le chenal d'accès à la mer s'envasait régulièrement – son désenvasement naturel par un système d'écluses et de châsses ayant été laissé à l'abandon puis aboli par la municipalité en place –, et le talent, la maestria du capitaine pour éviter l'échouage suscitait l'admiration. Mais augurait mal de son avenir. Il avait été obligé de changer le moteur de son petit chalutier pour correspondre aux normes européennes. Pour ce faire, ce pêcheur, aux moyens financiers très limités, avait dû s'endetter. Et le temps qu'il obtienne son emprunt, qu'il achète son moteur et demande la subvention à laquelle il était convaincu d'avoir droit, c'était terminé. D'autres décisions étaient tombées. Plus d'aides financières aux pêcheurs... Nemours en avait longuement parlé dans les pages de *La Voix de la Flandre* et permis au capitaine de s'en expliquer à fond. Celui-ci avait posé lui-même le problème de la reproduction des poissons, de la destruction des fonds par les méthodes actuelles, du braconnage et des tricheurs. Et redit que les pêcheurs étaient eux aussi et au premier chef les garants des bancs.

Les effets de tout cela se firent rapidement sentir. Ils étaient débordés. De toute la région élargie des lecteurs les joignaient. Ils encourageaient le journal – puisque Nemours ne signait que d'initiales aléatoires – à poursuivre l'action. Les mails tombaient drus sur son ordinateur. C'est à Nemours ou à Luyce que la fille de l'accueil passait en priorité les appels concernant le sujet, écartant Poulic et la Bip.

Si, après un mois, plusieurs avaient repéré leur manège, les deux espions allaient-ils eux aussi le remarquer ? Évidemment il était plus que probable que cet intérêt particulier et grandissant allait commencer, malgré les précautions, à filtrer jusqu'à leurs ennemis. Luyce et Nemours s'y attendaient. Cependant leur stratégie prenait forme.

— On va commencer à être découvert. Le maire en cause vient de m'appeler. Il me demande à quoi on joue. « Mais à faire notre travail. » Je lui ai pratiquement raccroché au pif. La nuit portant conseil, allons nous coucher !

Ce clair matin-là, une nouvelle encourageante l'accueillit. C'est le capitaine Talleux, optimiste, qui la lui annonça. Le Conseil régional pouvait accorder une aide dans ce genre d'occasion. Il allait s'en occuper sur-le-champ. Le temps pressait. La banque serait vite à ses trousses. Nemours s'en réjouit avec lui. De plus il tenait là un article fort. « Le combat changea d'âme, l'espoir changea de camp. » Le beau vers de Victor Hugo lui servit de conclusion.

En fin de matinée, une explosion dans une usine Seveso d'un camion leur livrant du gaz se produisit. L'informateur annonçait morts et blessés. Nemours se rendit sur place pour enquêter, tandis qu'Agathe cantonnée – et heureuse de l'être – aux manifestations festives et à la mode, observait de loin. Elle lui avait claironné sur le seuil de la porte du journal : « La vérité explose toujours ! » Un mort et trois blessés. Cela aurait pu être pire. L'installation du terminal méthanier était compromise. Le projet serait probablement reconsidéré. C'est du moins ce qu'il suggérerait dans son papier.

Une troisième puissante diversion tomba à point nommé de la bouche de Talleux : le blocage des ports du Nord avait commencé en revendication sur les quotas, leur injustice, l'inégalité entre Français et Belges, etc. L'affaire des quotas, démarrée depuis des années, parvenait à son acmé. La désolation, l'inquiétude et la colère devenaient désormais visibles et audibles au-delà de la profession. Les négociations entre pêcheurs et gouvernement s'annonçaient serrées. Il allait suivre de près l'évolution de la situation.

Il se remit à la lecture de ses mails. De multiples messages lui parvenaient de tous bords. L'encombraient parfois, tant maintenant ils étaient nombreux. Parmi les encouragements, quelques rares infos utiles.

Le fameux adjoint aux agissements douteux, c'est-à-dire le voyou dénoncé par Sylvia, était repéré. Son CV le dénonçait : au chômage avant son mandat, sept ans plus tard il possédait un capital immobilier avantageux... Dans des maisons de retraite, le maire d'une autre localité distribuait des billets, des petites coupures en cadeau de saint n'importe qui... On lui conseillait de consulter les archives du bien renseigné *Canard enchaîné...*

On lui racontait magouilles par-ci, scélératesses par-là. Brimades majeures et saloperies mineures – ou l'inverse – à tout opposant des pouvoirs en place. PV pour un phare cassé ou un stationnement interdit mais seulement sur quelques voitures ciblées, ou un adversaire dont on n'admettrait pas l'enfant, sous un prétexte futile, dans un club de sports financé par la municipalité. Et le journal local, le plus ancien et le plus lu, politiquement de parti pris et de mauvaise foi, cachant ou révélant ou déformant de façon inique des faits, des propos, des actions, piquant dans un article hostile un mot blessant, un adjectif assassin, un sous-entendu désobligeant, une multitude de faits casseurs pour les récalcitrants et les insurgés.

Luyce et Nemours commençaient à crouler sous la masse des témoignages. L'angoisse – leurs destins, celui du journal... – en était oubliée dans l'action.

On lui passa un appel dans son bureau, leur bureau – Luyce avait dégagé pour lui une partie du sien.

Cet après-midi-là, une certaine Monique Dijoux le joignit, comme s'il s'agissait d'une urgence du 18. Elle exprimait une extrême inquiétude devant les projets d'expropriation d'un quartier de Dunkerque.

— Un promoteur tente de racheter ma maison. Il y a menace d'expropriation sur toute ma rue, pour des raisons de « modifications urbaines ». Soi-disant une route à agrandir. Certains ont cédé. Mais pas moi. Je ne céderai pas. J'ai mis trente ans à la payer, à la décorer, à la bichonner. Je l'aime, moi, et j'y suis bien. Et voilà qu'on vient me proposer de la racheter, et en plus 20, 30 % moins cher que la maison de mon voisin, jumelle, vendue il y a quelques années... Ça me révolte. Ce promoteur est de mèche avec la mairie. Il refile une commission au maire à chaque vente. Certain ! Encore ! Ça continue ! pensa Nemours. C'était sans fin.

— Je vous comprends. Vous pouvez me donner le nom de ce promoteur ?

— Bien entendu. Philippe Van der Hagen, directeur de la Cedim.

Il en fut consterné. Encore un Philippe.

En résumé, ce Van der Hagen, possible profanateur d'archives, futur heureux exproprié des terrains du Clippon et maintenant spoliateur de biens immobiliers, avec la complicité d'un maire.

— Vous savez où il habite ? Vous avez ses coordonnées ?

— Oui, bien entendu. Il habite en Belgique, à la frontière. Voilà aussi pourquoi il n'avait pas trouvé l'adresse.

Une sorte de deuxième front s'ouvrit pour lui.

Un voisin de Mme Dijoux lui téléphona un peu plus tard. Il voulait lui aussi témoigner. Il racontait la même histoire, le même ressentiment.

L'appel suivant était également d'un ami de cette dame. Décidément ils s'étaient donné le mot pour appeler en même temps. Cette fois l'homme semblait jeune, sa voix sûrement mais plus encore sa fougue. Sa révolte était ouverte.

— La corruption est partout chez nous. Elle est insupportable. Ma chef de service, cadre municipale, qui se sert sur l'argent du contribuable de façon éhontée. Elle ne se cache même plus de nous. Je vous cite en vrac : faux appels d'offre pour des travaux réalisés par des « amis » qui lui reverseront un pourcentage. Pour respecter un semblant de légalité, d'autres devis d'entreprises de connivence et bien sûr nettement plus élevés... Et encore : sous de faux prétextes, de multiples déplacements lointains à l'étranger – elle adore les voyages –, toujours inutiles et aux frais de la même princesse, du contribuable. Ou, en général, à la municipalité des factures gonflées pour des postes fictifs et afin d'éviter de se justifier auprès des commissions de surveillance, des règlements séparés et phasés par tranches pour ne pas dépasser les trente mille euros limites! Cela s'appelle le saucissonnage. On tronçonne des travaux pour qu'ils ne dépassent pas un montant qui demanderait appel d'offre et concurrence, puis les entreprises privilégiées reversent une commission à elle, à d'autres, au parti... Vous voyez l'ampleur des dégâts! Et cette dame n'est pas la seule : les entrepreneurs qui surfacturent aux municipalités, c'est courant. Triches, vols, malversations... La gangrène est partout. Qu'est-ce qu'on peut faire?

Quatrième appel. Cela n'en finirait pas! Cette fois anonyme. Une voix affreuse, brutale, grasseyante, de femme peut-être, à peine.
— Philippe Blondeel et Philippe Van der Hagen, c'est le même homme! Moches!
On raccrocha.
Van der Hagen et Blondeel? C'étaient quoi, ces sornettes? Le même homme? La phrase même était ambiguë. S'agissait-il de la même personne ou se ressemblaient-ils? Tous deux aussi malfaisants? Supercherie, conspiration, mauvaise blague ou dérangement mental?
Il repensa à Colette Van der Hagen, alias la Dkoise. Était-ce elle qui venait de l'appeler? Y avait-il complicité entre eux tous. Cela sentait l'accusation future classique « d'abus de biens sociaux, d'escroquerie et de recel de détournement de fonds publics ».
Il était temps de rencontrer ce Philippe Van der Hagen, PDG de la Cedim. Nemours prit aussitôt rendez-vous. Un journaliste voulait l'interviewer sur ses projets de promotion immobilière? Van der Hagen courut. Nemours se rendrait demain à la Cedim.
Juste avant qu'il ne sorte du journal, Talleux le joignit. Le patron de l'*Adèle* allait probablement être condamné à payer une amende pour blocage du port... Une menace et un choc de plus. Il prévoyait de devoir se défendre en justice. Il allait pourtant poursuivre l'action avec les autres bateaux. Que faire d'autre?

Luyce passa dans leur bureau faire un dernier point. Poulic venait de lui expliquer qu'il devait mieux dispatcher ses troupes, être plus réactif, plus efficace, mettre en place une meilleure organisation du travail et un surplus d'articles.

— Du journalisme d'abattage, quoi !

L'avenir s'annonçait difficile.

— Je lui ai répondu qu'à moins de grossir les troupes, il ne fallait pas qu'il y compte. Il a filé comme un lézard dans son trou. J'ai la solution contre la bêtise, la corruption, les mensonges officiels, la déliquescence, la dégénérescence de tout, la faim dans le monde et la fin du monde.

Il prit un tube d'aspirine, se dirigea vers la fontaine à eau et leva son verre à la santé du mur.

À 17 heures, Nemours éprouva le besoin de passer saluer Antoine. Il le trouva abattu, le sourire triste, comme absent.

— Pardonnez-moi, Nemours. J'ai passé une journée morose.

— Quelque chose s'est passé ?

— Rien ne se passe plus. Seulement je suis parfois submergé par ma solitude. Manon et Claire font tout ce qu'elles peuvent pour moi mais elles ont leur vie. Manon passe ses partiels. (Nemours le savait bien. Tous deux avaient trouvé, malgré le manque de temps, le moyen de se parler toutes les semaines.) Leur vie est encombrée de tâches. Ma femme me manque tellement… Je me sens parfois décentré, vous savez, comme un cercle qui serait tracé avec un compas sans pointe. Hier, le qualificatif le plus juste, c'était excentré ; aujourd'hui, c'est : éliminé. Je me sens à l'extérieur du monde et de moi. Le compas n'a plus de crayon. Pas un cercle, une amibe. L'amibe vous salue bien.

— Non, voyons, vous n'avez rien d'une amibe !

L'humeur pleine de misère d'Antoine l'ébranlait. Il tenta une explication. Je pense que le corps influence beaucoup l'esprit. Et si le corps fatigue…

Il pensait à lui, qui allait se « défatiguer », mais pour le vieux monsieur, que dire ?

— Je ne sais si c'est mon vieux corps qui me plombe le moral ou mon esprit qui se plombe tout seul et broie du noir. Moi aussi, je me demande ce qui fait que la même nouvelle, le même fait, la même situation difficiles sont un jour insupportables, et surmontables le lendemain. Mystère? L'esprit croit être libre, c'est le corps qui le contrôle. Ma mémoire est si lourde, vous savez, « j'ai plus de souvenirs que si j'avais mille ans ». Parfois, c'est une force, d'autres fois, cela pose un poids sur le cœur, comme ces jours-ci. Je vais bientôt coiffer les quatre-vingts ans. Cela demande réflexion...

— Fera mieux l'année prochaine, lui sourit Nemours.

— Hé oui! L'âge, c'était important, quand ma femme était à mes côtés, aujourd'hui cela l'est nettement moins. À votre âge, c'est une année de plus, au mien une de moins. Je devrais en être soulagé.

— Vous savez, je ne suis moi-même pas très joyeux, balbutia Nemours. Et même assez démoralisé. Je me sens un peu foutu.

— Pas à votre âge, voyons!

Il esquissa un sourire.

— Vous êtes un si jeune journaliste, si j'osais, encore sous garantie.

Lequel s'en voulut le plus de ne pas lever le blues de l'autre? Nemours parce que sa jeunesse l'aurait dû, et Antoine son âge. L'énergie pour l'un et pour l'autre la sagesse.

Ils se regardèrent en frères de peine, leur différence d'âge abolie. Puis par courtoisie et par force, ils se reprirent tous deux. Soudain moins seuls, moins abattus.

— Et puis vous savez j'ai la musique, mon vieux.

Il lança un CD. Une musique céleste de Bach.

Le chat Tom vint opportunément faire une pirouette et des bonds de criquet, une paire de chaussettes en oiseau captif.

Ils se sourirent, les papillons noirs échappés de leur tête, se servirent cognac pour l'un et whisky pour l'autre à visée curative.

— Allez, cet « excentré », c'est juste un coup de spleen. Ça va aller. D'ailleurs vous êtes là et je vais déjà mieux... Survivons le plus mieux possible. Règle d'or. Ne comptons que sur nous et les amis.

Nemours rentra le pas lourd. Encore découragé. Et même bouleversé. Quand on se met à la place de l'autre, on ne revient jamais exactement à la sienne, constata-t-il.

Avec le vibrato du grand vent de la nuit et la solitude méditative retrouvée, lui remontaient le cafard et le dégoût qui avaient commencé à l'envahir au bureau. Une déstabilisation profonde de toute sa personne. Les fils de son énergie déconnectés à sa volonté. Et les autres journalistes, ils font comment? Désormais il hésitait, pris entre deux feux, écrire sur mille riens dérisoires et ne plus s'impliquer. Ou continuer. D'ailleurs quels feux? Pour l'heure il n'avait plus de flammes et pas plus d'étincelles en lui, il n'était que fumée et combustion. Pire, liquéfié. Agathe, elle, se démenait dans l'action légère. Toujours occupée, toujours en mouvement à glaner les infos, à lire, à copiner. Il l'admirait décidément. Quel beau déploiement de vitalité! Et lui qui ne se sentait plus la force de rien... Une histoire de saturation. Mais si Antoine tenait, si Luyce tenait, si Agathe ou Sylvia tenaient, d'autres tiendraient. Et lui aussi.

Au coin d'une heure, à l'angle d'une seconde, au détour d'un chant, au tournant d'un mot, sa grand-mère lui revenait en pleine tête. Un banal mais daté « C'est le pompon! », « Tu me bassines » ou « Ça vaut dix », et, comme Antoine sa femme, le manque le transperçait. Il était devenu si fragile!

Ce soir, il ne rêvait que de retour à une vie insouciante. Ce soir, il n'aspirait plus qu'à retrouver sa légèreté d'avant. Du temps où il ne voyait pas les malversations, les abus de pouvoir, les maltraitances institutionnelles sur le brave petit peuple, les difficultés des plus pauvres. Ah! La tentation de l'oubli, le vertige de la désinvolture. L'attraction du retour à Paris. À ce stade de l'histoire, il était comme une tricoteuse ou une dentellière qui n'aurait pas une vue d'ensemble de l'œuvre achevée. Sans idée du résultat final. Décourageant et découragé.

Ses pas le conduisirent jusqu'au bord de la mer. Il avait besoin de la voir, de la sentir et de l'entendre. Les petits rouleaux réguliers anesthésiaient sa pensée, ses angoisses. Des restes de jour brumeux s'accumulaient en tas sombres sur un bout du ciel.

Sous la lumière rasante du jour finissant, une silhouette en ombre chinoise longeait la grève, en face de ce qui restait du soleil, le haut du crâne. Il se rappela le mythe de Sisyphe et le rocher que pousse ce personnage de la mythologie jusqu'au sommet de la colline puis qui roule jusqu'en bas et que Sisyphe charrie à nouveau vers le haut. Au chevet du soleil couchant, il inspira largement. Voilà, une leçon donnée par la mer. S'en tenir à être vivant.

La nuit tomba, étoilée. La Voie lactée était visible, Vénus aussi, « Et ses feux redoutables » aurait ajouté sa grand-mère, presqu'un automatisme. Orion lui apparut. Leur constellation à tous deux. Orion « fleur de carotte ». Une figure géométrique qu'avec son cœur poète, Giono avait comparée à la fleur de carotte qui pousse au bord des champs, dans *Que ma joie demeure*, un livre à elle, aux pages grisâtres et usées, que sauf lui personne ne lisait plus ou presque.

« Le silence attendri de ceux qui ne sont plus / mais qui tiendraient ta main… » Une ritournelle d'Yves Duteil lui passa dans la tête. Oui, elle aurait été attendrie et même navrée de sa détresse. Il se sermonna : il fallait qu'il se reprenne. Sinon toute sa vie serait piégée. Il fredonna la suite : « À tous ceux dont l'histoire t'a mené jusque-là et pour ceux qui suivront la trace de tes pas… »

Agathe s'agite dans la cuisine, quand il ouvre la porte. Elle semble hors d'elle.

— Regarde ça !

Elle lui montre un pull mouillé et étonnamment poilu.

— C'est quoi ?

— Tu as balancé dans la machine à laver ton écharpe pleine de poils du chat d'Antoine!

À la moue de Nemours, elle comprend qu'il n'a pas le cœur à rire.

Il lui raconte alors son accablement profond, sans doute lié aussi à la lassitude du combat. Il s'en rend compte mais qu'y faire? La fatigue de son impuissance commence à le marquer.

— Je me méfie de tous. Même Bernard, tu sais le Noir.

— Ce grand débonnaire?

— On peut en avoir l'air et ne pas l'être, regarde Ben Laden, ce double-mètre hargneux. On peut être grand et méchant.

— Et petit et bon comme l'abbé Pierre...

— Ils vont s'attaquer à nous, à Luyce, à moi, au journal, je ne sais pas, mais je sens que ça va mal se passer. En tout cas pas rien. Deux forces en conflit. Les pouvoirs en place et ceux qui dénoncent. Question de tectonique des plaques. Cela se termine par un tremblement de terre ou un raz-de-marée, non?

Agathe devint sérieuse.

— Tu nous fais un refus devant l'obstacle! Pour toi, aujourd'hui, c'est l'épreuve du feu. Tu vas t'en sortir, je ne sais pas comment, mais tu y arriveras. Tu as plongé jusqu'au cou. Moi, je n'aurais pas pu, je ne pourrais pas, donc si tu t'y es mis, c'est que tu es capable de surmonter cela. Notre impuissance devant tout cela m'accable, moi aussi. Allez, une bonne nuit et il n'y paraîtra plus.

— Tu ne te sens jamais déprimée, toi? Comment fais-tu pour rire de tout?

— Pour éviter d'en pleurer, mon petit bonhomme, un vieux truc.

29.

Il attendait un RER en pleine campagne. La station de béton neuf, posée sur un plateau, dominait une forêt domaniale. Dès le départ sur ce trajet nouveau pour lui, son cœur se souleva. La vitesse était excessive. Puis comme sur des montagnes russes, le train, plutôt le « scenic railway » – comme l'appelait sa grand-mère – descendit une pente vertigineuse, en remonta une autre, toujours à grande vitesse, puis nouvelle descente puis remontée fulgurante au-dessus d'une canopée d'un vert vigoureux. Une grande boucle vertigineuse, entamée à vitesse encore accélérée si c'était possible, s'acheva en un foudroyant freinage devant le premier arrêt.

Comment pouvait-on imposer une telle épreuve aux banlieusards ? Était-il possible d'y survivre deux fois par jour ? Il n'eut pas à choisir de sortir du RER et renoncer à sa destination, son corps se réveilla et il reprit conscience. 4 heures du matin ! Il souffla, se leva pour manger du chocolat, son préféré, le *Praliné fondant*. Et se recoucha.

L'abus de vin blanc avait eu raison de lui et les conséquences sur son sommeil ne s'étaient pas fait attendre.

Il se rendormit. Sa grand-mère lui apparut en rêve. L'image était fugitive mais ce qui lui en resta les yeux ouverts à la première heure fut « Geneanet ».

Sa fatigue était extrême mais le rendez-vous avec Van der Hagen était fixé à 11 heures et il lui fallait repasser au journal.

— T'es prêt?

Agathe le sortit de sa léthargie.

Il accomplit les gestes des habitudes. Son rêve était explicite. La question de rentrer à Paris aurait pu le tarauder en d'autres temps, mais aujourd'hui sa mère repartie, ses parents loin... Les appeler? Il n'y songeait pas. Il refusait de les inquiéter alors que la mission de son père au Yémen ne devait pas être simple. Il n'avait plus l'âge qu'on s'occupe de lui.

Pour qu'il soit à nouveau d'attaque, Agathe, tel un bouvier, l'aiguillonna, dès le petit déjeuner. Le voir ainsi abattu lui étant insupportable.

Nemours soudain se rappela : « Geneanet! » Le site de recherche généalogique sur internet découvert par sa grand-mère et qu'elle n'avait pas eu le temps d'explorer elle-même. Comment avait-il pu oublier ce conseil? Bien sûr, Geneanet!

Il remonta son col, le seuil franchi. Plumes et virgules, les nuages chantaient et sifflaient dans le ciel les sauvageries du vent.

Sibylle, la grande blonde de l'accueil, drôle et insolente, fumait courageusement sur le seuil du journal tout en claquant des dents.

— Poulic nous a jetés du local fumeur. Supprimé la fumerie! Comme ça! Sympa, hein? Nous les fumeurs, on va finir par se foutre les poumons en l'air avec ce froid.

Ce paradoxe amusa Nemours.

— Luyce t'attend impatiemment.

Oui, Poulic n'était pas qu'un envoyé du polit bureau des actionnaires, un espion, mais aussi un « cost killer », un tueur de dépenses. Le bureau était vide de Luyce.

Nemours consulta ses mails : dans l'un, Sylvia relatait la suite de leur enquête. Elle lui expliquait que grâce aux preuves réunies et à ses articles, leur association avait déposé plainte auprès du tribunal administratif contre le maire et ses adjoints corrompus pour leurs acquisitions immobilières. Préfet et proc œuvraient, mobilisés par le devoir, la peur du scandale ou l'amour de la justice, ou les trois. L'affaire était en bonne voie. Elle lui redisait sa satisfaction et ses fervents remerciements. Elle lui conseillait aussi de regarder les journaux lillois. On y annonçait la mise en examen du maire d'Hénin-Beaumont puis sa révocation. Il venait de se faire épingler pour corruption.

Les choses avançaient.

Le site « Geneanet » révéla aisément la filiation de ce Philippe Van der Hagen. Son attention fut attirée par un de ses ascendants. Un certain René Vanders était son grand-père. Intéressant. Il appela Antoine sur-le-champ qui lui confirma qu'il s'agissait bien du même Vanders convoqué à la Kommandantur de Lille avec son père au sujet des approvisionnements de harengs pour l'Allemagne.

— Vous savez, avant-guerre, dès sa première élection, il avait juré la mort de tout ce qui comptait d'industriels en place dans la région. Il y est d'ailleurs à peu près parvenu... Au profit d'une pléthore de fonctionnaires municipaux. Il avait une dent contre les patrons.

Luyce, toujours tel qu'en lui-même, en bronze de Rodin, impavide, intense et torturé, entra dans son bureau, prit une chaise et posant ses coudes près de l'ordinateur, fixa Nemours.

— Ça va tomber comme un château de cartes.

— J'aimerais beaucoup voir les cartes voler...

— Je ne me demande plus si, mais quand. La question est là. Un : l'explosion dans l'usine a craché ses déflagrations jusque sur le projet du terminal méthanier. Ça y est, il a du plomb dans l'aile, plutôt un trou dans la carlingue. Stop au méthanier. Deux : le blocage des ports par les pêcheurs a entraîné une prise de conscience du problème. Trois : la dénonciation des corruptions municipales est enclenchée. Bravo, garçon ! Mais il va falloir épaissir la fumée. Je sens que l'étau se resserre. Un deuxième maire m'a appelé pour me demander où nous voulions en venir avec nos histoires de prix immobiliers et d'expropriations.

— Comme s'il ne le savait pas ?

Ainsi ils étaient découverts... C'était le revers de la médaille.

— Plus emmerdant, je n'ai toujours pas réussi à trouver un repreneur de parts pour contrer nos ennemis au journal et les mettre en minorité. Poulic m'a convoqué. Toujours sa menace de moins en moins sous-jacente de me licencier si je ne respecte pas la « ligne éditoriale ». Tu parles d'un terme ! Il ne veut plus qu'on écrive une ligne sur le prix des terrains ou tout ce qui touche au sujet. On va la jouer en sourdine.

— D'autant que l'action judiciaire est en cours. On ne peut rien faire de plus.

— J'ai de grosses craintes malgré tout. Les ennuis vont commencer vraiment si je ne trouve pas un financier, un mécène, n'importe quoi.

— Mais pas n'importe qui.

— Eh non !

— On est à court d'idée ?

— Personne n'est à court d'idées dans cette maison.

Luyce le quitta d'une bourrade amicale.

Un château de cartes ? Il aimait l'image. Il suivait bien le raisonnement de Luyce, il avait le même et la même conviction. Mais à quand la chute ?

Il n'était plus temps de se poser des questions.

10 h 30, Agathe et lui partirent pour Craywick, un hameau à quelques kilomètres de Dunkerque. Elle voulait, pendant le rendez-vous avec Van der Hagen, photographier un estaminet flamand typique.

Tandis qu'elle arpentait le village, il pénétra dans les bureaux du promoteur, installé dans une maison témoin. Il eut le temps d'admirer les maquettes du programme immobilier avec les arbres, voitures, figurines au centième. Un rêve de petit enfant.

Van der Hagen pénétra en trombe, entraînant Nemours dans le même mouvement de poignée de main et d'introduction dans son bureau. Sa haute stature et son embonpoint semblaient lui donner ce formidable élan. On sentait bien au bombé du bedon, à la carnation rubiconde que la bière et les frites composaient la base de sa nourriture. Le bureau était « presque » vide et ce presque était méticuleusement rangé. Il corrigea la place d'un stylo légèrement oblique. Nemours scrutait l'homme. Monomaniaque version obsessionnel et poulaines au pied. Des chaussures particulières à bout pointu et très relevé. Rebiqué par la marche ou forme d'origine ? Un regard affleurant comme son affabilité de surface et quelque chose dans ce regard qui pouvait virer au rouge.

Si Van der Hagen avait pensé que Nemours l'interrogerait sur son beau programme, il fut déçu.

Nemours le cueillit à froid. Était-il d'accord pour que son terrain du Clippon serve d'implantation à un terminal méthanier ?

— Qui vous dit même que j'en suis le propriétaire ? répondit-il puis il argumenta sur la chance de dizaine d'emplois.

Nemours répondit par une question.

— Qu'en plus il soit exproprié donc vendu aux contribuables à un prix surélevé ?

Il s'en expliqua par l'étrangeté des évaluations qui ne dépendaient pas de lui mais de l'administration locale.

— Pourquoi ces prix aberrants, parfois trop hauts ou trop bas ?

Van der Hagen ne désarmait pas :

— C'est la loi du marché. Il y a un prix moyen et des exceptions, mais dans ce cas il y a toujours une explication : terrain bien placé, maison ancienne ou plus belle, etc.

Même contorsion élusive. Sa mauvaise foi s'empâtait.

— Mais les plus-values sont énormes et vous allez en bénéficier aux dépens de petites gens. Qu'en est-il de cette rue entière en cours d'expropriation pour y construire des résidences ?

Le carnaval des vents d'Islande

— Mais c'est la mission d'un promoteur. Il faut rénover le tissu urbain.

Quel jargon! Son ton montait. Nemours changea de braquet. La conversation prit alors un tour « égrillard ».

— Et les commissions aux élus...

— Je ne supporterai pas plus, jeune homme, votre insolence. L'entrevue est terminée. J'ai du travail.

Et lui, il faisait du patin sur glace peut-être?

— Je devrais dire un élu? Vous voulez son nom?

Van der Hagen se leva et rompit définitivement la conversation en lui montrant la porte, jambes écartées, menaçant.

Nemours de toute façon avait déjà tourné les talons.

Il retrouva Agathe dans la voiture. Excitée comme un bourdon devant une belle grosse rose.

— Voilà, j'étais appuyée contre le mur, invisible. Je les ai vus, Van der Hagen et une femme, avant le rendez-vous avec toi. Ils s'embrassaient puis ils sont sortis de la voiture, ont réitéré, puis enfin il est entré dans son bureau.

— C'est peut-être sa femme.

— Hé! Hé!

— Quoi « hé hé »? T'es pas un peu mytho?

— Et toi, naïf. Il y a manifestement murène sous roche. Elle l'a embrassé sur la bouche comme si c'était la première et la centième fois.

— Oh! Oh! Cela change les choses, s'ils sont complices.

— Tu la connais. Tu l'as vue au Chat Noir. C'est Jocelyne, la femme du notaire Daniel Notebaert.

— Jamais vue.

— Mais si, maigrissime, au bord de l'anorexie. C'est vrai qu'elle était méconnaissable en fée clochette! Aujourd'hui elle était plutôt en actrice porno. Un beau brin de fille quand même, une belle pépée, une chouette petite poulette. Je te la fais à l'ancienne.

— Et s'ils sont de mèche, de mèche pour quoi?

324

Ils rentrèrent au journal sans la réponse.

— Il faut que je poursuive ma recherche généalogique.

— Allez, n'en parle pas : mets-t'y.

— Meti ?

— Mets-y toi ! Puis raconte-moi.

Il s'y attela dare-dare. Ses découvertes ne le surprirent plus tout autant. Une Marie Van der Hagen, des Jean, Charles Blondeel, et sur la branche du dessus Pierre, le capitaine. L'arbre poussait et on commençait à en voir la forme.

Nemours se rendit chez Antoine. Autant pour faire le point que pour n'être pas seul avec toutes ces énigmes. Il commença par le plus corrosif : les manœuvres des élus.

— Nemours, ne vous y trompez pas. Ce n'est pas seulement de la responsabilité d'un maire. Celui-là ou un autre... ni de ses acolytes. C'est tout un système, comment dire, malsain, perverti, altéré... et les électeurs sont parfois dupes, et les contribuables d'une certaine façon arnaqués... Il se pourrait bien que certains en veuillent à vous qui dénoncez. Prenant les victimes pour des coupables et les Cassandre pour responsables. C'est courant. Qu'ils en veuillent aussi à l'association qui les dénonce refusant tout mea culpa. Heureusement qu'ils sont plusieurs et groupés. Mais c'est peut-être le seul moyen de faire comprendre au plus grand nombre, d'autant plus si les corrompus sont invalidés... Le problème en politique est ce qui dure. Cela vire vite au copinage, au népotisme de tout poil. La force de la démocratie, c'est l'alternance. La base même. Ici nous vivons des décennies de plomb sous le même régime féodal.

— Vous avez vu ce qui se passe pour les explosions ?

— Je ne sais pas si cela va stopper le projet. Ses défenseurs continueront à gober et faire gober. Question de nature. Vous avez vu la nouvelle idée ? Un grand complexe sportif. Les maires se battent pour gagner le projet. Il paraît qu'elle servirait de base arrière pour les Jeux Olympiques de Londres. Il n'y a pas plus de quatre mille spectateurs pour le basket et pas plus de deux mille pour le hand. Ce centre pour dix mille spectateurs, c'est un toboggan qu'ils prennent pour un tremplin. Si vous démontrez la véhémence du projet, on pourrait vous en vouloir. La vérité n'est pas facile à entendre ni à dire... Vous avez avancé sur les Blondeel?

— Je progresse dans le brouillard mais j'ai repéré des liens et des embranchements. On continue.

En rentrant, Manon, de retour à Dunkerque pour ses vacances universitaires, l'appela. Elle voulait l'embarquer pour une marche. En amoureux? Il était partant.

30.

— Bonjour, monsieur Verdoy. Je préfère ne pas vous donner mon nom par téléphone. On ne se connaît pas, mais je
me permets de vous appeler parce que je suis inquiète pour
le journaliste de *La Voix de la Flandre*, Nemours. Je sais que
vous êtes proches. J'ai eu des informations peu rassurantes
sur lui. Je peux passer vous voir quand vous voulez.

Antoine, curieux, un peu estomaqué, accepta de la recevoir dans l'heure.

Après sa visite et ses explications, il était encore plus choqué. Les craintes de Sylvia – puisqu'elle s'était présentée
sous ce prénom – lui parurent justifiées mais après avoir
confronté leurs informations, aucun éclaircissement ne se
fit. La menace qui pesait sur Nemours restait sourde. Ses
actions de dénonciation tous azimuts commençaient non
seulement à être repérées mais à le mettre en danger...
Sylvia culpabilisait. C'est elle qui l'avait poussé sur les pistes
politiques. Elle avait elle-même des informateurs. Et l'un
d'eux avait clairement entendu un proche du maire pester
contre Nemours. « Ce type, il faudrait le faire taire une fois
pour toutes. » Un contrat sur sa tête ? Antoine l'excluait.
Absolument pas le genre de la région. Que les dénonciations
aient pu donner des envies de meurtre aux ombrageux visés,
certes. Mais de là à mettre leurs rodomontades à exécution,

il n'y croyait pas. En revanche qu'il y ait des remous autour de Nemours et dans son sillage, Antoine n'en doutait plus depuis l'accusation plausible de Philippe Blondeel.

Qu'est-ce qui motivait la démarche de Sylvia? Auprès de lui, en particulier, qui n'était pas journaliste, et, en général, contre la gestion du groupe au pouvoir à Dunkerque. Qui était-elle? Cinglée, parano, folie douce, besoin de se faire mousser? Sylvia ne lui avait pas fait mauvaise impression. Il estima, de prime abord et après réflexion, qu'elle était de ces justiciers de bonne foi qui pourfendent les injustices et les arbitraires, par conviction probablement désintéressée. Ce pouvait être un cas d'intrépide hardiesse voire d'extravagante imprudence. Il respectait infiniment ces courageux, parfois brouillons, mais nécessaires contre-pouvoirs aux abus en tous genres.

C'est pourquoi l'alerte de Sylvia le dérangea et le mobilisa. Prévenir Nemours alors qu'il était déjà vigilant s'avérerait plus anxiogène qu'efficace, de ces recommandations inutiles ou vaines ne faisant qu'accroître l'inquiétude. Il lui fallait agir. L'intuition de l'imminence d'un danger lui advint soudain. Il se mit tranquillement à téléphoner aux uns, aux autres, à gauche, à droite. Discrètement et à bon escient.

Nemours rentra au journal bien morne de sa dernière conversation avec Talleux. Il lui fallait passer obligatoirement par un conseiller régional et il ne savait pas à qui s'adresser. Il ne connaissait personne dans cette administration et devant cette nouvelle montagne à soulever, il avait, en se détournant, retenu un hoquet de sanglot devant Nemours. Qui n'avait su quelle attitude adopter, assailli lui aussi par l'émotion, plein d'une dérisoire compassion. Dix mille euros, faute de quoi il serait obligé de vendre son bateau, vite et à bas prix! Que pouvait-il faire de plus qu'un article percutant?

Au-delà du désespoir du patron-pêcheur, Nemours, sur la route du retour au journal, songeait aussi qu'un bateau en moins allait diminuer les quotas de pêche accordés par pays et par bateau, au profit des gros navires-usines ravageurs.

Il chercha Agathe à l'arrivée. Elle était en conciliabule avec un collègue dans un petit bureau tranquille, devant une table, crayons et papiers à la main.

— Je peux te déranger?

Elle sortit du bureau, furtivement.

— Tu es en synode? C'est qui, lui?

— Le pape. Un nouveau collègue, au service politique. Tu m'as l'air bizarre. Ça va pas? T'es perturbé?

Il lui raconta en deux mots l'histoire.

— Dis-moi, il me semblait que tu connaissais quelqu'un au Conseil régional, non?

— Oui, une conseillère. T'inquiète, c'est bon. Une copine carnavaleuse. Je m'en occupe. Je l'appelle pour lui demander si elle peut intervenir, c'est ça?

Elle s'isola dans le bureau, puis revint dans le couloir avec de bonnes nouvelles.

— Elle est d'accord pour demander cette subvention. Il y a un conseil dans quelques heures. C'est de la chance. Faxe-lui le plus vite possible ton article. Montre-le-moi avant, si tu veux.

Il zigzagua autour des bureaux jusqu'à sa niche. L'article déjà écrit dans sa tête n'avait plus qu'à se traduire en mots sur son ordinateur.

Puis il retourna voir Agathe dans son isoloir. La discussion faisait maintenant rage entre ce Claude et Agathe. Elle s'interrompit net pour lire le papier que Nemours lui tendait.

— Je trouve que c'est très clair. Vas-y, fonce.

Elle reprit derechef son entretien avec Claude. La conversation n'avait plus rien de léger. Ils avaient l'air de s'opposer ardemment sur le problème des immigrés afghans et de la jungle de Calais. Agathe était très sérieuse. Nemours s'esquiva discrètement.

Pour l'heure il attendait, anxieux, une réponse du Conseil régional qu'il espérait favorable. Agathe appela la conseillère à l'heure dite.

— Bonne nouvelle. Ma copine a bien lu et bien retenu ton article. La subvention est acceptée par la commission d'aide au développement : dix mille euros. C'est une compensation financière équitable. Il va recevoir la lettre de confirmation dans quelques jours. Appelle-le.

Agathe exultait. Le portable de Nemours sauta de joie.

— La famille sabre le champagne. Tu ne peux pas savoir comme je suis heureux. Tu aurais entendu ses remerciements. Il répétait : « Ici, on fait sauter le bouchon ! » Nemours en avait les larmes aux yeux.

Claude l'attrapa au vol avant son départ du journal.

— Je te propose une collaboration sur un sujet délicat pour lequel j'aurais besoin de ton aide. Je peux te parler ?

Le coin était tranquille, la plupart des collègues ayant déserté le bureau.

Nemours chuchota.

— Vas-y.

— Voilà, le maire a décidé d'utiliser les subventions de l'État, des subventions dite Anru. Tu connais ? Pour reconfigurer les quartiers pauvres ou mal famés, les immeubles sont détruits pour les reconstruire ailleurs, disperser les habitants, casser le quartier, séparer des bandes.

Claude donnait l'impression de ne pas respirer et de ne mettre aucun point, que des virgules entre ses phrases.

— Or les immeubles dunkerquois à supprimer ne rentrent pas dans ces critères, les vrais. Leurs habitants sont d'avance tristes de partir. Une réhabilitation qui respecterait les normes coûterait pourtant trois fois moins cher que mettre à bas des immeubles de quarante ans d'âge. Et qui va les reconstruire ? Un promoteur, toujours le même, dont on sait que le maire est derrière. Ils sont de mèche, mais jusqu'à quel point ? Homme de paille ? Associés ? Actionnaires ? Je ne sais pas. Je n'ai pas les preuves noir sur blanc. Ajoute à cela que les futurs « déplacés » se sentent mal et râlent. Alors le conseil municipal vient de voter pour des dizaines de milliers d'euros l'intervention d'une cellule de soutien psychologique qui vient d'on ne sait où, officiellement, du moins. Un copain bien sûr. En tout état de cause, le soupçon est légitime. Il y a des associations « hostiles », à vocation sociale, qui ne méritent que quelques cinquantaines d'euros et après bien des débats. Le coup de l'Anru est simple à expliquer : une réhabilitation coûterait à la collectivité locale et l'Anru aux contribuables français. On voit bien la logique sous-jacente. Mais, moi, elle me choque. Il y a sûrement conflit d'intérêt. Et probablement prise illégale d'intérêt. On parle de connivence avec le promoteur du coin. Cela devrait se prouver, mais c'est ardu. Je veux les serrer, tu comprends.

— On dirait un langage de flic, fit remarquer Nemours.

— Il me faut trouver des preuves imparables et multiplier les vérifications Mes sources doivent être sûres. C'est pour cela que j'ai besoin de toi. Je me méfie du maire. Ce mec, c'est le loup alpha. Je fais gaffe à ses crocs.

— C'est à cause de lui que tu es entré chez nous.

— Bien entendu. Dans mon précédent job, ils m'auraient censuré, bloqué même. Ici, cela les intéresse. Mais seul, c'est dur. Tu peux m'aider ?

Avec l'enquête en cours et les menaces pesant sur lui, Nemours se dit qu'il ne manquait plus que cela. Mais, par ailleurs, c'était tout à fait dans ses cordes.

— Je veux bien t'aider. Seulement laisse-moi du temps, quelques jours. Ça ira ?

— Parfait. Ça promet de beaux papiers, bien explosifs.

Claude, guilleret, repartit en se frottant les mains

Agathe et Nemours rentrèrent ensemble, la nuit tombée, rue du Pouy, éteints mais satisfaits.

— Tu ne m'avais pas dit que tu changeais de service.

— Je n'ai pas eu le temps et puis tu as d'autres sujets de préoccupation, non ?

— C'est Luyce qui te l'a proposé ?

— À ma demande. Fini la gaudriole. J'en ai marre de la légèreté. OK, la bougeotte imbécile m'a lassée. Disserter de la couleur des vernis à ongle. Et de l'évolution de la Barbie dans le temps. Tutus, bigoudis et mascaras et même critique de livres alors que je n'ai rien écrit moi-même. Qu'est-ce que

j'ai à commenter ce que font les autres? Qu'est-ce que j'ai
fait moi? Hein? Rien au fond.

— Je ne te le fais pas dire.

Son ironie ne passa pas inaperçue. Elle lui lança un regard
réprobateur.

— Non, je veux dire que je te retrouve enfin.

— J'en ai marre de courir, courir. Je m'arrête. Je m'occupe
d'un seul truc à la fois.

Il reconnaissait ici l'Agathe sérieuse et méditative qu'il
aimait, loin de celle qui se cachait derrière l'action perma-
nente, enfouissant ses angoisses dans l'agitation.

Elle introduisit sa clé dans la serrure. Tandis que Nemours
ressentit une drôle de sensation. Comme si quelqu'un les
observait de l'encoignure d'un immeuble en retrait. Plus
qu'une sensation, une réalité. Il se retourna pour scruter la
zone obscure. Un homme s'éloigna sans qu'il puisse voir son
visage. De la taille de Philippe Blondeel. Il n'aimait pas du
tout cela. Qu'est-ce que ce type fichait là?

Arrivés chez eux, ils s'étalèrent dans le canapé avec délectation. Nemours allongea ses jambes avec un soupir de satisfaction. La faim le releva.

— Tu veux des œufs sur le plat?

— Bonne idée. Qu'est-ce que tu penses du mec? Claude,
le vieux beau brun, il se la joue Rambo, tu ne trouve pas?
Avec son pull à gros pied de coq. Il est bizarre. Je le flaire pas
complètement.

— C'est une recrue difficile mais intéressante. Moi, je le
flaire bien. Courageux.

— Mmmm. C'est pas fait mon transfert chez les durs... Tu
n'en parles à personne, hein.

— À qui veux-tu? Je n'ai personne à qui en parler. Qui s'y
intéresserait. Ma mère?

— Manon, voyons.

Il n'eut pas envie de lui préciser qu'Agathe n'était pas leur
premier sujet de conversation.

31.

Manon tenait à emmener Nemours déjeuner *Au Grand Morien*, une brasserie centrale, la plus centrale s'il en fut. Nemours ne pouvait, d'après elle, continuer à ignorer un des lieux phare de Dunkerque.

Auparavant il passa au journal lire ses mails, écouter les derniers messages. Sur sa boîte vocale, toujours la même voix travestie, mais moins, et finalement probablement féminine, qui lui signalait que la vente du terrain du Clippon était imminente, que le prix en avait incroyablement grimpé. Elle ajoutait avoir découvert que Van der Hagen était un nom écran : le vrai propriétaire était un certain Philippe Blondeel.

Nemours se figea. Il était stupéfait. Quoi, encore ce type ! Qu'est-ce que tout cela voulait dire ? Et la voix, qui était-elle ? Quel jeu jouait-elle vraiment ? Il repassa le texte en boucle. En arrière-fond on percevait un cri, comme celui d'un bébé. À moins... Il réécouta à nouveau. Il s'agissait plutôt d'un miaulement. Et même, pour avoir entendu Tom plusieurs fois se plaindre à propos d'on ne savait quoi, il reconnaissait la chanson siamoise, mais cette dame pouvait posséder aussi un siamois. Nemours n'était guère avancé.

Manon devait passer le prendre au bureau. Dans les locaux vides, il lui fit entendre le troublant message.

— C'est Tom !

— Un siamois, oui ! Mais Tom ?

— Je suis formelle. Et j'ajouterai que la voix est celle de notre voisine, la femme de Daniel Notebaert.

Nemours n'arrivait pas à croire à une telle invraisem blance.

Manon prit un temps de réflexion, se saisit de son portable et composa un numéro.

— Grand-père, peux-tu essayer d'en savoir plus sur le propriétaire des terrains du Clippon dont Nemours t'a parlé ? On nous dit qu'il s'agirait de Philippe Blondeel, est-ce possible ? C'est curieux mais on dirait que nos voisins sont mêlés à quelque chose. J'ai cru reconnaître la voix de Jocelyne dans un coup de fil anonyme. Tu peux faire ça ?

Puis elle insista pour lire son dernier article en préparation. Il parlait des dangers des nuages de soufre qui, par deux fois en quelques mois, s'étaient répandus dans le village proche de l'accident. Il récapitulait les derniers événements : un incendie sur le site pétrolier de Mardyck avec émission de gaz « en panache » pendant une heure, fuite de monoxyde de carbone dans l'usine pétrochimique voisine, explosion provoquant deux incendies dans l'usine sidérurgique de Grande-Synthe, incendie avec risque d'explosion, maîtrisé à temps par les pompiers, etc.

La gravité de Manon emplit toute la pièce.

— Un dirigeant EDF, poursuivit Nemours, m'a affirmé que le gaz de soufre volatil se dissipait vite en cas de fuite ! Comment peut-il ignorer les dangers des nuages dérivants ou des brises de mer qui rabattent les vents à terre...

— Cela fait peur. (Elle reposa le texte.) Allez, viens ! J'ai faim et si grand-père se mêle d'en savoir plus sur le terrain du Clippon, il n'y a qu'à le laisser faire et oublier tout ça. Vrai ou faux ?

Un dernier message déroula la voix de Luyce.

— Nemours, ne vous inquiétez pas outre mesure. On trouvera un moyen.

Ils passèrent devant la tour du Leughenaer, vestige de l'ancienne ville, grande tour de guet miraculeusement épargnée par les bombardements, pour rejoindre *Le Grand Morien*. Le restaurant n'était pas l'antre de la gastronomie comme *le Soubise*, mais on y servait une sympathique cuisine flamande. Il était situé à un coin stratégique de la place Jean Bart, à la fois dans la ligne de mire du Jean Bart de bronze au centre de la place et sous la protection de saint Éloi, patron de l'église dont la façade criblée d'éclats d'obus témoignait de la guerre. Ce quartier, martyrisé comme toute la ville, était marqué par les stigmates de la violence, d'une part, et par la modernité, d'autre part, puisque toutes les constructions modernes, cubes de brique et de béton, s'étaient propagées le long d'axes perpendiculaires. Une ville tirée au cordeau, sans le charme des évolutions tortueuses des siècles précédents. Le sortilège de cette ville était ailleurs.

Avec elle à son bras, il regardait Dunkerque autrement, en touriste curieux.

On leur servit une flamiche au maroilles, spécialité de la région. Quand Nemours enfonça son couteau dans la grande tarte plate, il fut surpris de découvrir dessous un petit papier blanc qu'il retira avec le dégoût de celui qui découvre un cheveu dans la soupe. Au verso des inscriptions à l'encre noire : « Première étape : rendez-vous dans la gueule de la blanche morue. » Il le tendit à Manon.

— Ça, c'est un coup de mon grand-père ! D'ailleurs c'est son écriture. Peut-être même que ma mère y est mêlée.

— À quoi ?

— C'est un jeu de piste. Ils adorent. Je te parie même qu'ils sont de connivence !

— Mais pour faire quoi ?

— Un jeu, c'est tout. À moins que...

Elle ne termina pas sa phrase.

— Si tu le veux, on joue. C'est drôle et il y a toujours une surprise à la clé.

— Je marche ! Je cours !

Le week-end démarrait bien.

Le patron vint en personne leur présenter, croyaient-ils, l'addition mais il leur annonça, avec un œil malicieux, qu'Antoine et Claire régalaient.

— Ils m'ont dit de vous dire que vous aviez mis du temps à nous rendre visite... et cela le fit glousser.

Manon ne chercha pas longtemps la signification du message. « Une blanche morue » ? Elle croyait savoir où en trouver une. Nemours se laissa mener, aboulique et ravi de l'être.

Son portable cassa son euphorie. Après s'être excusé auprès de Manon et éloigné, il écouta Agathe.

— Juste un mot rapide. J'ai un choc. Figure-toi que ces salauds du Conseil régional ont envoyé une lettre à ton pêcheur. Ils lui expliquent officiellement qu'ils sont obligés d'annuler la décision de subventions parce que les règles européennes interdisent tout soutien à la pêche. Il va perdre son bateau. Tu te rends compte !

Son ton haché aggravait la nouvelle.

Nemours anéanti joignit le pêcheur, anéanti lui aussi, détruit même.

— C'est foutu. Tout est foutu. Pourtant j'ai reçu hier par écrit la confirmation du versement. Talleux insistait, « Par écrit ! » Et aujourd'hui ils annulent tout. Soi-disant l'Europe !

Ainsi l'Union européenne interdisait avec fermeté au Conseil régional d'accéder à sa demande. L'aide votée serait irrévocablement bloquée. L'Europe combattait la surpêche, mais d'une manière absurde... Nemours n'imaginait même pas ce genre de procédés possibles. Incroyable !

— Je vous l'avais dit. Je m'en doutais. Ils m'en veulent.

Nemours ne pouvait pas le contredire et nier, ce serait remuer son désappointement. Il n'arrivait pas non plus à croire à un complot. Il s'en voulait affreusement. L'homme, effondré mais se reprenant, tenta d'anticiper sur une culpabilisation qui, il le devinait, ne manquerait pas d'atteindre Nemours.

— Vous n'y êtes pour rien. Je vous remercie d'avoir tenté de nous aider.

Cela le consola un peu. Mais ce merci était pathétique. Nemours avait aggravé par son intervention la peine de cet homme. Et de cela, il s'en voulait irrémédiablement et il aurait du mal à effacer la brûlure. Il fallait pourtant qu'il ne montre rien de son malaise à Manon.

Ils se dirigèrent ensuite vers Bray-Dunes. En relisant le message, Manon repéra un numéro écrit en pattes de mouches : 69. Que venait faire ici ce 69 ? Une allusion grivoise ? Ce n'était pas le genre de son grand-père. Elle gara sa voiture le long de l'ancienne voie ferrée, par laquelle un train conduisait jadis ceux de « Lille-Roubaix-Tourcoing » à la mer, en congé ou en villégiature, suivant les bourses et le niveau social.

Sous le soleil, ils arpentèrent les dunes. Les oyats ployaient sous les assauts d'un petit vent qui allégeait l'air de sa fraîcheur. Du haut des dunes vertes, le spectacle de la grande étendue de sable et d'eau gris-bleu à l'horizon était grandiose, comme toutes les scènes ayant la mer pour théâtre.

Manon l'entraîna jusqu'au monument qui dominait l'ensemble. Tel un phare éteint, une haute et lourde croix, fichée dans le sable, dominait le paysage, en mémoire des marins disparus. Illustrant le propos, au bas de la croix, un groupe de personnages en ciment, fraîchement peints, semblait-il, tant le blanc était éclatant. Une femme embrassait un marin à pompon, sac à terre, une autre fixait un pêcheur, qui portait un enfant. Tous scrutaient l'horizon tandis qu'à leurs pieds, entortillé dans un filet, un poisson se cabrait en virgule devant une vieille ancre rouillée...

Ils ne s'étonnèrent pas de l'insolite présence d'un billet dans la gueule du gadidé. C'est Nemours, curieux et galant, qui escalada la grille protégeant le monument. Il se demanda contre quels profanateurs on le défendait, tandis qu'il extirpait le message des dents acérées de la morue. Il était écrit :

« Pas bête la guêpe ! Deuxième étape : jetez-vous dans la gueule du lion assoiffé », suivi des chiffres 0 et 3. Manon ne voyait pas du tout à quoi ces 03 pouvaient bien correspondre. L'indicatif téléphonique de la zone nord ?

Nemours réclama, avant toute chose, une dîme, par l'entremise d'un long baiser, le premier de la série du jour.

— Tu as une idée pour le « lion assoiffé » ?

— Dis, petit, tu me prends pour une bille ?

C'était une des phrases-clés de Manon.

— Bien sûr ! Je connais trop bien grand-père et maman !

Après vingt kilomètres à travers la campagne, ils arrivèrent à Gravelines, par la porte est, le long d'un ancien pont-levis défendu par un puissant taureau sculpté par Roch Vandromme

— Tu ne connais pas cet artiste ?

Nemours se sentit brutalement inculte.

— Mon grand-père lui a acheté une majestueuse *Vache qui pisse.*

— Majestueuse ?

— Dans sa salle à manger

Il cherchait dans sa mémoire un animal bloquant l'entrée de la pièce.

— Sur la commode.

Nemours se la rappelait maintenant, haute de trente centimètre, trônant sur le meuble. C'est vrai qu'elle était admirable, même les pattes arrière écartées.

— Il manque un fil de bronze pour le *qui pisse*, non ?

— Exact ! Observateur ! Tu n'as pas repéré Vandromme au carnaval ? Il est fifre chez les Kakesteacks. Kakesteack ? Ben, joue de morue !

Par la rue principale puis un sentier à 90°, ils pénétrèrent dans les fortifications. Fortifications que, au service de la stratégie de Louis XIV, Vauban avait jugées géopolitiquement dignes d'être restaurées et améliorées.

Cernés par l'Histoire de France, ils traversèrent une zone de verdure et d'eau, empruntèrent une rue médiane et bifurquèrent vers l'église par les ruelles. À deux pas d'une remarquable et ancienne caserne jaune tout en briques de sable, après un porche de pierre grise donnant sur une placette, se trouvait la Citerne Vauban, un antique réservoir d'eau, d'une contenance à l'époque de plus d'un million de litres, « construite en 1724 par le directeur général du royaume, le marquis d'Arsfeld », précisa Manon, jouant la guide. Cette citerne crachait naguère son eau potable par la gueule d'un lion de bronze, aujourd'hui inutile et asséchée. Un mascaron jumeau était placé à côté. Le lion de gauche ou de droite ?

Dans la gorge assoiffée du mascaron, deux billets pour un concert de musique baroque, à 17 heures, ce jour même, dans l'église Saint-Willibrord et un message : « Fine la mouche ! Troisième étape : ne vous embrassez pas avant d'avoir rencontré le mystère et, après avoir joui de l'ouïe, à 20 h 30, regardez bien sous les pieds. »

Qui de Claire ou d'Antoine avait inventé ces âneries si sympathiques ?

L'église à la façade simple, en briques et à deux pentes, d'une facture mi-romane, mi-gothique, surprit Nemours. Un porche antique indiquait une date.

— Elle a été construite en 1598 ?

— Non, précisa Manon, Saint-Willibrord existe depuis 1190. C'est sans doute la date de réfection du porche.

— Saint Willibrord ?

— Oui, un saint du VIIe siècle qui évangélisa l'Irlande... Ou le contraire.

Le « Ah ! Tout s'explique » de Nemours n'expliquait rien d'autre que sa méconnaissance du sujet et son souhait de ne surtout pas en apprendre plus.

Après une bière, prise à la terrasse d'une brasserie, Manon l'entraîna dans une balade, par un chemin bordé d'aubépines, qui menait aux glacis.

— Je connais plutôt bien le territoire, expliqua-t-elle, grand-père m'y promenait souvent. La famille Verdoy est originaire du coin, tu sais.

Placé au pied du dernier glacis, on comprenait comment était organisée la défense de cette place forte (jamais prise mais par ailleurs jamais attaquée...). Dès que les assaillants avaient franchi un premier talus, les assiégés se repliaient par des souterrains jusqu'au talus suivant pour viser l'ennemi de leurs arcs ou de leurs arbalètes, d'en haut, en position dominante.

Naguère, grâce aux marées, les écluses chassaient la vase des fossés entourant les fortifications ainsi que celle du chenal de l'Aa. Aujourd'hui les lentilles d'eau, envahissant ces fossés, soulignaient de vert foncé le joli plan en étoile de la ville, tout en confirmant, à l'instar des odeurs putrides, que l'ingénieux procédé était tombé en désuétude. Nemours jugeait par lui-même l'état des lieux.

— Tu vois, exactement ce que les pêcheurs m'en ont dit.

Le vent s'était sérieusement levé, décoiffait les marronniers, agitait l'argent du verso des feuilles des érables. Les rafales retournaient même les oyats. Les courts peupliers trembles semblaient plus secoués qu'à l'habitude et les pommiers perdaient de leur joufflu.

Manon et Nemours entrèrent dans l'église au moment où l'orchestre attaquait un crescendo de violons. La musique de Vivaldi les entraîna dans un univers aérien.

Manon songea que ce concert était le moyen d'en savoir plus sur son amoureux. Après tout Nemours et elle n'en étaient qu'aux prémisses des prémisses... Manon considérait que la musique révélait de soi plus que tout autre art car opaque à l'analyse, quasi inexplicable, simplement sensorielle. Les liens entre ceux qui vibrent aux mêmes sons lui paraissaient donc aussi mystérieux que réels et profonds. Allaient-ils aimer la même musique ?

Elle pensa que son grand-père la connaissait décidément bien pour avoir provoqué cette expérience avec Nemours.

Installés devant l'estrade où jouaient une dizaine de musiciens, cordes et piano, et sous le regard d'une Vierge à l'huile, tous deux vibraient, tour à tour, sous le mouvement des instruments. Cette semblable émotion partagée parut bon signe à Manon.

Notes et trilles voletant autour de lui, Nemours laissa son regard errer. Un monument baroque attira son attention, ce qui l'obligea à se dévisser le cou. Sur fond de marbre noir, un buste d'homme et dessous une grande plaque de marbre blanc, gravée d'inscriptions. C'est ce que ces lettres disaient qui le fascinait : « Ci gisent d'honorables personnes, Louis du Hamel – ce devait être lui le buste – anobli pour ses faits d'armes – dans une église, parler de guerre ? – par l'empereur Charles V et sa dame Marie Morace, sa compagne, leur fils le sieur Jacques du Hamel et la damoiselle Isabeau de Handschoewerker, sa femme. Chacun se fait dans un coin de fortune publique sa fortune privée. »

Un L-X-V-I-I-I traînait tout en bas. 68 ? À quoi correspondait ce chiffre ?

Manon l'interrompit dans sa rêverie.

— C'est le monument sépulcral de la famille du Hamel, de 1642.

— Bizarre, ce nom, « monument sépulcral » ?

À l'entracte, ils se dégourdirent les jambes jusqu'à une large colonne noire.

— Sculptée par un certain François Girardon, à la gloire, d'après l'inscription, d'un non moins connu Barbier de Metz, blessé à Saint-Venant en 1657 et mort à la bataille de Fleurus. Ses frères, Gédéon et Louis, ont offert ce cénotaphe à sa mémoire, lut Manon.

Mais aucun message au pied de la colonne. Avant que le concert ne reprenne, Manon fit à toute vitesse le tour de tous les pieds, chaises, piano et même musiciens, se rappelant les directives de son grand-père. En vain. Elle examina le cadre du tableau de la Vierge et derrière. Rien.

Semblablement émus et transportés, chacun trouva l'autre merveilleux. Quel meilleur signe ?

Était-ce cela « avoir rencontré le mystère » du message ?

La fin du concert ramena Manon à son problème : où se trouvait le nouveau message ?

Elle posa le regard sur le cou de bronze de Louis du Hamel mais il était perché trop haut. Elle fouilla dans un creux derrière son épée de pierre. Toujours rien. Elle faillit renoncer. Tout à coup elle le vit. Sous ses yeux, là, dépassaient du tapis en bordure de l'estrade deux millimètres de papier blanc : « Futée la gâmine ! Quatrième étape : réfléchis avec ton estomac de neuf heures et dirige-toi vers le grand cerf de sable et... » Un 24 signait le texte. Était-ce un numéro de chambre ?

— Oh ! Cette fois, c'est trop facile, commenta Manon. L'*Alexandra* ! Il a l'habitude de venir le dimanche midi se promener sur la jetée et boire l'apéritif à l'hôtel-restaurant du *Phare*.

— Pourquoi l'*Alexandra* ? Quel rapport ?

— *Le grand cerf* est son ancien nom. Il fallait être initiée comme je le suis.

En quittant l'église, ils s'embrassèrent.

— Ordre de ta famille, affirma Nemours.

— C'est là qu'ils se sont mariés avec ma grand-mère...

Ils marchèrent vers Petit-Fort-Philippe, le long du chenal qui, à marée basse, serpente entre les jetées et des cordons de vase. Le jusant n'allait pas tarder à s'inverser. Puis, toujours côte à côte, ils tournèrent vers la plage qui découvrait sa longue laisse de haute mer. La vue était aussi sublime qu'apaisante.

Au restaurant de l'hôtel *Alexandra*, devant la vaste étendue de plage, tout le beige du sable, progressivement envahi par la marée haute, et tout le bleu du ciel, lentement saturé par un coucher de soleil polychrome, les enchantèrent.

Une petite femme replète, tout sourire, s'approcha d'eux, apparemment pour prendre la commande. Elle avait une enveloppe entre les mains.

— Vous êtes la petite-fille de M. Verdoy ? Ceci est pour vous.

— Comment m'avez-vous reconnue ?

— Oh ! Votre grand-père nous a montré votre photo. (La patronne sourit à nouveau.) Il est fier de vous. Ah ! Et puis ça aussi.

Elle lui tendit une feuille pliée en deux. Tout en se délec-
tant de langoustines, elle déplia la feuille. Blanche. Elle était
blanche. Elle avait beau la tourner et la retourner, rien.
— Tu y comprends quelque chose?
— Rien du tout.
De l'enveloppe ils sortirent quelques pages d'un texte d'une
écriture fine qu'ils reconnurent tous deux. Sur la page de
garde était trombonée une facture pour deux menus dégus-
tation à l'*Alexandra*. Un « Réglé » la barrait puis, dessous, un
post-it : « À lire tranquillement devant la plus belle – bon!
Une des plus belles – vues du monde », avait ajouté une
autre main...
— Tu vois, ils sont compères! C'est l'écriture de maman.
— Pas autoritaire pour deux ronds, ta famille.
Après le dîner, la lettre non lue en poche, ils s'abîmèrent
dans les couleurs moribondes du paysage. Il l'embrassa au
milieu du chemin entre sable et mer.
— Nous n'allons pas rentrer. Et je ne te ramènerai pas ce
soir chez toi.
Ce samedi soir, il restait à l'*Alexandra* une chambre libre
avec vue à 90° sur la vaste étendue de sable. La mer vola-
tilisée à marée basse ne laissait deviner d'elle qu'une ligne
bleue.
Manon se rapprocha de Nemours, un sourire esquissé, un
peu intimidée.
— Tu me racontes l'histoire de ta famille dunkerquoise?
— Plus précisément de son secret.
Nemours expliqua sa toute récente conversation avec
Antoine. Il connaissait sa grand-mère, certes, mais surtout
les Blondeel. Il connaissait l'affaire de l'adultère, du meurtre,
de l'accusation. Il savait que le patronyme de Jean, le fils de
Charles, le petit-fils de Pierre, le capitaine, avait été changé
pour celui de Jeanne, sa mère, femme de Charles donc, née
Delacroix. Après le drame, Jeanne, reprenant son nom de
jeune fille, et Jean, son fils, « réfugiés » à Paris, avaient ainsi
échappé à la rumeur, au qu'en-dira-t-on. À sa sortie de prison, Charles avait engagé une aventure avec Marie Van der

Hagen, fille naturelle de Julia, ex-fiancée du grand-père, le capitaine Pierre Blondeel, avait divorcé de Jeanne puis épousé Marie. Par la suite étaient nés de cette union d'autres petits Blondeel...

— On disait que cette Marie était une belle fille. Il semblerait qu'ensuite les choses se soient gâtées pour le couple. Après un enfant mâle, sans doute le père de Philippe Blondeel, Charles aurait voulu se séparer d'elle. Il était très malheureux. D'ailleurs ses parents, Pierre et Soley, en étaient attristés et fâchés contre elle.

— Quel gâchis! commenta Manon.

— Charles est mort avant eux, d'un infarctus en 1938, Pierre, son père, est mort en 1965, à quatre-vingt-dix ans, un an après sa femme. J'ai les noms, les dates, les branches. C'est ton grand-père qui a déroulé toute la pelote pour moi.

— Et Jean?

— Mon grand-père donc? Il est mort à la guerre. Ironie du sort, lors des bombardements de juin 1940 sur la poche de Dunkerque. Ma grand-mère l'a en fait connu peu d'années.

— Es-tu finalement allé voir le cimetière de Bray-Dunes? As-tu repéré les tombes de ta famille et les dates? interrogea Manon.

— Oui. C'était très émouvant. Mais je n'ai retrouvé que la tombe de Charles.

— C'est donc parce que ta mère ne connaissait pas ses origines que tu n'en as pas entendu parler et que ton histoire dunkerquoise s'est perdue.

— Sûrement. Ton grand-père disait que ce n'était pas le seul secret de cette famille mais il n'en savait pas plus. Tu vois, je suis de chez toi. D'ailleurs je ressemble aux gens du ch'Nord et même du Westhook. Tu ne trouves pas? Et aussi à Philippe Blondeel. Finalement j'ai une tête de cousin...

— Mais pourquoi Grand-père ne t'a-t-il rien révélé avant?

— Il m'a laissé faire. C'était à moi de trouver, non? Tous m'ont laissé ouvrir le sentier, Antoine, mais aussi probablement ma grand-mère, même Bernard et, bien sûr, d'une certaine manière, Philippe Blondeel. Si je n'avais pas voulu chercher, personne n'aurait révélé quoi que ce soit. Cela venait de moi et c'est cela qu'ils attendaient. Le seul à l'avoir fait de façon agressive voire assassine, c'est ce Philippe... Il s'est inscrit aux archives sous un nom d'emprunt, « P. Van der Hagen », celui de son complice, c'est idiot, et pour supprimer radicalement des journaux toutes traces de l'affaire et du procès. Il a simplement oublié quelques lignes dans un numéro du journal local de *L'Écho du Nord*, ce qui m'a mis sur la piste. Puis, comme je te l'ai déjà raconté, il a probablement tenté de me tuer dans un accident de voiture... Tout ça pour devenir Noir! C'est dément!

Cela le laissa songeur.

La marée montante grignotait doucement toute la plage tandis qu'une nuit amoureuse les enveloppait.

Ils rejoignirent leur chambre tard. Pas si pressés. La nuit serait particulière, ils le savaient.

La chambre baignait dans le noir et le halo de la pleine lune.

— Si tu m'aimais, tu me le dirais?

Pas étonnée par ce genre de question manifestement prématurée, Manon répondit du tac au tac :

— Un : certainement pas. Deux (elle prit un temps de silence) : je t'aime. Trois : je te rappelle que nous n'avons jamais fait l'amour ensemble.

Nemours se pencha doucement sur la bouche de Manon, l'embrassa, la caressa longuement puis il se glissa, enfin, entre ses draps.

32.

Un jour scintillant se leva. Mollement abandonnés, ils se réveillèrent en se souriant. Cette nuit sortilège leur échappait.

Le vaste ciel leur entrait par les yeux et par tous les pores.

Manon s'empara de l'enveloppe, dont leurs baisers avaient différé l'ouverture. Des photos et des cartes postales étaient jointes à quelques feuilles.

Les cartes, au dos vierge, représentaient toutes le chenal de Gravelines. Turner dans une explosion de lumière, Staël en gros aplats contrastés, Derain par touches fauves de couleurs pastel et quelques taches vives, tandis que Seurat s'était appliqué à apposer des myriades de points, méritant son qualificatif de pointilliste. Mais la vue de Nicolas de Staël était tout à fait originale parce qu'il avait peint le chenal à l'envers, de la mer vers le phare.

Ensuite ils contemplèrent trois grandes photos, en noir et blanc, de majestueuses goélettes islandaises, soit sortant du chenal, soit voguant vers le large.

Puis, installant confortablement les oreillers dans son dos, Manon lui tendit les feuillets. Elle agitait ses pieds aux ongles nacrés comme de petits coquillages.

— Je ne sais pas pourquoi mais je suis sûre qu'il y a un message dans ces pages. Et si tu lisais tout haut?

Elle lui adressa un sourire séraphique.

Nemours recommença donc avec la petite-fille ce qu'il avait déjà fait avec le grand-père, lire des écrits de Fursy Verdoy :

Nous étions en 1923. J'avais été engagé au salaire de six cents francs par mois pour débuter. Le logement me coûtait cinq francs par jour, le petit déjeuner un franc cinquante, le repas du midi trois francs cinquante et celui du soir un franc cinquante, soit onze francs cinquante, et je gagnais vingt francs par jour. J'économisais donc 8,50 francs pour mes loisirs. C'était le pactole et j'avais 20 ans. Mes appointements furent progressivement augmentés, mon train de vie également. Je quittais les cantines de l'YMCA pour de meilleurs restaurants. Après quelques essais, j'adoptais le restaurant Rougeot, pas bien loin de mon bureau de la SAGA. Voisin du quotidien Le Matin *ce restaurant était fréquenté par des journalistes. Les habitués s'agglutinaient par groupes et liaient de bonnes relations. Un jeune espoir du journalisme, fidèle à notre table, Asté d'Esparbès, fils de Georges, auteur d'ouvrages qui avaient alors un certain succès, entre autres* La légende de l'aigle, *napoléonneries dont le public était friand. Le père d'Esparbès venait régulièrement manger avec son fils et leur duo valait son pesant d'esprit gaulois de bon aloi. « Comme poète, disait Georges d'Esparbès, je suis bonapartiste, comme homme raisonnable, je suis bien entendu monarchiste et comme conservateur du musée de Fontainebleau, il me faut bien être républicain. » À Fontainebleau il ouvrait chaque matin sa fenêtre et de sa voix de grognard criait « Mort à l'Anglais », rappelant ainsi au voisinage que la mémoire de l'Empereur avait toujours un redoutable défenseur.*

On frappa à leur porte. C'était la petite dame ronde qui apportait le petit déjeuner. Désaltérés, rassasiés, ils reprirent leur confortable position.

À notre table parfois un vieil ami de Georges d'Esparbès, le général Barbet de Vaux, président du groupe des cuiras-

siers de Morsbrowo, enfin de ce qui en restait. *Le général, encore célibataire, représentait les champagnes Lanson qui lui avaient confié la zone rêvée de Montmartre. J'ai toujours retenu le sage conseil qu'il donnait à ces grandes consommatrices que devaient être les entraîneuses exerçant leur apostolat au sein des boîtes de nuit : « Croyez-moi, mes filles, pour tenir le coup toute une nuit, prenez toujours de l'extra-dry. » Barbet de Vaux devait être issu d'une descendance de Jean Bart et par ses parents il avait des attaches avec les familles Cambronne et Bertrand. Il avait hérité une collection d'armes et d'objets d'un général dont il avait été l'aide de camp en Indochine. Pour lui, comme pour d'Esparbès, la République était un pis-aller, une chienlit politique. Léon Daudet, polémiste et écrivain de talent, disciple claironnant de Charles Maurras, entraînait à cette époque la grande majorité de la jeunesse estudiantine vers le royalisme, cause perdue d'avance mais qui est allée loin quand même. La présence de ces sympathiques personnages à la table de chez Rougeot nous apportait beaucoup dans une atmosphère pleine de fantaisie où la petite histoire issue de la grande avait une place de choix.*

Le beau-fils de M. Rougeot, Maurice, n'était pas convaincu des talents de dégustateur-goûteur de vin du général et voulut un beau jour tenter une expérience. Il nous apporta une mystérieuse bouteille qu'il était censé avoir conservée avec soin et nous la présenta comme un grand cru, quelque chose comme un « Corton » (mais là mon souvenir est imprécis). Il souhaitait avoir l'opinion du général. Ce dernier après avoir bruyamment promené le nectar dans ses papilles gustatives éructa son verdict : « Maurice, tu te fous de ma g..., ton Corton, c'est du beaujolais que tu as rallongé avec du coteau de l'Hérault. » Maurice a sportivement reconnu que le général avait du nez et de la papille.

Malgré ses soixante-treize ans bien sonnés, Barbet de Vaux, à la carrure imposante, de plus d'un mètre quatre-vingts, qui avait toujours bon pied bon œil et tenait honorablement sa place à table, avait fait le projet de se marier : « J'ai chargé mon curé de résoudre cette affaire et je le crois parfaitement capable de me réussir ce mauvais coup... »

Asté nous avait confié que si un soir nous arrivions à le mettre en condition à la suite, par exemple, d'un bon repas convenablement arrosé, il n'était pas impossible qu'il condescende à nous faire visiter sa collection, que le père d'Esparbès nous décrivait comme étant un des plus extraordinaires musées privés. Nous organisâmes une bonne petite bouffe (agrémentée de bouteilles convenablement identifiées cette fois...) et le général ayant paru apprécier, nous lui proposâmes de le raccompagner. Asté insinua qu'il y aurait bien un petit coup à boire chez lui. Le général ayant opiné avec un grognement affirmatif. La partie était gagnée.

Il était très rare qu'il accepte de montrer cette collection et jamais lorsqu'il s'agissait de groupes. Il faisait une exception pour des amis. Chapeautés par d'Esparbès nous étions fiers d'être de ceux-là et nous voilà en taxi en route pour la rue Blanche où logeait le général.

Nous ne nous attendions pas à découvrir de telles richesses, une sorte de sanctuaire du culte du souvenir. Trois grandes pièces étaient tapissées ou encombrées de vitrines avec des armes, des trophées et des objets de toutes sortes. Rien n'était banal; chaque objet avait un intérêt historique authentifié.

D'entrée le général puisa dans une cantine de campagne de l'Empereur et en sortit une bouteille de rhum datant d'avant la catastrophe de la Martinique et nous en versa une rasade dans des verres à la marque impériale « N ».

— Attends, l'interrompit Manon. Regarde.

Un chat roux passa sur le rebord de la fenêtre, comme s'il n'était pas à plus de six mètres de haut, et disparut mystérieusement puisque le rebord de la fenêtre ne filait pas jusqu'à la suivante. Manon se pencha au-dessus de lui, pour essayer d'analyser le parcours. Nemours l'étreignit au passage sans retenue. Il pensa qu'il était complètement amoureux d'elle. Les Italiens avaient un terme pour cette période et ce sentiment : l'*innamoramento*. Oui, cela méritait bien un nom spécial.

— Ce matin tu ne m'as même pas embrassée, vraiment embrassée, ronchonna Manon.

— Et même pas fait l'amour depuis tout à l'heure.

Ils en profitèrent pour réparer ce manque.

Manon lui gratta les cheveux, une manie décidément, puis, se recouchant à plat ventre sur le lit :

— Vas-y ! Continue à lire.

— Quelle despote !

— Je ne suis pas sensible à la flatterie.

Il s'éclaircit la gorge :

Il serait trop long d'énumérer les drapeaux, fanions, documents, lettres ayant trait à l'épopée napoléonienne et maints autres objets qui composaient cette collection dont le général n'a jamais voulu se séparer, à aucun prix même pour un temps limité. Je crois qu'il a finalement légué ses trésors au musée de la Légion d'Honneur.

Au détour d'une vitrine je tombai en arrêt devant le buste original de Jean Bart par Coysevox : forte mâchoire, nez assez large, rien de commun avec la statue de Jean Bart par David d'Angers, sur la place de Dunkerque. Je ne sais si je fus déçu mais le jeune homme vaillant avait fait place à un bon gros Dunkerquois à l'œil malin. Une représentation sans doute plus vraie puisque je pouvais reconnaître un ami de la famille, un ancien curé de la paroisse Saint-Éloi, un de nos capitaines de pêche ou même un ancien édile de Bergues.

— Incroyable. Ce Jean Bart de pierre ! Et on sait où est ce buste ?

— Aucune idée. Comment veux-tu ? Je découvre comme toi.

— J'ai soif. Je vais me servir un Perrier. (Il prit un ton déterminé :) Mais sec ! Sans whisky.

— Cela me fait un drôle d'effet que ce soit mon arrière-grand-père qui a écrit et vécu ça. Cela me paraît si loin...

Une photo tomba de l'enveloppe, alors qu'il rangeait l'ensemble. Elle représentait Antoine, beaucoup plus jeune, et sa femme, devant l'hôtel du *Grand Cerf*, alias l'*Alexandra*, en 1950. Ah ! Tout s'explique...
Manon se blottit dans les bras de Nemours toute à sa rêverie.

Le téléphone sonna. C'était la mère de Nemours. Elle appelait de loin.
— Mon petit chat, tu es injoignable depuis deux jours. (C'est vrai qu'il avait laissé se décharger son portable et n'y avait songé que ce matin.) On nous a fait suivre le courrier. Il y avait une lettre de la mairie de Bray-Dunes. Figure-toi que le service des cimetières m'a demandé, en tant qu'apparentée aux Blondeel, si nous acceptions de réaliser d'urgence des travaux sur la concession de la tombe H47, d'une certaine famille Blondeel, Pierre et Soley, faute de quoi elle sera considérée comme en déshérence et libre pour d'autres.
Après un temps d'arrêt – il lui fallait reprendre souffle :
— Nous pouvons la garder à la condition de prendre ces travaux à notre compte, si j'ai bien compris.
— C'est cela. Ils ont mis du temps à nous retrouver. Delacroix, Blondeel. Ce n'était pas facile, paraît-il. (Rien d'étonnant ! Nemours lui avait écrit et déroulé l'écheveau de la filiation. Elle avait été moins captivée que lui, mais intéressée quand même.) Il paraît que l'autre branche, représentée par un certain Philippe Blondeel, ne veut pas donner suite. Ils refusent de payer. J'ai accepté pour toi. J'ai pensé que c'est ce que tu voudrais.
— La concession de Pierre Blondeel retrouvée ! Respect à nos morts ! Bien évidemment, tu as eu raison.
Nemours n'avait pas eu une seconde d'hésitation. Il n'était pas question de laisser cette tombe à l'abandon, d'autant que Philippe Blondeel l'avait méprisée. Ce vieux ressentiment de la branche Van der Hagen contre la branche Soley, qui ressurgissait de génération en génération ! Ne pouvait-on pas à un moment casser la chaîne de haine ? Nemours se dit que

Charles avait dû souffrir avec Marie. Il se demanda même si l'affaire Charles/Marie n'avait pas commencé avant la prison, peut-être en même temps que les amours de Jeanne et Maurice. Bien sûr ! C'était la logique. C'est pourquoi Charles et après lui Pierre n'en voulaient pas à Jeanne. Ils savaient ce que lui, Nemours, ne saurait jamais avec certitude. Comment pourrait-il vérifier cette hypothèse ?

Manon avait suivi avec passion les dernières péripéties et trouvait beau que l'on ait retrouvé cette tombe, et beau aussi que la famille de Nemours entretienne le souvenir perdu de ce Pierre, comme une eau résurgente.

— Crois-tu que Philippe Blondeel soit pour quelque chose dans la mauvaise attribution à la famille Braems de la tombe H47 ?

— Tu parles ! Aucun doute. Mais pourquoi ?

Le bleu velouté de l'horizon les aspira hors de leur chambre vers la plage, le ciel et les dunes... Le petit phare à rayures obliques, noir et blanc, dominait la grève, le long du chenal.

Manon voulait absolument faire découvrir à Nemours la vue grandiose du haut du phare.

La centaine de marches épuisait les grimpeurs. En récompense, la vue. Et le vertige. Nemours fut si impressionné par le vide qu'il ne réussit absolument pas à s'appuyer sur la fine balustrade du balcon. Collé au mur du phare, il contempla le chenal.

Un petit chalutier en sortait. On devinait plus qu'on ne les entendait les teufs-teufs de son moteur. Soudain, du haut de ce phare, Nemours vit de belles goélettes en file indienne, toutes voiles dehors, se dirigeant vers les fanaux du bout des jetées, puis les doublant. Il y en avait des dizaines.

Il imaginait l'équipage dessus, et notamment Pierre Blondeel... Jusque sur la ligne d'horizon, il suivit presque des yeux l'enfilade des bateaux du XIXᵉ siècle et ceux du XXᵉ, les goélettes et les dundees, mélangeant les générations, l'*Adèle*, le petit chalutier, et les *Marie-Céline, Marguerite, Louise-et-Gabrielle, Fernand, Willy-Fursy*... dont les photos récemment admirées chez Antoine s'étaient imprimées dans sa mémoire. Ces grands voiliers défilaient devant lui, au bout de l'estran, et s'éloignaient à l'est, vers l'Islande, comme dans un rêve, une illusion démesurément forte. L'émotion lui étreignit la gorge et les larmes lui montèrent aux yeux. À l'horizon, cette immensité d'eau l'aspirait, l'avalait, le saisissait. Une sensation étonnamment puissante.

En apesanteur, à vingt-cinq mètres de haut, Nemours volait vers eux. Embarqué avec les pêcheurs, il était des leurs...

Au côté de Pierre Blondeel, il regardait barrer cet homme à qui il ressemblait, mort des décennies plus tôt, un siècle, dix siècles, mille ans. Cet homme serait, était sa force.

— J'écrirai leur histoire, se promit-il.

Il sursauta tel un somnambule : Manon rompit l'illusion en lui touchant le bras. Son trouble était si intense qu'il en eut la respiration coupée. Mais peut-être était-ce le vertige ? Une étrange confusion des sentiments et des sensations s'empara de lui.

Arraché à son rêve, éveillé par un baiser si fougueux que le tourbillon amoureux l'emporta.

Il l'enlaça très fort et l'entraîna vers le palier de l'escalier. Elle se cala dans le coin sombre, se souleva un peu et lui enroula la jambe autour de la cuisse. Il introduisit sa main sous son blouson puis sous le pull. Tout n'était que douceur, la doublure de satin, le pull de cachemire, la peau de soie. Il lui caressa un sein tout en s'abîmant dans le long baiser. Tout à coup un bruit de pas étrangers les écarta. Il semblait qu'on grimpait les marches. Un peu à bout de souffle, ils rompirent l'enchantement et se séparèrent, craignant d'être surpris. Elle s'accouda au parapet tandis que lui se colla à nouveau contre le mur. Elle se penchait pour voir les côtes anglaises puis le bord de la Belgique.

— Tu vois les pointillés de la frontière ?

Elle se détourna du paysage pour lui sourire, quand brutalement un homme surgi de l'intérieur du phare bondit sur elle, bras en avant. Dans un élan d'une telle force que Manon fut projetée contre le garde-corps. Nemours sauta sur l'homme qui lui empoigna le col et l'entrejambe pour le faire basculer dans le vide. Il y serait parvenu si Nemours n'avait opéré un rétablissement immédiat, le bourrant de coups de pieds et de manchettes, en même temps qu'il agrippait Manon déséquilibrée. L'homme, esquivant les coups, se jeta dans les escaliers, dans une volte d'une surprenante rapidité.

Une cagoule de motard lui camouflait entièrement le visage, des gants, un blouson banal. Impossible de l'identifier... Quoique, de dos, sur ce blouson, on distinguait un aigle jaune.

L'homme dévalait déjà les escaliers que Manon s'écartait enfin du parapet, chancelante. Ses jambes se dérobèrent sous elle. Elle s'allongea à même la pierre. L'action, d'une violence inouïe, avait frappé comme la foudre. Avait-on vraiment voulu la tuer ? Ou lui ? Ils entendaient le lourd fracas de ses pas dans le minuscule escalier à vis. Nemours allait se précipiter à sa poursuite mais le malaise de Manon contraria son élan.

Il se pencha vers elle, qui reprenait ses esprits. Elle toussa pour s'éclaircir la voix.

— Ça va, ça va, le rassura-t-elle. J'ai juste un chaton dans la gorge.

Le rejoindre ? Trop tard. Il ne l'atteindrait plus. Une seule chance encore. Nemours se pencha vers l'entrée du phare, d'où l'agresseur jaillirait sûrement, ou sinon vers les rues par lesquelles il ne manquerait pas de s'échapper mais, instantanément pris de vertige, il se projeta en arrière puis s'accroupit.

La situation leur parut aussi grotesque qu'épouvantable. C'en était trop pour eux. Ils se calmèrent et, se tenant par la main, descendirent, encore tremblants. Heureusement, en bas, dans la maison du gardien, personne ne les attendait pour leur demander une quelconque explication. La scène était passée inaperçue. Dehors, tout paraissait calme.

Ils allèrent s'asseoir, accablés et encore émus. sur un banc devant le chenal.

— Résumons : en un mois, on a voulu me foutre dans le canal, nous bastonner sur la plage et maintenant me. ou te, pousser dans le vide !

354

— Et peut-être que ce n'est pas fini. Il faut prévenir la police !

— Et quoi dire ! Nous n'avons aucun élément probant et rien qui relie les agressions entre elles.

C'était l'évidence.

Chaque fois non identifiable, même taille, même corpulence, même genre. Quelqu'un leur en voulait vraiment mais qui et pourquoi ? Philippe Blondeel ? Et pas de preuve de leur soupçon... Tout à coup une pensée atroce envahit Nemours. Ce blouson il le connaissait. Et même bien. C'était celui d'Agathe. Il réfléchit à mi-voix :

— Agathe, grande comme un mec, solide comme un mec. Souple, rapide, nerveuse. Et jalouse. Au point de vouloir nous éliminer ?

Était-il devenu fou ? Pas Agathe, pas elle, si fidèle, si droite. Qu'il connaissait depuis si longtemps... Manon le regarda avec effroi.

33.

Avril 2011

Soudain Nemours sauta sur ses pieds, entraînant Manon par la main.

— Viens, on va manger.

Autant par besoin de se délivrer de la frayeur que tenaillé par la faim et la soif, ils burent une bière pression bien fraîche à la terrasse de l'hôtel du *Phare*. L'heure qu'ils passèrent à déguster un bon Sancerre, à décortiquer à nouveau des langoustines, à extraire une à une les moules de leur coque, à s'amuser d'un voisin qui buvait l'eau citronnée de son rince-doigts leur fit oublier un peu le choc.

Dans le choix du restaurant, le hasard avait bien fait les choses. Avec l'addition, le serveur ajouta un message. Décidément cela devenait une manie. « Bravo, les cocos ! Quatrième étape : RdV chez L-X-V-I-I-I. Au-dessus du combat de coqs et merci pour les bières. » Puis un 28 traînait, seul, en bas.

Claire et Antoine avaient encore frappé. Cette fois-ci, deux bières de plus à régler.

Manon retourna le papier.

— Là, je sèche.

— Je ne te crois pas. Tu vas trouver ! Les chiffres, redis-les-moi. Tous. Dans l'ordre.

— 69 03 24 28.

Ils trouvèrent en même temps – preuve que ce n'était pas si compliqué –, 03, le préfixe téléphonique du Nord, 28, celui de la région et 69, un des numéros de l'agglomération de Dunkerque. Pour le reste...

— Il manque encore deux chiffres pour composer un numéro complet. Tu te rappelles l'inscription sur la colonne : L-X-V-I-I-I ? C'est sûrement une entourloupe de mon grand-père. C'est bon, je sais... Facile ! (L'œil de Manon s'était illuminé.) C'est 03 28 69 24 68... Je crois d'ailleurs savoir de qui il s'agit.

Ils composèrent ce numéro. Manon le reconnut tout de suite : Degans. Un ami de la famille. Peintre.

— Un seul mot : bravo, Manon ! Arrive pour la suite. T'as le temps. Je dois sortir. Mais je vous attends dans deux heures à la maison.

Nemours n'y comprenait plus rien. Il était perdu.

— C'est quoi la blague ?

— Parce que pour lui Degans ressemble à L-X-V-I-I-I : Louis XVIII.

Puisqu'ils avaient le temps, ils décidèrent de se balader dans le village et le long de la plage. Ils marchaient tranquillement devant la terrasse du *Beau rivage*, lorsqu'ils découvrirent Agathe, parmi un groupe de motards dont les machines patientaient non loin.

Elle bavardait, riait avec l'un, avec l'autre, tournait la tête de droite et de gauche. Agathe ici ! Tout s'expliquait !

Elle était présente sur les lieux et au moment de l'agression. Ce ne pouvait être qu'elle. Ce blouson à l'aigle jaune si reconnaissable... Aucun doute ! Pourtant Nemours ne pouvait y croire.

Il s'élança vers elle :

— Agathe, il faut que je te parle. Vite !

— Tu ne salues pas Hadrien, tu sais mon ami dessina...

Nemours avait l'air si étrange, presque perdu, qu'elle interrompit à la seconde son rôle et son texte.

Elle se leva précipitamment pour les rejoindre sur le trottoir.

— Quoi? Qu'est-ce qui se passe?

Elle avait compris la gravité de quelque chose. Et de sa part, cela surprenait et touchait Nemours.

— D'abord, ton blouson! Tu sais avec l'aigle jaune? Il est où? Je t'expliquerai après.

Elle prit un air étonné et regarda le blouson pendu à sa chaise :

— Un très beau cuir, non? L'autre, le vieux, je l'ai filé à un des potes. Depuis que je fais de la moto avec eux, j'en ai un nouveau. (Elle le désigna sur le montant de sa chaise, toute fière.) Tu sais que je prépare le permis moto.

Non, il ne savait pas. Il aurait dû mieux l'écouter. En réalité il n'avait réellement jamais douté d'elle.

— Mais à qui?

— Euh... (Elle se tourna vers les garçons et les filles attablés.) Lui? Elle? Je ne sais plus. (Elle claqua des doigts.) Je sais.

Elle s'adressa à une fille :

— Tu te souviens du blouson que je t'ai passé?

— Oui. Tu veux que je te le rende? Désolée, je l'ai prêté à, à... Tu sais, le grand blond. Zut, je ne me rappelle plus son nom. Attends, il était avec nous, il y a quelques minutes. Je te le montre dès que je le revois.

Nemours secondé par Manon lui expliqua ce qui s'était passé en haut du phare. Elle était consternée.

— Dis donc, alors il s'est carapaté à fond d'balle! C'est grave quand même cette histoire. Il faut le retrouver.

— Oui, mais que faire? À moins d'attendre qu'il réapparaisse ou d'appeler la police et porter plainte contre X mais pour le moment...

— Et vous comprenez pourquoi il vous a agressé? Et qui? Manon ou toi?

— Manon, sans doute.

Nemours l'interrogea du regard.

— Après tout, c'est possible…

Manon resta songeuse. On sentait qu'elle envisageait une éventualité et cherchait dans sa mémoire lequel de ses prétendants était capable d'une telle agression.

— Un amoureux éconduit, tu crois ?

— Pour tes yeux, le dépit amoureux pourrait conduire au crime.

L'emphase de sa sentence la fit sourire.

Manon insista pour visiter la petite chapelle, posée sur la plus haute dune. Elle voulait brûler un cierge à la sainte du cru pour avoir échappé à la mort. Nemours n'était pas contre ces rites. Mais, incroyant, il se sentait intrus et un peu indiscret. Il s'éloigna donc.

Cinq minutes passèrent. Elle devait en avoir terminé avec sa prière.

Elle sortit en trombe.

— Philippe Blondeel. C'est Philippe Blondeel !

— Comment tu sais ? Tu n'as pas vu sa tête !

— On n'a pas besoin de voir une tête pour savoir qui est qui. Ça me revient maintenant. Ce pauvre type m'a draguée, il y a quelques années… Dans un bal. Tu vois. Rien d'important. Je ne sais vraiment pas pourquoi il s'est imaginé des choses. Je ne l'ai même pas embrassé. Ou peut-être une fois. Je me le rappelle à peine. Après, il s'est accroché et je l'ai dégagé. Ce type, c'est un coucou qui tente de faire son nid dans celui des autres.

Nemours commençait à comprendre, mais beaucoup de points restaient quand même en suspens. Était-il aussi l'agresseur de la plage ? Pourquoi s'était-il d'abord attaqué à lui puis à Manon ?

L'apparition d'Agathe et de la troupe de ses amis les surprit. Quelqu'un avait appelé la police. Une sirène caractéristique précédait leur voiture.

Et Agathe ? Pourquoi elle et ses amis étaient-ils là ?

— On vous a suivis de loin. Je leur ai raconté votre agression au phare. On a compris qu'il se tramait quelque chose de pas catholique avec ce Philippe. Comme il ne réapparaissait pas... Moi, tu sais, je le connais peu. Mais je pense qu'il a emprunté ce blouson pour que je sois accusée.

Un policier vint les interrompre. Il voulait les entendre. Il nota que Manon pensait reconnaître son agresseur et que tout concordait pour que ce soit Philippe Blondeel et surtout le blouson à l'aigle jaune, mais qu'il fallait plus de preuves. On leur demanda de porter plainte au commissariat lundi.

Ils rejoignirent l'*Alexandra*, sous l'œil attentionné d'Agathe, sans ses amis, sauf Hadrien avec qui elle rentrerait en moto.

La pression était retombée. Devant un coucher de soleil qui explosait à l'horizon et rougissait en fin de feux d'artifice un ciel mêlé de bleu nuit.

Agathe réfléchissait :

— Je me demande s'il s'agit bien d'une vengeance d'amoureux, ce ne serait pas plutôt ton histoire de méthanier et de terrain ? Tu la sors bien la semaine prochaine dans le journal ?

Nemours, absorbé, se mit à raisonner dans le même sens. Même si c'était bien trop rocambolesque...

Tous se mirent d'accord pour ne rien dire de cette histoire, ni à Antoine, ni à Claire, ni à personne. Ils se rappelèrent qu'ils étaient attendus dans moins de vingt minutes maintenant par Degans.

Avant longtemps, ils sauraient le fin mot de cette histoire.

34.

Ils décidèrent de repasser chez Nemours pour se changer, avant de repartir et mettre un terme au suspense du jeu de piste. Une joyeuse smala les accueillit. Agathe et deux copines devisaient autour de bières et de cafés. La récente crise apparemment oubliée.

— Tiens, les Manours! dit l'une.

La nouvelle avait couru...

La sonnette retentit. Nemours ouvrit à un livreur de fleurs. Dix longs cartons qu'il posa dans le couloir. Le fleuriste lui tendit une carte.

— Agathe, c'est pour toi.

— Pour moi?

La carte ne portait que son nom et son adresse. Rien d'autre.

Elle arracha le petit côté du premier carton. Cent roses. Elle ouvrit le deuxième. Cent roses. Le troisième. Cent roses. Elle regarda le fleuriste avec étonnement.

— C'est sûrement une erreur! Dix cartons de cent roses!

— Non, c'est bien pour vous! (Et avec un petit rire entendu :) C'est une déclaration ou je ne m'y connais pas! Allez, bonne chance!

Puis il tourna les talons, fit un salut de la main.

Ses amies l'entouraient et déballaient les fleurs avec des jappements.

— Walle, walle! Que des roses! Et rouges! L'amour passion!

— C'est La Bouquetterie, ici!

— Dis donc! Elles sont vraies!

— Oh! Encore heureux!

— Qui cela peut-il être?

Cette carte vierge la narguait.

— J'ai mon idée!

Agathe prit un air entendu.

— Qu'est-ce que fêtent ces roses? demanda Manon.

— Hey! Je ne suis pas enceinte!

— Qui te les a offertes! Mille roses! C'est dingue! s'étonna
Nemours.

— Tu ne devines pas?

— !?

— P'tit Craquelot! Hadrien! Le seul à être aussi fou.

— T'en penses quoi!

— Même pas en rêve, ni en cauchemar, en rien! Tu crois
pas! Chauve! Crevette!

C'est vrai que cela ferait un couple disproportionné, à la
Dubout[1]. Une Walkyrie et un craquelot.

— Et alors! s'offusqua Nemours.

— Tu te rends compte, un truc pareil, ça n'arrive pas tous
les jours! Moi, je le trouve craquant! dit l'une. Et il est si
drôle!

— Magnifique, commenta l'autre.

On ne savait pas si c'étaient les fleurs, le geste ou
l'homme.

Manifestement tous s'attendrissaient.

— Mille roses! Gunther et BB. La seule histoire de mille
roses que je connaisse, c'est Gunther Sachs qui jette des
fleurs d'un hélicoptère dans le jardin de Brigitte Bardot, à
la Madrague.

Manon se tut net. Ce mariage n'avait pas duré deux ans...

— Oh! Tu as vu l'heure? Viens, on va se doucher.

1. Dubout : dessinateur satirique.

Quand Manon et Nemours ressortirent dessablés et dessalés, un peu sournois, des baisers encore sur les lèvres, la maison était envahie de roses que les amies ordonnaient encore dans des vases, des demi-bouteilles d'eau décorées de serviettes de papier versicolores.

— Un appartement de princesse, non ?

Agathe riait de bonheur sous l'œil attendri de ses amies. Le téléphone vibra.

— Hadrien ! Tu ne devineras jamais. Un admirateur fou vient de m'envoyer mille roses ! T'as un concurrent ! Y'a bousculade sur les rangs !

À l'autre bout du fil l'ébahissement avait provoqué le silence. Agathe poussait la plaisanterie un peu loin. Elle lui rendait la monnaie de sa carte anonyme. Elle raccrocha aimablement. Il rappela.

— Tu passes me prendre ! Tu m'emmènes au restau ? Et merci pour les fleurs !

Elle fonça dans sa chambre et en ressortit en jupe. C'était si rare et bien dommage. Des jambes fines, longilignes et si bien faites que, sur elles, ses amis braquèrent des yeux impressionnés.

— Je sors mes jambes !

Manon et Nemours les laissèrent, pleins d'espoir qu'Agathe se laisse embarquer dans l'aventure et dépasse ses a priori, oubliant que même si Hadrien avait une demi-tête de moins qu'elle, il avait tout le reste pour la séduire.

Nemours retourna sur ses pas. Il avait oublié ses clés de voiture. Hors de portée des oreilles de Manon, Agathe lui chuchota :

— Ah ! Il faut que je te dise, ça va te décoiffer. J'ai eu ma copine conseillère régionale, tu te rappelles ? Elle m'assure que d'autres subventions ont été distribuées à des pêcheurs dans la même situation que le tien, mais lui, Talleux, tu connais la formule, « Il n'est pas du bon bord ».

Nemours eut un haut-le-cœur. Mais il n'avait pas dit son dernier mot. Et puis, il fallait vérifier la véracité de l'information.

— Ce n'était sans doute pas le moment de te le dire. Mais cela me soulage. Je t'en prie, n'emmerde pas Manon avec cette affaire.

Par cette nouvelle mystification des autorités administratives, il se sentit encore plus mortifié d'avoir jeté de l'espoir déçu sur les blessures du pêcheur. Il allait écouter le conseil d'Agathe. Il se recomposa un visage serein, la porte passée.

Le sourire de Manon acheva de le détendre.

Ils reprirent la voiture et roulèrent jusqu'à la digue de Malo-les-Bains.

Au rez-de-chaussée d'une haute maison, en vitrine, sur un immense tableau, deux coqs, rouges et noirs, comme deux diables, combattaient. Sous l'appartement de l'hôte de la dernière étape, ainsi qu'il était écrit dans le dernier message. Prémonitoire sans le savoir pour la lutte... Au bas du tableau la signature de Degans. Le tableau était peint à la manière des Flamands de la Renaissance ou de Dali, d'un pinceau précis et sûr.

Ils étaient attendus. Le peintre, sur le seuil de sa porte, les accueillit chaleureusement, « à la flamande ».

— Alors ! Gâmine, c'était drôle ? Ils se sont cassé la tête, tu sais !

Il les invita à boire le champagne de la victoire.

— Trinquons à votre perspicacité !

Ils sablèrent joyeusement un Dom Pérignon, « le meilleur », d'après l'épicurien. Décidément Manon et Nemours se réconfortaient vite. C'est comme si l'épisode précédent n'avait pas existé.

— Vous voulez un croissant ?

Ils n'en raffolaient pas avec le champagne.

Il leur fit la démonstration de « son » croissant-beurre, « le vrai ! » : un croissant sur lequel il tartinait du beurre. Puis il leur proposa un cocktail « étonnant-détonant » qu'il leur fut impossible de refuser. Et qui acheva de réparer les dégâts du jour.

Une sonnerie aigrelette, à deux pas du salon, indiqua l'arrivée d'un fax. Adressé à Nemours, il était d'Antoine. Degans le lui tendit. Nemours le lut. Sidéré et même foudroyé.

Manon se mit à lire à son tour : « J'ai appris que lors des travaux dans le caveau H47 de Pierre et de Soley Blondeel un coffret a été déterré avec une inscription gravée en islandais : "til Less sem à Lass skilid af Lvi ad hann leitadi", et à l'intérieur sa traduction : "À celui qui le mérite parce qu'il a cherché" puis : "Notre maison à notre descendant direct par Jeanne". Bientôt la chevillette cherrera grâce à Raminagrobis... »

Degans extirpa de derrière un tableau une grosse clé ancienne et rouillée.

— Je ne sais pas à quelle porte elle correspond. On dirait une clé de prison. Mais Antoine a précisé que Nemours saurait...

— Moi ?

Nemours réfléchit.

C'était surprenant mais finalement, logique ; d'une logique que Nemours commençait à percer.

— Oui, je sais.

— À la dernière étape, il y aura peut-être un trésor ? s'excita Manon.

— En tout cas, t'as compris qui est Raminagrobis, hein ? Allez ! À nosteker[1] et bonne chance !

Après avoir franchi le pertuis de la grille, puis le jardin sauvage de la maison de la rue Aristide Briand, Nemours glissa la clé dans la serrure – curieusement encore souple, comme si elle avait été entretenue durant cinquante ans.

La maison abandonnée du capitaine Pierre Blondeel et de Soley ! Plus rien n'étonnait Nemours.

Ils y entrèrent, tous deux avalés dans la pénombre du soir tombant. Le cœur battant. Son téléphone sonna. Agathe venait aux nouvelles.

---

1. Au revoir, en flamand.

— Ce qu'il m'arrive est incroyable.

Le son grésillait.

— La communication est épouvantable.

Un blanc se fit.

— Je te rappellerai.

Elle n'avait même pas dû entendre. Il n'avait plus de batterie.

« C'est ma maison! », s'étonna encore Nemours. À la lampe torche, ils passèrent un couloir, allèrent de pièce vide en pièce vide, traversèrent une véranda jusqu'à une terrasse qui donnait sur ce qui leur sembla une forêt vierge. « Inouï! Elle est à moi! » se répéta-t-il *in petto*. Ils avancèrent dans le jardin. Ilot de verdure limité par l'arrière des maisons voisines. Des remparts de briques rouges, quelques façades peintes à la chaux, une fenêtre en œil-de-bœuf, un arbuste qui poussait là-haut dans un chéneau. Rien n'avait dû changer depuis plus d'un demi-siècle.

— Très Vermeerdique, suggéra Manon.

Le qualificatif fit sourire Nemours mais l'impression que diffusait cet endroit le remplissait de bien-être et de sérénité.

Ils entrèrent à nouveau dans la maison, retraversant presque en courant la succession de pièces, grimpant à l'étage par l'escalier vermoulu. Cette fois, il cria « C'est chez nous », en embrassant Manon qui riait, riait. Ils virevoltaient, exaltés par toutes ces découvertes.

Soudain il entendit un craquement. Il avança vers la plus grande pièce. Un bruit sourd lui parvint, un bruit de masse sur le sol, et se retournant il découvrit Blondeel ramassé sur lui-même derrière la porte une batte de base-ball à la main. Il s'apprêtait à la jeter une nouvelle fois sur le cou de Nemours. Nemours lui sauta à la gorge, en tentant de le jeter à terre. Les deux hommes se battaient quand Manon s'empara vivement de la batte. On ne sait avec quel sursaut de vigueur Blondeel se retrouva sur ses pieds et brandit un pistolet dont il les menaça. L'affaire prenait un tout autre tournant.

Tout se dénoua très vite. Derrière l'homme, apparut tel un chat un policier qui lui demanda froidement de se rendre. C'est le choc du canon de l'arme adverse contre ses lombaires qui le fit abdiquer dans l'instant.

— Tout, tu m'as tout pris, mon héritage, ma maison, et elle, salaud!

Il éructait.

Il ne put rien ajouter de plus qu'un regard haineux, alors que les policiers l'embarquaient, tête baissée de force, dans une de leurs voitures.

— Mais comment avez-vous su? Agathe? Mais qu'est-ce que tu fais là?

Elle était accompagnée d'Hadrien. Elle serra Nemours, puis Manon dans ses bras avec force, à la mesure de son angoisse.

— Mais tu m'as dit « Il nous arrive quelque chose d'épouvantable ». Hadrien a tout de suite pensé à Philippe Blondeel.

— J'ai supposé que vous étiez en danger, confirma Hadrien. Seulement on ne savait pas où vous étiez. Elle a appelé Antoine Verdoy qui a fait immédiatement la connexion.

Un flic à tête de nounours sourit à Nemours puis désigna à Manon son téléphone. Elle manœuvra pour le reconnecter au monde extérieur. Un message angoissé d'Antoine demandait qu'elle le rappelle de toute urgence.

Le haut-parleur branché, Antoine leur apporta, dans cette maison éclairée du seul réverbère de la rue et des lampes torches des flics, beaucoup d'éclaircissements. « J'ai compris il y a quelques heures mais impossible de vous joindre. »

C'est vrai que celui de Nemours était dégonflé et celui de Manon coupé.

« Je n'étais pas inquiet. Mais je ne connaissais pas les agressions. Votre amie Agathe m'a appelé affolée. La police vient d'emmener Daniel Notebaert et sa femme Jocelyne en garde à vue. C'est Bernard, juste avant que je n'appelle le notaire, qui a découvert la combine. Il a vérifié le cadastre, sur les archives des notaires, le vrai cadastre d'origine, celui de la mairie est trafiqué. Le notaire était au final le propriétaire des terrains du Clippon, Blondeel, son homme de main, et Van der Hagen le prête-nom. Il leur fallait supprimer Nemours et faire passer son assassinat pour un pugilat passionnel. La femme de Notebaert te dirigeait bien sur une partie de la piste. Le dumping sur le terrain et toutes les combines... Daniel la trompe... »

OK. Mais Jocelyne aussi... Nemours commençait à comprendre, à démêler le vrai du faux.

— Quelles baltringues! s'étonnait encore Agathe.

Antoine les invita en conclusion à rentrer vite « à couvert » chez lui où les attendaient un « bon » feu et un « bon » chat. Oui, il s'agissait bien des miaulements de Tom chez les voisins Notebaert...

— Mais Agathe, je ne t'ai jamais dit ce que tu as cru entendre. Tu n'as dû choper que des bribes de phrases...

Ainsi son « Ce qu'il m'arrive est incroyable. La communication est épouvantable », s'était altéré en « Ce qu'il m'arrive est épouvantable ».

Il l'embrassa sur les joues avec tendresse et reconnaissance.

— Tu nous as sauvé la vie, vrai ou faux? ajouta Manon.

— Euh... conclut Agathe.

Tous sortirent de la maison abandonnée à nouveau. Nemours eut l'impression d'avoir oublié quelque chose. Il se retourna et, vif comme l'écureuil, rentra chercher sa lampe de poche. Il la récupéra loin. Elle avait roulé dans le corridor.

Tout à coup, sur le dessus d'une cheminée, un buste le surprit. Il braqua sur ce visage froid la lumière focalisée. Manon se tenait derrière lui. Un homme de marbre gris les fixait de ses gros yeux. Un nez un peu fort, un menton énergique... Leur regard s'écarquilla en même temps :

— Le buste de Barbet de Vaux!

Sur le socle était gravé « Jean Bart par Coysevox ». Dessous dépassait un bout de papier blanc. Et, sous l'œil goguenard de Jean Bart, ils lurent ensemble, de la fine écriture d'Antoine :

« FÉLICITATIONS ET BIENVENUE CHEZ LES NOIRS. »

35.

— L'intrigue n'est pas simple...

C'est Antoine qui le premier parla. Tout le monde s'était retrouvé chez lui. Après un passage au commissariat, Manon et Nemours, mais aussi Agathe et Hadrien. Luyce prévenu par Antoine les avait rejoints, séance tenante. Ils avaient tous besoin de souffler ensemble.

Chacun nidifia dans un fauteuil du grand salon cossu et confortable, espérant d'Antoine des explications sur toute cette histoire, puisqu'il semblait bien que c'est lui qui en détenait le mieux les tenants et les aboutissants. Il avait entre les mains l'arbre généalogique, en partie reconstitué par Nemours, et qu'il avait complété, grâce à l'ami Bernard, en reliant Philippe Van der Hagen et Philippe Blondeel.

Antoine se rencogna, pour mieux se concentrer.

— En résumé, Pierre Blondeel a laissé des consignes d'héritage à son notaire qui les a léguées, en quelque sorte, à son successeur et au successeur de son successeur, Daniel Notebaert. Vous me suivez ? Pierre n'avait plus d'enfant, que des petits-enfants. Sa première belle-fille, Jeanne, mariée à Charles, partie s'installer à Paris avec son fils Jean, s'appelant désormais Delacroix, après le drame. Assassinat de son amant, accusation à tort de Charles, il lui reste une deuxième belle-fille, Marie Van der Hagen, et là vous comprenez le lien de cousinage, entre le promoteur et aussi Philippe Blondeel. Cette Marie dont Charles va divorcer quelques années avant de mourir. Pierre verra donc la mort de son fils et aussi celle de son petit-fils Jean, de la branche Delacroix. Qu'il considère comme une victime. Il n'a plus que des petits-enfants du côté Van der Hagen et ça l'embête sacrément. Alors il va poser une clause formelle. L'héritier de sa fortune devra en être digne. Ta modestie dût-elle en souffrir, Nemours, c'est ce que tu as montré depuis ton arrivée chez nous. Cela a ému ta grand-mère, ma vieille amie, ce retour à tes sources et à tes origines Blondeel. Et elle n'a pas voulu non plus faire peser sur tes épaules d'anciennes charges.

— Elle savait ? s'inquiéta Nemours.

— Elle subodorait un lourd secret dans la famille Delacroix. Mais n'avait pas envie de gratter. Ni d'intérêt pour les retours sur les passés dramatiques. Le testament est la clé de tout. Il a même une sorte de date de péremption, et ceci explique cela : janvier 2012. Donc Daniel Notebaert a expliqué à Bernard, son confrère, qu'il allait te contacter, Nemours. D'autant que la limite de validité du testament approchait. Son opinion étant faite, la conclusion devenait imminente. Là est le nœud de l'énigme. Notebaert n'est pas dans le coup. C'est Jocelyne le maître-nom. Elle n'est pas juste une initiée par alliance et inadvertance, c'est la taupe de son amant. Elle a fouillé les dossiers archivés dans la cave de son notaire de mari, espionné pour son propre compte, celui de Van der Hagen, et par raccroc de Philippe Blondeel. Nemours mort, c'est lui qui aurait hérité. CQFD. Ces deux-là et leur complice faisaient d'une pierre trois coups en te supprimant. Exit les dénonciations médiatiques, finie la jalousie de mâle et tout bénéf pour l'héritage. Dans leur dernier scénario, tu aurais été tué en surprenant un maraudeur dans la maison du capitaine. Philippe Blondeel a dû outrepasser les consignes et vouloir ajouter une phrase au texte en tuant aussi Manon. En plus de la jalousie à l'égard de Nemours, le dépit amoureux.

— Le coucou s'installe dans le nid d'un autre ! Comme je te l'ai dit !

371

Tous suspendus aux lèvres d'Antoine avaient religieusement écouté ce récapitulatif. Une histoire décryptée et enfin lisible.

— Tu hérites de la maison, de beaucoup de pièces d'or mais aussi d'un capital pertinemment placé et qui a prospéré depuis cinquante ans...

— J'ajouterai, commença Luyce.

Les regards se tournèrent et toute l'attention se porta sur lui.

— J'ajouterai qu'en éliminant Nemours, Van der Hagen, qui le déteste lui aussi, je dirais, par atavisme presque, il supprimait aussi le problème des affaires politiques dénoncées au fil des articles. Les voici démasqués. Enfin j'ai découvert, pendant que vous baguenaudiez, un vrai lien entre Poulic, le directeur financier, et Van der Hagen, son prédécesseur : un pourcentage du capital du journal. Poulic m'a convoqué lundi. Je sais ce qu'il va m'annoncer.

— Que tu dégages dans l'heure, trancha Agathe.

— Sûrement. Ah! Ah!

Son rire sonna faux.

— C'est possible d'être aussi véreux? Cela dépasse l'entendement, commenta Manon.

— Eh bien, c'est raté! Van der Hagen sous les verrous, cet escroc va manquer aux proprios du journal. J'achète une part suffisante pour mettre Poulic et la Bip en minorité. Et là on va rire!

Nemours venait de trancher.

— Et Pouiiic! conclut Agathe.

Il se faisait tard. La fatigue leur tomba sur les épaules et chacun ressentit le besoin de rentrer chez soi. Demain serait un autre jour...

Manon dormirait chez son grand-père. Hadrien enfourcha sa moto vers un faubourg de Dunkerque. Luyce congratula ses braves collaborateurs, avant de s'éloigner, euphorique :

— « Il faut toujours viser la lune car, même en cas d'échec, on atterrit dans les étoiles. » C'est d'Oscar Wilde!

Nemours chemina vers la rue du Pouy, Agathe à ses côtés.

— On fait route?

Il lui plaisait d'utiliser ces dunkerquismes.

Dans le ciel, sous la pleine lune, juste un pizzicato de stratus.

Sur le chemin de la félicité, il réfléchissait encore aux équations du grand jeu.

— Ma grand-mère et Antoine en savaient plus que nous le croyions, mais pas suffisamment pour comprendre et anticiper.

La nuit était douce, presque estivale avant l'heure. Une nuit cinq étoiles. Orion pointa son trapèze isocèle.

Il lui sembla que la constellation lui faisait des appels.

ÉPILOGUE

Manon et Nemours viennent d'emménager dans la maison de Rosendaël, après des mois de lourds travaux de rénovation, financés par la succession prospère laissée à cette branche oubliée des Blondeel. La mère de Nemours a hérité des louis d'or. Nemours a trouvé cela juste et elle, inattendu. Agathe file un amour imparfait avec Hadrien le craquelot. Philippe Blondeel, Van der Hagen et leurs comparses ont été condamnés. Blondeel a également été sommé de se soigner. Sa cousine Van der Hagen, la Dkoise, évite nos héros. Le journal appartient désormais à Nemours et à Luyce. Antoine s'est associé à eux et y possède des parts. Poulic a été écarté par le Conseil d'administration. Étonnant, non? À la Toussaint, Manon et Nemours ont fleuri les tombes de Bray-Dunes. Les deux tombes.

Sur leur cheminée trône le gros buste de Jean Bart. Posé de biais sur sa tête, le bandeau des Noirs en fausse fourrure, surmonté de fières plumes de faisan. « Fé-san » pour Agathe.
Dans la rue flotte un chant, lent et enlevé, dont les rugissements de carnaval enflent et s'approchent furieusement de leurs fenêtres :

> *Depuis trois jours t'es déguisé,*
> *T'es maquillé et t'as picolé,*
> *Te v'là à c't'heure su' l'point d'parti'.*

Le carnaval des vents d'Islande

Cap sur Islande! Mort aux flétans!
Tu vas laisser femmes et enfants,
Et p't'êt' mourir, là-bas su' les bancs
Pou' des morues ou des z'harengs.
Va dans la Bande, pense qu'au présent.

Les extraits des mémoires de
Fursy Verdoy sont authentiques et
reproduits comme tels.

Remerciements

Que de gens m'auront aidée! À poursuivre, à m'accrocher, à reprendre, à corriger, à me résoudre à écrire le mot « fin ».

Mention spéciale à Ann, Maud Beaugrand-Bernard, Annie Boorsch, Philippe Degaey, Henri de Fontaubert, Brigitte Gilliot, Emmanuel Gilliot, Claude Herbay, Armelle Lainé et Corinne Guichard de la librairie L'Œil écoute, Caroline Peltier, Renaud de Saint-Mars, Vincent Hardy, Gilles Guillon, Madeleine Jordan, Joëlle Habert, Bernard-Henri Lévy, Fabienne Le Houérou, Maxime Beaugrand-Margetson, Lisbeth Passot-Kanbier, Jean Pattou, Gabrielle Prieur, Antoine Uhalde, Frédérique Verdoy, tout à fait spéciale à Raphaël Beaugrand et à Jean Surgers.

À Isabelle Laffont et Caroline Laurent des éditions Jean-Claude Lattès.

Pardon à ceux que j'oublie.

Pour l'éditeur, le principe est d'utiliser des papiers composés de fibres naturelles, renouvelables, recyclables et fabriquées à partir de bois issus de forêts qui adoptent un système d'aménagement durable.

En outre, l'éditeur attend de ses fournisseurs de papier qu'ils s'inscrivent dans une démarche de certification environnementale reconnue.

Photocomposition Datagrafix

Cet ouvrage a été imprimé par
CPI Firmin Didot à Mesnil-sur-l'Estrée
pour le compte des Éditions Jean-Claude Lattès
17 rue Jacob
75006 Paris
en avril 2011

Dépôt légal : mai 2011
N° d'édition : 01 – N° d'impression : 105168
Imprimé en France